कला का सौन्दर्य

(साहित्य तथा अन्य कलाएँ)

खण्ड-3

सम्पादक
यतीन्द्र मिश्र

वाणी प्रकाशन

वाणी प्रकाशन
4695, 21-ए, दरियागंज, नयी दिल्ली 110 002
शाखा
अशोक राजपथ, पटना 800 004
फ़ोन : +91 11 23273167 फ़ैक्स : +91 11 23275710
www.vaniprakashan.in
vaniprakashan@gmail.com
sales@vaniprakashan.in

KALA KA SAUNDARYA-3
(Sahitya Tatha Anya Kalayen)
edited by Yatindra Mishra

ISBN : 978-81-8143-890-4
Art

संस्करण 2008, 2012
आवृत्ति 2017
मूल्य : ₹2000 (चारों खण्ड)

एस.जी. प्रिंटर्स, दिल्ली-110 093 में मुद्रित

वाणी प्रकाशन का लोगो मक़बूल फ़िदा हुसेन की कूची से

अनुक्रम

(1)

एक बार फिर से अयोध्या सारी दुनिया की निगाहों में है। अपनी अत्यंत समृद्ध परंपरा और विरासत के बावजूद जिन अलोकतांत्रिक कारणों से इधर अयोध्या चर्चा का विषय बनी रही, वह खुद की नज़रों में स्वयं को छोटा करने जैसा है। आज़ादी के आधे दशक से अधिक बीत जाने के बाद भी अगर हम अपनी स्वतंत्रता और सामुदायिक पारस्परिकता को एक-दूसरे के प्रति समझ नहीं पाए, तो इससे बड़ी हमारी दूसरी भूल कुछ और नहीं हो सकती। राम के नाम पर किए जा रहे इन आंदोलनों का कोई भी पक्ष सीधा या परोक्ष रूप से राम की उदात्त मानवीय स्थापना के विरुद्ध ही ठहरता है। एक आस्था से संचालित होने वाला आम हिंदू भी बखूबी समझ सकता है कि उसके राम वैसे कतई नहीं हैं, जैसे विश्व हिन्दू परिषद् के प्रचारकों ने दिए हैं। कबीर, तुलसी और गांधी के भी राम हैं, जो जनतांत्रिक पक्षधरता के अधिक निकट ठहरते हैं, ज्यादा टिकाऊ भी और जिनपर हिंदू ही क्या, मुसलमान भी नाज़ कर सकता है।

कबीर ने कोई हद नहीं बाँधी कि उनके राम और अल्लाह एक साथ कहीं समा न सकें। गांधी के रामराज्य के उद्देश्य ने उस आस्था को प्रचारित किया, जिसमें वैष्णव उसे माना गया जो दूसरे की पीड़ा की उतनी ही गहराई से समानानुभूति कर सके। हमारे देश की परंपरा और मिट्टी ही ऐसी रही है, जिसने चरमपंथी के प्रति उदारता कभी नहीं बरती। अशोक नरसंहार से नहीं, अपने पश्चाताप एवं शांति के प्रयासों के कारण इतिहास में प्रासंगिक ठहरता है। अयोध्या का एक अर्थ है–जिसे कभी युद्ध में जीता न जा सके। आशय यही बनता है कि ऐसा स्थान, जहाँ आपसी सौहार्द और सामुदायिक पारस्परिकता ने सभ्यता को झुकने या टूटने से बचाया हो। वह अयोध्या जिसमें जातीयता से ऊपर उठकर कुछ स्थायी व सार्थक कर गुजरने की तीव्र आकांक्षा रही हो। सन् 1992 में हुए दंगों में अयोध्या को छोड़कर सारा देश जल उठा था। मगर यहाँ हिंदुओं ने ही मुसलमानों को उनका घर बर्बाद होने से बचाया, उनको अपने घरों में शरण दी व मानवीयता का सुंदर रूप तब सामने आया, जब इतने बड़े हादसे के बाद भी स्थानीय हिंदू-मुस्लिम रिश्तों में कड़वाहट आने से बची रही। यहाँ का हिंदू हो या मुसलमान, उनका मन्तव्य

एकदम खरा है। वे साथ रहते हैं। साथ रहना चाहते हैं व इन राजनीतिक मुद्दों का कोई सौहार्दपूर्ण हल निकल जाने की उम्मीद पाले बैठे हैं। सन् 1949 से बाबरी मस्जिद मामले के वादी रहे श्री हाशिम अंसारी यहाँ अयोध्या में बड़ी सहजता से रहते आए हैं। उनको सारा हिंदू समाज यहाँ आदर देता है। उनकी सामाजिक सहभागिता भी सारी जगहों पर हमेशा से रहती आई है। इसी तरह कनक भवन के ठीक बगल एक मंदिर है सुंदर भवन। सन् 1944 से पिछले वर्ष तक इसके मैनेजर एक मुसलमान श्री मुन्ने मियाँ थे। अभी हाल ही में उनका देहावसान हुआ है। मुन्ने मियाँ ने तकरीबन आधे दशक की ज़िंदगी पूरी तन्मयता से सुंदर भवन की सेवा करते गुजारी। यही असल अयोध्या है, जिसे नष्ट किया जा रहा है।

ये वही अयोध्या है, जहाँ संत पलटू दास का स्थान है। हज़रत पैगंबर शीश की दरगाह है। कबीरपंथियों का मठ है। गुरुद्वारा ब्रह्मकुण्ड है जहाँ गुरुनानक एवं गुरुगोविंद सिंह अपने उपदेशों के साथ आए थे। अयोध्या से लगी हुई पवित्र बड़ी बुआ की मज़ार है, जहाँ हर साल भारी मेला लगता है, हिंदू, मुसलमान, सिख सभी वहाँ जाते हैं और यह एक बड़ा संकेत है उस विरासत का, जिसमें हम अत्यंत सहिष्णु, प्रजातांत्रिक और समन्वयवादी रहे हैं। अयोध्या के मंदिरों के बाहर पूजन सामग्री, खड़ाऊँ, सिंदूर-बिंदी आदि बेचने वाले ज्यादातर मुसलमान परिवारों से हैं। अभी हाल ही में तीन माह पूर्व अयोध्या के नागरिकों ने अपने सौहार्द का सुंदर उदाहरण उस वक्त दिया था, जब सारी रात वे स्पिक मैके के कार्यक्रम में हज़ारों की संख्या में बैठे हुए उस्ताद रहीम फहीमुद्दीन डागर का ध्रुपद गायन सुन रहे थे। डागर घराने की बरसों से चली आ रही पीढ़ी दर पीढ़ी शैव-श्रद्धा व ध्रुपद की परंपरा को आप कहाँ रखेंगे? किस धर्म के आँगन में? कौन सा राजनीतिक समीकरण इस घराने के इतने बड़े दाय को झुठला सकता है? उस्ताद बिस्मिल्ला खाँ साहब को कौन नहीं जानता? पूरी ज़िंदगी बालाजी मंदिर पर अपनी श्रद्धा समर्पित करते चले आए इस दुर्लभ फनकार को शिव का सेहरा बजाने से कौन रोक सकता है? अजमेर शरीफ में या किसी फकीर की दरगाह पर जब कोई हिंदू चादर चढ़ाता है, और अपनी मनोकामना का धागा बाँधता है, तब उसकी श्रद्धा व नीयत में उतनी ही सच्चाई रहती है, जितनी किसी मुस्लिम श्रद्धालु के मन में। भारतीयता वह नहीं जो हम पर थोपी जा रही है, भारतीयता वह है, जो एक दूसरे के प्रति सुख में सुख, दुख में दुख मानने में है। और उससे भी बढ़कर किसी एक के ऊपर आए आसन्न संकट को देखते हुए उसका साथ देने में है।

कुछ दिनों पूर्व उस्ताद बिस्मिल्ला खाँ एक बार मुझसे कहने लगे—"भईया, अगर सारे हिंदू-मुसलमान संगीत की तालीम ले लें, तो झगड़ा ही खत्म हो जाए। जब तुम बेसुरे ही नहीं बचोगे तो बेकार की बातों में अपना सिर क्यों खपाओगे? सब तरफ अमन-चैन का ही न सुर होगा।" कितने लोग हैं, जो इतनी गूढ़ आस्था से सोचते हैं कि हमारी नियति में ही उन्माद और वैमनस्य का कोई स्थान नहीं होना चाहिए। ऐसे सुलझे हुए तर्कों को धर्म से संचालित होने वाली राजनीति किस हाशिए में रखेगी?

एक नागरिक के रूप में, अयोध्या में हम सभी पिछले बीस दिनों (25 फरवरी 2002-15 मार्च 2002) तक जिस अघोषित कर्फ्यू जैसी स्थिति में जीने को मजबूर हुए, सारा आवागमन बाधित रहा। अपने ही शहर में घूमने व कुछ लेने निकलने के लिए चार जगह पहचान-पत्र देते रहना पड़ा। अपने ही शहर में यह बताते रहना पड़ा कि पहचान-पत्र में दिखने वाला शख्स मैं

ही हूँ–यह किस संविधान और जनतंत्र को समृद्ध बनाता है? इन दिनों बीमार, वृद्ध एवं बच्चों को जिस असुविधा में रहने का अभ्यस्त होना पड़ा, वह तो उस अयोध्या की तस्वीर नहीं, गांधी जिसे 'रामराज्य' की आदर्श परिकल्पना के रूप में देखते थे।

हिंदी के वरिष्ठ कवि श्री कुँवरनारायण जी की एक कविता की कुछ पंक्तियाँ इन्हीं संदर्भों में यहाँ प्रस्तुत हैं–

एक अजीब सी मुश्किल में हूँ इन दिनों/मेरी भरपूर नफरत कर सकने की ताकत/दिनोंदिन क्षीण पड़ती जा रही/अंग्रेजों से नफरत करना चाहता (जिन्होंने दो सदी हम पर राज किया)/तो शेक्सपियर आड़े आ जाते/जिनके मुझ पर न जाने कितने एहसान हैं।

मुसलमानों से नफरत करने चलता/तो सामने गालिब आकर खड़े हो जाते/अब आप ही बताइए किसकी कुछ चलती है/उनके सामने?

× × × × ×

कोई न कोई, कहीं न कहीं, कभी न कभी/ऐसा मिल जाता/जिससे प्यार किए बिना रह ही नहीं पाता।

इसके बाद भी कोई तर्क बचता है, जो आपसी द्वेष को बढ़ाने में मददगार हो? एक कवि के माध्यम से, क्या यह उस समाज की अपील नहीं लगती, जो तमाम राजनीतिक ऊहापोहों से अलग चैन और अमन की सामाजिकता में गहराई से विश्वास करती है?

एक आम अयोध्यावासी के लिए राम उतने ही श्रद्धास्पद व पूजनीय हैं, जितने पूरी दुनिया में कहीं भी मौजूद किसी भी आस्थावान हिंदू के लिए। फिर क्यों तमाम प्रकार की राजनीति अयोध्या को ही इस बर्बरता को बढ़ावा देने का मोहरा बनाए हुए है? अयोध्या को अभिशप्त होने को मजबूर करना किसके एजेण्डे में शामिल है? वह अयोध्या कहाँ खो गई, जो पूरी उदारता से यहाँ के जन-जन में प्रखरता से दीप्त रही है। एव संवेदनशील हिंदू के लिए राम का मंदिर उतना ही वरेण्य है, जितना उसकी संवेदनशीलता को प्रभावित करने वाला सौहार्द और प्रेम। उसकी आत्मीयता के इर्द-गिर्द बनने वाला परिक्षेत्र, जिसमें किसी भी विचारधारा का व्यक्ति आसानी से समाहित हो सकता है। राम का मंदिर, दंगों और रक्तपात की विभीषिका पर खड़ा हो, ऐसा स्थल मंदिर नहीं, कुछ और हो सकता है।

गुजरात में गोधरा में साबरमती एक्सप्रेस पर हुई घटना हर प्रकार से जघन्य व मध्यकालीन बर्बरता का सबसे घृणित उदाहरण रही है। और उसी तरह उसके बाद हुए दंगे भी जिनकी विभीषिका अभी तक थमी नहीं है; उससे कम घृणित और निंदनीय नहीं हैं।

मुद्दा यह नहीं कि इतिहास ने क्या गलत किया है। बहुत कुछ समय बीतने के साथ गैरज़रूरी अप्रासंगिक और बेतुका स्वतः सिद्ध हो जाता है। मुद्दा यह होना चाहिए कि हम अपना वर्तमान कैसा बना पा रहे हैं, जिसके इतिहास बनने पर हमारी आने वाली पीढ़ी यह गर्व से कह सके कि यही हमारी असली परंपरा है। उसका एक अनुषंग रूप, जिसमें हर कोई पूरी आजादी के साथ अपनी सामाजिकता को जीने का अधिकारी है। ज्यादा प्रासंगिक यह है कि अयोध्या का वही रूप बचा रहे, जो तुलसी की 'रामचरितमानस' की समन्वयकारी छवि है, वह नहीं, जो विश्व हिंदू परिषद् द्वारा अयोध्या पर जबरन थोपी गई है।

(2)

वरिष्ठ उपन्यासकार कृष्णा सोबती जी आजकल अपने नए उपन्यास के लेखन में व्यस्त हैं। उसी उपन्यास का एक अंश उन्होंने सहित को उपलब्ध कराया है, जिसके लिए हम उनके आभारी हैं। इस अंक में प्रकाशित विभिन्न सामाजिक सरोकारों से संबद्ध अन्य रचनाओं के लिए सहित उनके रचनाकारों के प्रति कृतज्ञ है। विशेषकर, विनोद कुमार शुक्ल जी के लिए, जिनकी यहाँ प्रकाशित चार कविताओं में से एक कविता 'नज़र लागी राजा' उनके अभी लिखे ही जा रहे उपन्यास का एक अंश है।

पिछले दिनों अयोध्या का अन्य शहरों से सम्पर्क कट जाने की वजह से, यह अंक विलंब से निकला है। विश्वास है कि 'सहित' के पाठक, प्रकाशन में आई इस देरी को नज़रअंदाज़ कर सकेंगे।

यतीन्द्र मिश्र

पिछली शती का आख्यान

उपन्यास अंश

कृष्णा सोबती

1

तिथि पौषमास संवत् 1988 विक्रमी

सादर जोग मेरे समधी राजा राय साहिब जी तथा परम प्यारी मेरी समधिन रानी सृष्टावंती, बेटी लोचन की बूढ़ी सास और बेटे लालीशाह की माँ और पोती चन्ना की दादी का बहुत-बहुत प्यार रामसत्त और नमस्ते पहुँचे। यहाँ सब कुशल है। वाहे गुरु से आपकी कुशल मंगल चाहती हूँ।

आपको जानकर हर्ष होगा कि गुसाईं जी अब चन्ना बेटी को पढ़ाने-लिखाने लगे हैं। मदरसे में नाम लिखवा दिया है और घर में भी पढ़ाई जारी है। गोसाईंजी धार्मिक शिक्षा पर ध्यान देते हैं। मंत्र श्लोक और वाणी सिखा रहे हैं। गुरुद्वारे के भाई जी गुरुमुखी शबद कीर्तन सिखाते हैं। लाहौर से बच्ची के लिए हारमोनियम भी मँगवा लिया है। उर्दू सिखाने के लिए मौलवी जी अपनी पूरी कोशिश से खुशखती पर लगे हैं।

राय साहिब आपजी की नातिन उम्र के लिहाज से पढ़ने में तेज है। याददाश्त और समझ दोनों में अच्छी है। अपने माता-पिता की तरह ही कुशाग्र। गोसाईंजी का कहना है कि बेटी लोचन और लाली शाह, दोनों की बुद्धि का समावेश हमारी लड़की में है।

हाँ, अब आपके सामने अपनी बात कैसे कहूँ! दादी के लाड-प्यार से बच्ची जिद्दी और ढीठ जरूर हो रही है। फिर भी आशा है, आप चन्ना को देखकर जरूर खुश होंगे। हू-ब-हू माँ का मुहान्दरा है। समझ में अपने माता-पिता, दोनों के गुणों का अक्स देती है।

बहू-बेटे के न रहने पर हम दोनों दादी-पोती का जैसा भी समय निकल रहा है उसे धीरज के बल पर ठीक ही कहना होगा। मुझे अकेला जान अब देवरानी के मायके वाले शरीक हमारे खिलाफ उठ खड़े हुए हैं। उन्हीं की शह पर हमारे दोनों घरों में वैर-विरोध बढ़ रहा है। देवरानी के दोनों भतीजे धर्मवीर और कर्मवीर अपनी बुआ के पास रहने आ गए हैं। आते ही मनसूबा यह कि शाहजी की बैठक वाला हवेली का हिस्सा उन्हें मिलना चाहिए।

देवरानी ने बिरादरी के पंचों को बुलाया था। मुझे दो दिन समझाते रहे कि अब शाहों के घर कोई मर्द औलाद नहीं, सो अब वही इसके रखवाले हैं। प्रभु की कृपा से गोसाईंजी मौजूद थे सो हम दोनों अड़े रहे कि लालीशाह की जिवियाँ खेत–जो भी कागद पर उसके नाम चढ़े हैं वह मेरी पोती के हैं।

राय साहिब शाहजी के चौधरी मित्र हमारे साथ हैं पर मैं इस बात को लेकर बड़ी फिक्रमंद हूँ। विचार करती रही कि जाकर वकील को मिलूँ। रुक गई यह सोचकर कि एक बार छिड़ गई तो लंबी जाएगी। सिर पर जो खतरे मँडरा रहे हैं वह अब नजदीक आते दिखाई देते हैं।

बड़ी बात तो बच्ची चन्ना की सुरक्षा की है। दावेदार उठ खड़े हुए हैं, वह मच गए हैं। इसीलिए इस चिट्ठी द्वारा आपजी के दफ्तर में दरख्वास्त कर रही हूँ। ताकि आपके सामने सारी बात साफ रहे। एक तो शिमला में किसी अच्छे वकील से सलाह-मशविरा करें। मेरी पोती और आपकी धेवती के हाथ से

उसका मूल छिन-लुट जाएगा तो मैं लालीशाह और लोचन की आत्मा को क्या जवाब दूँगी।

समधी राज गए पखवाड़े धर्मवीर ने कुएँ की मुँडेर पर खड़ी चन्ना को कुएँ में धक्का दे दिया। उस दाते की मेहर कि पूरे बारह घंटे बाद लड़की ने आँखें खोल लीं।

उठते ही दौड़ी और आँगन में मंजी पर बैठी धर्मवीर की बाजू पर दाँत गड़ा दिए।

देवरानी ने खींच अलग किया। खबरदार री, नासहोनी पैदा होते ही अपने माँ-बाप को खा गई।

रायसाहिब लड़की बोली—छोटी दादीजी आपने भी तो छोटे दादा को खाया था—धर्मवीर चाचा यह बताओ तुमने मुझे क्यों धक्का दिया कुएँ में।

क्या बक रही है शाहनी तुम्हारी यह पोती। अपनी गगरी नीचे डालने को झुकी कि गिर पड़ी। नाम हमारा लगा रही है।

लड़की मेरी ओर मुड़ी।

दादी, क्या मेरी गगरी कुएँ से निकलवा ली है!

हाँ बेटी! चल उधर अपने घर।

नहीं पहले मुझे मेरी गगरी दिखाओ।

शोर सुन गुसाईंजी ऊपर आए तो देवरानी ऊँचा-ऊँचा रोने लगी।

देखो रे देखो लोगों, वैरी हम पर दोष लगा रहे हैं हमारे मत्थे—गुसाईं जी इस तत्ती को क्या सिखा-पढ़ा रहे हो। मुझसे कहती है मैं छोटे शाह को खा गई हूँ।

गुसाईंजी ने कड़ी आवाज में कहा—चन्ना बेटी छोटी दादी से क्षमायाचना करो। बड़ों को ऐसे नहीं कहा करते।

लड़की कुछ देर खामोश रही फिर अपने पिता की-सी आवाज में बोली—

पहले धर्मवीर चाचा मुझसे माफी माँगे। इन्होंने मुझे कुएँ में क्यों धकेला।

चुप री, तुम अपने आप गिरीं थीं।

झूठ है, यह झूठ है, पक्का झूठ है गुँसाई जी। छोटी दादी ने वीर से कहा था गड़वा भी फेंक दो—मैंने सुना था।

निपूतों के टब्बर की—मैं सच झूठ का निस्तारा करती हूँ। लाओ चौके से वह गड़वा—अंदर चमचमा रहा है।

गड़वा देख गुसाईं जी ने हुक्म दिया—बेटी माफी माँगो।

नहीं। यह मेरा गड़वा नहीं। वह इससे बड़ा था।

लड़की ने हस्सा को आवाज दी—

माँ हस्सा जरा दौलत चाचा को बुलाओ।

दौलत ऊपर आया तो लड़की ने उसे ऐसे हुक्म दिया ज्यों शाहजी बोल रहे हों।

दौलत चाचा गोसाईंजी को साथ ले चलो और कुएँ में से धर्मवीर चाचा का डोल निकालकर लाओ।

कुएँ पर भीड़ इकट्ठी हो गई। अभी हो जाएगा सच-झूठ का निस्तारा।

देवरानी ऊँचा बोलने लगी—अरे कुछ शर्म करो। हम बच्चे के साथ वैर कमाएँगे।

राय साहिब सबने बच्ची को समझाया पर टस से मस न हुई।

गुरुद्वारे से भाईजी भी आ गए।

गोसाईंजी ने इस जबरदस्ती पर लड़की को तरेरा—बस। ऊपर चलो।

नहीं गोसाईंजी, मैं न मानूँगी।

आने दो ग्रन्थी जी को।

देवरानी खौलने लगी।

इसके लच्छन देखो लोगों—लड़की को सिर पर चढ़ा रखा है जिठानी ने।

भाईजी के हवेली पहुँचते ही सारा गाँव उमड़ पड़ा है।

लड़की यह जिद्द छोड़ दे।

लड़की के सिर पर तो भूत सवार हो गया है जैसे। पटवारी की घरवाली बोली—अरी हू-ब-हू शाहजी का स्वरूप उतरा है लड़की पर।

गोसाईंजी धर्मवीर चाचा से पूछिए यह किसका गड़वा है।

तुम्हारा है सिरमुनिया, यह तुम्हारा है। मेरे सिर कसूर मढ़ रही है।

लड़की ऐसी मर्यादा से बोली ज्यों कोई सयाना बोला हो।

यह बर्तन तो छोटी दादी के चौके से है।

चौप्प—जबान खींच लूँगी।

मैं बीच-बचाव करने लगी।

देवरानी माफ कर इसे, तुम्हारी भी पोती है।

गोसाईंजी ने सख्ती से कहा—बेटी तुम्हारे मुँह से अब कुछ और न निकले—

लड़की मेरा हाथ छुड़ा ग्रन्थीजी के साथ जा खड़ी हुई।

भाईजी आप देखिए—इस बर्तन पर किसका नाम खुदा है।

ग्रन्थीजी ने बर्तन को गोल-गोल घुमाया और नित नित वाणी पढ़नेवाली आँखों से गड़वे के तले पर पढ़ा—काशीशाह।

अंधेर साईं का-अंधेर साईं का—

धर्मवीर चाचा, यह छोटे दादा का नाम है। छोटी दादी के चौके का बर्तन है। जब नीचे फेंका था तो तुमने निकलवाया क्यों नहीं।

तब मैं होती झूठी।

रायसाहिब, उधर मेरी देवरानी रोने-करलाने लगी। इधर चन्ना मुझसे बोली—दादी, ग्रन्थी जी फिर पाठ पर बैठेंगे—उन्हें गर्म-गर्म दूध पिला कर भेजो।

सृष्टारानी रात में लड़की के पास लेटी तो मुझे पूछने लगी—दादी, छोटी दादी हमें निपूतों का टब्बर क्यों बुलाती है।

इस घर में बेटा नहीं है न!

छोटी दादी के पास भी तो नहीं। धर्मवीर कर्मवीर तो छोटी दादी के भतीजे हैं। उनके अपने थोड़े ही हैं—

अब अपने ही समझो। वही मालिक बनेंगे। जायदाद जिनियों पर आँख है।

दादी जिनके घर सिर्फ बेटी हो।

बच्ची, उसकी कोई औकात नहीं—

दादी, मैं गुसाईंजी से पूछूँगी—

पुत्री हमारा धर्मशास्त्र भी यही कहता है।

राय साहिब, मेरे बेटे की बेटी कुछ देर लेटे-लेटे सोचती रही, फिर मेरा हाथ पकड़कर कहा—दादी धर्मशास्त्र क्यों गलत बात कहता है।

मैं क्या जवाब देती। खामोश ही रही। राय साहिब जी, बेटी बड़ी हो रही है। खैरों से कार्तिक में सातवाँ पार करेगी। दादी होकर इसे अपने से दूर नहीं कर सकती पर अब इसका गाँव में रहना खतरों से खाली नहीं। आप दोनों से हाथ जोड़कर विनती है कि आप इसे अब अपने पास ही शिमला बुला लें। पढ़-लिख जाएगी और लोचन बेटी की तरह सुघड़-सयानी हो जाएगी।

मैं मियाद पर पहुँची हुई हूँ। आज हूँ, कल नहीं। बहू-बेटे की इस निशानी की रक्षा की बात सोचना मेरा फर्ज है। भली-भाँति जानती हूँ कि चन्ना के जाते ही इस हवेली का एक-एक कोना काटने को दौड़ेगा। पर मुझे इसके भविष्य की चिन्ता है। आप दोनों सोच-विचार के बाद जो भी फैसला दें—मैंने अपना निश्चय आपके सामने खोल दिया है।

इस ख़त का जवाब मेरे पते पर न दें। आपकी चिट्ठी मुझ तक न पहुँचेगी। वैरी बीच में ही निकाल लेंगे।

आप दोनों को बहुत-बहुत प्यार-सत्कार। चन्ना बेटी की ओर से हाथ-जोड़कर नमस्कार। चिट्ठी का जवाब नीचे लिखे सरनावे पर दें—

श्रीमती सत्तभ्रांवा
चौखंडी हवेली
सिविल लाइंस
जिला गुजरात, पंजाब।

सत्तभ्रांवा मेरी धर्मबहन है। हमने हरद्वार में एक दूसरी से ओढ़नियाँ बदलीं थीं।

प्रेम सहित
आपकी
समधिन।

2

अभी पूर्व में पौ न फूटी थी और अँधियारे में तारे टिमटिमाते थे।

नूरा ने चन्ना के कपड़े-लीड़े-खिलौने पटोले-बुचकों में बाँधे और बड़ी बैठक की चोर-सीढ़ियों से उतर तबेले में जा पहुँची।

आफताब तैयार खड़ा था। चिराग ने पलानों में सामान रख दिया।

नूरा ऊपर लौटी तो शाहनी तैयार खड़ी थी। बच्ची को जगाया, जूती पहनाई, फतूही पहनाई, गर्म चद्दर ओढ़ाई।

लड़की चुपचाप रही। दादी की हिदायत मुताबिक कुछ न बोली। शाहनी ने चन्ना का हाथ पकड़ा और छोटी बैठक के चोर-दरवाजे से नीचे उतर चली।

शाहनी चिराग का सहारा ले घोड़े पर बैठी और मजबूत हाथ से बच्ची को खींच अपने आगे बिठा लिया।

नूरा ने चुपचाप ही शाहनी का घुटना छुआ। बच्ची की हथेली पकड़ सिर से लगाई और आँखें पोंछ लीं।

शाहनी ने मन-ही-मन उच्चारा—दीनदयाल भरोसे तेरे—सब परिवार लगाया बेड़े।

परिवार। दादी-पोती इस घड़ी एक ही घोड़े पर। सत्तगुरु इस लड़की पर अपनी ओट रखना। मुझे अपनी फिक्र नहीं—इस बूढ़ी की तो कई दस्सियाँ पार हो चुकीं।

शाहनी ने नूरा के सिर पर हाथ रखा। फिक्र न करना। रब्ब राक्खा है। हाँ किसी ने पूछा तो कहना आलमगढ़ तक गई है।

निश्चित रहो शाहनी।

शाहनी ने मन-ही-मन बाबा फरीद के आगे शीश झुकाया। बाबा, जो सोचा है वह तेरी मेहर से निर्विघ्न पूरा हो।

हाथ फैला आगे बैठी लड़की को घेर लिया। गला रुँध गया। वह बूढ़ी तुम्हें किसके बल पर गाँव में रखती। इस अभागिन की तो दुनिया ही उजड़ गई।

हवेली में अब बच्ची के न रहने का सन्नाटा दिल पर घिर आया।

भरपूर खेतों के बीचो-बीच कच्ची राह पर घोड़े की टाप से न दिल हुलसाया, न आत्मा। मन-ही-मन स्वर्गवासी शाह को ताना दिया।

देख लो, पुरुषार्थ से बनाई तुम्हारी गृहस्थी का क्या हाल हुआ। आशनाइयों के यही हश्र हुआ करते हैं शाहजी। रूहें नहीं बोलतीं, सिर्फ सुनसानों में भटकती रहती हैं। वह राबयाँ लड़की सब कुछ छोड़-छाड़ शाह के वियोग से चनाब में कूद पड़ी पर रूह उसकी आज तक शाहों के घर में अटकी पड़ी है।

शाहनी एकाएक खबरदार हो गई। वही थल आनेवाला है जहाँ मेरे बेटे के गले में फंदा डाल मुका दिया गया था। नसीब।

बेटी चन्ना, सो तो नहीं गई।

नहीं दादी। यह खेत हमारे ही हैं न!

हाँ पुत्तरा।

मन-ही-मन धसक पड़ी। वही बाप-दादावाली तृष्णा। यह भी मेरा है। वह भी मेरा है। उसके साथ वाला भी—हाय शाहजी, खेतों-जिवियों को जोड़ते-जोड़ते अपना बकाया भी खत्म।

यह लड़की भी कौन कम। खेतों के बनेरों को नजरों से पी जाती है। एक-एक को याद रखती है। लगता है अंदर अभी से बाप-दादा वाली बही खोल ली है। सांईया, यह मेरी पोती न होती तो मैं कहती निरी बला है बला।

कुएँ में गिरी तो बारह घंटे बेहोश पड़ी रही। होश आया तो दौड़ी-दौड़ी बड़ी बैठक वाली पसार में गई। मैं और हस्सा पीछे-पीछे।

नींद में दौड़ी-दौड़ी यहाँ आ गई। आ मेरी बच्ची, इधर आ—

नहीं किताबोंवाली पिछली ताकी खोलो। वहाँ एक पिटारी रखी है।

शाहनी खींचने लगी—हस्सा यह मेरे बस की नहीं।

दादी ने लड़की की कलाई छुई—कहीं बुखार तो नहीं है? रात को तप रही थी। अब आँखें खोलते ही यहाँ उठ धाई।

दादी—रात मुझे सपना आया। इस ताकी के ऊपरवाले खाने में एक पिटारी पड़ी है। उसमें एक लाल रंग की गुत्थली है। उसके अंदर मोतियों की माला है। झक्क-झक्क।

चुप री।

शाहनी देखने दो इसे।

हस्सा ने सहारा दे ऊपर उठाया—बीचवाले खाने पर पाँव रख लड़की किताबों को उलट-पुलट करने लगी।

अरी यहाँ कुछ नहीं है। लालीशाह की किताबें हैं किताबें।

लड़की हाथ से किताबें सरका-उठा पलंग पर डालने लगी। कोने में लगी चोर-किवड़ियाँ खोलीं और एक पिटारी निकाल ली।

दादी, खोलो इसे। माला निकलेगी।

न निकली तो—

तो क्या! मुझे सपने में जो पिटारी दीखी थी, वह तो निकल आई न।

शाहनी का चेहरा-मस्तक फक्क रह गए। लगा वह लड़की को नहीं, अपने धनी को देख रही है।

राबयाँ मिले न मिलें। सब उलट-फेर कर दिया अपनी गृहस्थी का, शाहजी आप कहाँ और वह अराईयों की लड़की राबयाँ कहाँ।

लड़की हस्सा के सहारे नीचे उतरी और पलंग पर बैठकर पिटारी खोलने लगी।

यह है वह लाल गुत्थली।

और यह है वह मोतियों की माला। किसकी है यह दादी। मुझे पहननी है। मैं पहनूँगी।

शाहनी के बदन पर कोई मरा हुआ सर्प चलने लगा।

चन्ना के हाथ से मोतियों की माला हाथ में लेकर धमकाया—खबरदार बच्ची, इसे पहनने की बात सोचना भी मत।

रब्ब न करे उस अभागिन का नाम लूँ।

क्यों! कौन है वह। क्या मेरी माँ लोचन!

शाहनी ने गला साफ कर साफ-सुथरी आवाज में कहा—नहीं मेरी बेटी वह कोई और थी। तुम्हारी माँ की होती तो मैं तुम्हें क्यों रोकती। तुम्हारी माँ लोचन के गहने तुम्हें एक दिन दिखाऊँगी।

लड़की बिना कुछ कहे चुपचाप अपने बिछौने में आ लेटी।

शाम गोसाईंजी से पूछा—गुसाईंजी रात को सपने क्यों आते हैं।

गुसाईंजी परचाने के लिए बोले—आज नहीं—किसी और दिन तुम्हें बताएँगे।

शुक्र है दाते का कि राय साहिब को चिट्ठी में यह नहीं लिख बैठी। वह आर्यसमाजी हैं। लड़की को शिमला बुलाते-बुलाते रुक जाते। सोचते मैं भी अंधविश्वासन हूँ।

दादी, अब हमारा रहवासी कुआँ आनेवाला है। कुछ देर वहाँ रुकेंगी न!

अनमनी-सी दादी बोली—हाँ।

मन में बड़ा अरमान लगा! कहाँ छोड़ने जा रही हूँ इसे। बाप-दादा की लकीर पर चल रही है। भरमी हुई है अपने पुरखों की धरती में।

हाथ से लगाम खींची और पीछे-पीछे घोड़े पर आते चिराग को आवाज देकर कहा—रहवासी पर रुकते हैं। चिरागदीन तुम उप्पलों के घर जरा खबर करते आओ।

गुजरात सर्राफे के दौतगढ़िये पुरियों की हवेली के सामने घोड़े खड़े हुए तो दुपरहें सिर पर आने को थीं।

चिराग ने घोड़ा चबूतरे के साथ जा खड़ा किया। शाहनी और बच्ची उतरी। लड़की ने घोड़े को थपथपाया और चिराग ने ड्योढ़ी के खुले किवाड़ की कुंडी खटकाई। अंदर हलचल हुई। किसी ने ऊपर बनेरे से झाँका और शाइनी की मौसेरी बहन दयावन्ती बाहर निकल आई।

मैं सदके जाऊँ—बच्ची के सिर पर हाथ फेरा और बहन के गले लग रामसत करते-करते आँखें भर आईं। ऐसे लगा ज्यों बीस कोस की दूरी फलांग दो देशांतर आन मिले हों।

मैं बलिहारी मेरे घर मेरी पोती आई है।

चन्ना बेटी का उजला मुखड़ा थोड़ा-थोड़ा इतराने लगा।

नहा-धो दादी-पोती चौके में बिछे आसनों पर आ विराजीं। सामने लकड़ी की रांगली चौकियाँ।

मौसी की गोरी चिट्टी बहू रुकमण चौके में आई तो चौका झक्क-झक्क करने लगा। मौसिया सास को पैरीपौना किया, बच्ची को सिर पर चूमा।

शाहनी ने खुश हो शंसा में कहा—अपनी भरजाई को देख चन्ना ऐसी सुंदर सोहणी कि हाथ लगने से मैली हो।

लड़की ने सिर हिलाया तो चेहरे पर बड़ा भाव उतरा। नाक की लौंग कैसी चमक रही है।

चन्ना ने आगे बढ़ रुकमण की बाँह पर चुटकी काट ली। रुकमण ओठों-ओठों में मुस्कराती रही।

चन्ना, मैं तुम्हें गुदगुदी करूँगी।

रुकमण ने गिलास में लस्सी डाल लड़की के आगे किया—

न-न मैं तो दूध पीऊँगी।

रुकमण भरजाई ने थोड़ी-सी लस्सी कटोरी में डाली—

चखकर देखो, न भाय तो छोड़ देना।

चन्ना ने घूँट भरा और खुश हो कहा—अच्छी है। इसमें पेड़े पड़े हैं न!

हाँ, कुल्फी का स्वाद आ रहा है।

पिस्ता बादाम!

पीओ।

शाहनी और वन्ती दोनों बहनें बातों में लगी रहीं। रुकमण भाभी और चन्ना एक दूसरे को सखियों की तरह हेरने-टेरने लगी। शाहनी ने चुपके से पोती की ओर देखा। जी में भरग जाग उठा। एक बार गाड़ी में बैठ गई तो अगला-पिछला सब कुछ भूल जाएगी। बुढ़िया दादी को क्यों याद करेगी। वन्ती ने बहन के चेहरे पर चिंता देखी तो बड़े लगाव से कहा—बहन, कुछ देर मेरे पास क्यों नहीं रह जाती।

चन्ना चहकने लगी—हाँ-हाँ। हम यहीं रहेंगे दादी, रुकमण भरजाई के पास।

रुकमण ने चन्ना को गलबाहीं दे घेरा। आओ तुम्हें छोटी-सी गुड़िया से मिलाऊँ।

रांगले पालने पर लेटी थी छुटकी-सी गोरी चिट्टी मुनिया। हाथ में चाँदी का छनकना।

आप क्या इसकी माँ हैं?

हाँ चन्ना।

कहाँ से आई यह?

ऊपर से प्रभु ने भेजी।

कैसे भेजी!

रुकमण हँसने लगी।

रब्ब जब चाहते हैं, बन्दों की झोली में डाल देते हैं। जाओ इस खिलौने को गोद में लेकर खिलाओ।

नहीं-नहीं। मुझे पता है आपने इसे अपने ढक्कन में बंद कर रखा था।

रुकमण हँस-हँस दोहरी हुई।

मैंने देखा था जब हमारी भूरी गाय का बछड़ा बाहर निकला था तो–

ठोडी को छूकर कहा--मेरी प्यारी चन्नी तुम तो बड़ी सयानी हो।

सामने बैठी वन्ती और शाहनी मुँह पर आँचल रख चुपके-चुपके हँसती रहीं।

लो सुनो। बाल की खाल निकालती है अपने दादाजी की तरह।

चन्ना बोली–रुकमण भाभी, इसे मैं गोदी में उठाऊँगी।

रुकमण ने मुनिया को दोहर में लपेटा और चन्ना की गोद में लिटा दिया।

इसका नाम क्या है?

तारा।

अच्छा–चाँद और तारा।

वन्ती खुश हो हो गई। बलिहारी पुत्तर, तुम्हारे मुँह घी-शक्कर। पहले तारा आई है अब चाँद आएगा।

चन्ना बोली–तारा लड़की है और चाँद लड़का। भरजाई जी लड़की के पास लूलू नहीं होता।

बूढ़ी बहनें यह वार्त्तालाप सुनकर भीग-भीग मुस्कुराने लगीं!

इस छन ऐसा लगा कि वह इस घड़ी को दूर से देख रही हो और चन्ना-रुकमण से बाहर खड़ी हों। अंधेर साई का। शाहों की यह लड़की अपनी बुद्धि में जाने क्या समेटती है।

चन्ना की गोद में छुटकी रोने लगी।

रुकमण ने उठाकर झुलाया और पालने में लिटा हाथ से छनकना दे दिया।

फिर चन्ना को ठुनका देकर पूछा–हमारी चन्ना बिटिया क्या सोच रही है।

कान में बताऊँ?

हाँ।

जब यह बड़ी होगी तो इसका भाई इसे धक्का देकर कुएँ में गिरा देगा।

नहीं-नहीं। ऐसे नहीं सोचना मेरी कंजकरानी।

चन्ना कान में बोली–रुकमण भरजाई मुझे धर्मवीर ने कुएँ में धकेल दिया था।

रुकमण ने लड़की को चूमा। और अपनी मौसिया सास से आँखें चुराए रही!

दादी ने पूछा–रुकमण बहू, यह नटखट लड़की क्या गोशे कर रही है अपनी भरजाई के साथ।

हम मुनिया की बातें कर रहे हैं।

चन्ना बोली–भरजाई जी, छोटी दादी मुझे बुरे माथे वाली कहती है। मुझे तिरस्कारती है कि मैं पैदा होते ही अपने माता-पिता को खा गई।

रुकमण ने लड़की की हथेली चूमी--न, ऐसी बातों का ध्यान नहीं करना। हमारी बेटी बड़ी लायक है।

मेरे घर आप आएँगी तो मैं लोचन माँ और लालीशाह के फोटो दिखाऊँगी। हमारी बड़ी बैठक में लगे हैं।

रुकमण ने सरस होकर कहा–जरूर देखने आऊँगी।

सुनकर शाहनी का जी उदास हुआ और कलेजा घिर-घिर आया।

रुकमण ने लड़की का ध्यान बँटाने को कहा–चलो तुम्हें तारा के खिलौने दिखाऊँ। मैंने तारा के लिए एक गुड्डा और गुड्डी बनाई है। तुम्हारे जैसे लंबे बाल लगाए हैं।

चन्ना ने अपनी चुटिया छुई। दादी ने मेरा मुंडन करवाया था तभी बाल बड़े हुए।

रुकमण ने गुड्डा-गुड्डी और उनके पटोले सामने रख दिए। लो इनके साथ खेलो। मुनिया रो रही है, उसे दूध पिलाकर आती हूँ।

चन्ना पटोलों पर ऐसी रीझी की खेलते-खेलते ही आँखें मींच लीं।

वन्ती ने सिर के नीचे सिरहाना रखा, पट्टू ओढ़ाया और शाहनी की ओर देखकर कहा–थक गई है लड़की।

हाँ वन्ती। अभी मुर्गा न बोला था, जब इसे नींद से उठाया था।

शाहनी ने एकाएक वन्ती का हाथ पकड़ लिया। आँखों

से आँसू गिरने लगे।

बहन वन्ती मेरी पोती मुझसे कभी अलग नहीं हुई। आज इसकी नानी इसे अपने साथ शिमला ले जा रही है। जाने स्टेशन पर क्या करेगी। बहना, इसे छोड़कर मेरे पास बचेगा क्या।

मैं अंदर ही अंदर डूब रही हूँ दयावन्ती।

घोड़ा ताँगे में काबू और ताँगा दौड़ रहा है स्टेशन की ओर।

घोड़े की रंग-बिरंगी सजीली कलगी—घंटियाँ सी बज रही हैं। क्या घुँघरुओं वाली। घोड़े की हर टाप के साथ झुन-झुन-छुन-छुन।

दादी पीछे बैठी हैं और पोती आगे ताँगे वाले चाचा के पास। यहाँ ताँगे क्यों चलते हैं।

इसलिए कि ताँगे में ज्यादा सवारियाँ बैठ सकती हैं।

चाचा जरा मुझे पकड़ा दें इसकी लगाम, मैं दौड़ाऊँगी।

न न बच्ची—दादी बोली—इस पर से अपना ध्यान हटा लो—यह शहर की सड़क है। टक्कर हो गई तो।

माँ जी, बच्ची को इसका भी चाव कर लेने दो। मैं बैठा हूँ न पास।

चन्ना ने मुड़कर पीछे देखा—दादी बस एक बार पकड़ूँगी।

चाचा ने हाथ में लगाम पकड़ा दी।

लो, देखो बच्ची, तुमसे भी दौड़ रहा है।

लाओ अब मुझे दे दो।

चाचा कौन-सा घोड़ा है यह—उजबक, मुशकी कि तातारी।

यह है काठियावाड़ी। गए बरस मेले से खरीदा था।

इसे क्या खाद-खुराक देते हैं।

वही चने गुड़।

और क्या दारू भी।

चाचा हँसने लगा। फिर गला खँखार कर—हाँ-हाँ, नहीं नहीं।

चन्ना चहकने लगी।

दादी यह क्या! हाँ-हाँ, नहीं-नहीं। दोनों बातें एक साथ।

दादी सख्ती से बोली—बस हो गया न, बात बदल दी।

पुत्तर, एक बात बता, तुमने घोड़ो के इतने नाम कहाँ से सीखे।

चाचा मुझे तो दस-बारह नाम याद हैं। हमारे अपने घोड़े हैं न—फिर मौलवी जी ने भी मुझे बताया था। य घोड़ा कौन-सा है।

चाचा हँसने लगा।

बच्ची तुम्हें कैसे कह दूँ कि यह अरबी है या यारकंदी। यह तो खालिस लायलपुरिया है? वहीं से खरीदा था।

लायलपुर कहाँ है दादी।

दूर है—गाड़ी से जाना पड़ता है।

अब हम कहाँ जा रहे हैं दादी।

टेशन पर। छुक-छुक गाड़ी वहीं रुकती है।

चाचा, ताँगा क्या गाड़ी के पास जाकर रुकेगा।

बच्ची तुम्हें टेशन के बाहर उतार कर ताँगा अड्डे पर खड़ा करना होगा। लो बच्ची वह रहा टेशन।

दादी उतरी, पोती उतरी और सामने से चिराग चाचा आ गए। दोनों बुचके उठाए और प्लेटफार्म पर अंदर जा खड़े हुए।

भीड़ में से गुसाईंजी दीखे तो लड़की दादी का हाथ छुड़ा भागने को हुई कि दादी ने कसकर पकड़ लिया।

न न मुढ़ चन्ना यहाँ नहीं। खो जाओगी तो कहाँ ढूँढ़ती फिरूँगी! लो यह देखो गुसाईंजी हमसे पहले पहुँचे हुए हैं।

गुसाईंजी प्रणाम।

जीती रहो। खूब पढ़ो। विदूषी बनो। मिलो इनसे यह तुम्हारी नानी माँ हैं बेटी—इन्हें प्रणाम करो।

चन्ना ने हाथ जोड़े तो नानी ने जुड़े हुए हाथों पर एक हथेली रख दी। दूसरे से घेर कर कहा—सिग्नल डाउन हो चुका है, गाड़ी आने को है—इधर आओ।

धड़धड़ाती फ्रंटियर मैल स्टेशन पर आ रुकी तो भीड़ में खलबली मच गई।

कोई इधर लपके, कोई उधर।

लड़की दादी की ओर देखने लगी।

नानी ने कहा—आओ बेबी, गाड़ी दो-तीन मिनट ही खड़ी होगा, आओ।

लड़की ने नानी का हाथ छुड़ा दादी का पकड़ लिया।

आप भी चल रही हैं न मेरे साथ।

न री तुम अपनी नानी के साथ शिमला जा रही हो।

अकेली नहीं—मैं आपके साथ जाऊँगी।

गुसाईंजी ने बाँह से पकड़ गाड़ी में चढ़ा दिया। खिड़की में से बात करो दादी से।

दादी, अंदर आओ गाड़ी में—मैं अकेले नहीं जाऊँगी।

दादी ने नन्हा-सा हाथ पकड़ लिया। मेरी बात ध्यान से

सुन। मैं तुम्हारे साथ चल पड़ी तो हवेली का क्या होगा। मालूम है न छोटी दादी हमारे खंड पर नजर रखे है। मैं न हुई तो कब्जा कर लेगी। समझ रही हो न। उनकी कारस्तानियों का तो तुम्हें पता है न।

लड़की ने सहमति में सिर हिलाया—हाँ दादी।

गाड़ी ने सीटी दी।

दादी नानी की ओर मुड़ी—अब आपके हवाले है मेरी पोती।

दादी ने सिर पर प्यार किया और हाथ खींच लिया।

पुत्तर गुसाईंजी को प्रणाम करो। आशीर्वाद लो।

गाड़ी प्लेटफार्म से सरकने लगी।

चन्ना आँखें भर लाई।

नानी को देखते पाया तो घूँट अंदर भर लिया।

नानी ने नातिन का गाल छुआ—क्या सोच रही है हमारी बेबी?

मैं बेबी नहीं, मेरा नाम चन्ना है।

अच्छा चन्ना ही पुकारूँगी।

बताओ, क्या सोच रही हो?

मैं अपनी दादी की बात सोच रही हूँ।

नानी देखती रही। कुछ बोली नहीं। गाड़ी के झकझोलीं शोर से दोनों ओर चुप्पी छाई रही।

कुछ देर बाद नानी बोलीं—

दादी से बहुत प्यार करती हो न।

हाँ। मेरी दादी बहुत अच्छी हैं। लड़की की आँखों में चुनौती देख पूछा—और तुम्हारी नानी।

लड़की चुपचाप देखती रही, फिर पूछा—आपके बाल लड़कों की तरह इतने छोटे क्यों हैं? क्यों काट दिए?

नानी दिलचस्पी से देखने लगी यह देहाती रंग।

नानी मैं खिलौनों वाली गठरी खोल लूँ।

नहीं। मुझसे बातें करो।

क्या बातें?

यही कि तुम सुबह उठकर क्या करती हो?

दादी के साथ दरिया पर जाती हूँ। कपड़े उतार, रेत पर रख फिर पानी में डुबकी लगाती हूँ।

ठंडा नहीं लगता?

लगता है। खूब मजा आता है।

तैरती हो।

सीख रही हूँ। दादी बहुत अच्छा तैरती हैं। वह कई तरह की तारिगयाँ जानती हैं।

फिर नहाने के बाद?

गुरुद्वारे जाकर माथा टेकते हैं। कभी-कभी वहाँ के चहबच्चे में नहाते भी हैं। कुएँ से गर्म-गर्म पानी आता है।

उसके बाद।

वहाँ से लौट कर दादी दूध बिलोती हैं। मक्खन निकालती हैं। कटोरा भर जाता है।

सुबह नाश्ते में क्या खाती हो?

मिस्सी रोटी पर मक्खन। कभी बेसनी, कभी मूली की, आलू की, मेथी की, चने की दाल की, पनीर की—कभी-कभी नमक अजवायन वाला परांठा लस्सी के साथ।

अब लड़की नानी की ओर देख रही।

खाने के बाद मैं पढ़ने बैठ जाती हूँ। गुरुजी आ जाते हैं।

गुरुजी कौन।

मेरे तीन गुरु हैं। गुसाईंजी, भाई जी, और मौलवी जी।

नानी ने जल्दी ही यह प्रसंग बदल दिया।

घोड़े की सवारी कब करती हो।

त्रिकाला से पहले।

पहले धर्मवीर, कर्मवीर के साथ जाती थी। अब दीनू चाचा के साथ।

धर्मवीर कर्मवीर दोनों भाई हैं न।

हाँ। नानी वह अच्छे नहीं।

नहीं। ऐसा नहीं कहते।

नानी। वह बुरे हैं। आजकल हमारा उनके साथ अबोला है।

ऐसा क्यों?

लड़की चुप रही जैसे सोचती हो कहूँ न कहूँ।

बात बदल कर कहा—छोटी चाची सनातनी हो गई है। आटे के पुतले बनाकर हवेली के दरवाजे पर रख आती हैं, दादी ने वचन ले रखा है मुझसे कि उसके हाथ से कुछ नहीं खाना, इलायची, मिश्री भी दे तो भी।

नानी के चेहरे पर आँखें गड़ाए रही।

नानी चुप लगाए रही। कैसे बदलूँगी इस लड़की को।

नानी मेरे पास एक छुटका सा चर्खा है मैं पूनी से तार निकाल लेती हूँ पर बार-बार टूट जाती है। दादी कहती हैं कातती रहो तुम सीख जाओगी। मैं दादी के अटेरन को घुमाती हूँ। पर उस पर सूत नहीं चढ़ता। मैं गलत कर देती हूँ।

नानी कुछ ऐसे देखने लगी थी कि ऊब गई हो।

चन्ना जारी रही।

मैं कौड़ियों की माला भी पिरोती हूँ। उसमें घुंघरु भी डालती हूँ। गाय के गले में बजती है तो टनटनाती हैं। आपके घर में गाय, भैंसें, घोड़े हैं क्या।

नहीं।

हमारी एक भैंस बारह सेर दूध देती है। दादी मुझे गाय का घी खिलाती है। कभी-कभी काली मिर्ची के साथ। उससे आँखें ठीक रहती हैं।

नानी चुप ही रही। इसे क्या तो मैं नया सिखाऊँगी और क्या पुराना भुलाऊँगी। यह दुनिया ही कोई और है। कहाँ गाँव और कहाँ शिमला। इसे कितना बदल सकेंगे। पहले तो कपड़े ही नये बनवाने होंगे। फ्रॉक। पूछा—सूथन कुर्ता ही पहनती हो?

चन्ना गाँव की लड़की की तरह इतराने लगी।

मैं कभी-कभी चुन्नी भी लेती हूँ। मेरे पास दो हैं नानी। दादी ने एक पर बांकड़ी लगाई थी और दूसरी पर चाप। बीच में सितारों का जाल है।

लड़की को टोक कर पूछा—कपड़े का बुचका क्यों बनाया। ट्रंक नहीं था क्या।

नातिन तुनक कर बोली—ट्रंक छक्क में डाल देते तो दादी की टाँगें न थक जातीं! मेरे घर में बहुत से संदूक और सूटकेस हैं। एक के ऊपर एक। ऊपर तक लगे हैं।

तुम्हारे कपड़े किसमें रखे रहते हैं।

जो सुच्चे पट के, चमकी वाले और गर्म संदूक में और दूसरे ताकी में।

ताकी क्या भला?

नहीं जानती नानी! दीवार में बनी अलमारी।

हूँ, तो तुम्हारे यहाँ बहुत से संदूक और सूटकेस हैं।

दो बहुत बड़े हैं एक तो पट्टू घुस्सों वाला और दूसरा खेस और दोतही वाला।

लड़की ख्यालों ही ख्यालों में अपने घर पहुँच गई।

एक भंडार घर में माँ लोचन और लालीशाह का सामान पड़ा है। दादी कभी खोलकर धूप लगवाती है तो कपड़ों को देख-देख कर रोती भी है। मैं चुपके से देख लेती हूँ।

ओह।

रात खाने की मेज पर चन्ना बोली—नानाजी, नानी मेरे लिए सूटकेस लाई हैं पर मैं अपने कपड़े गठरी में ही रखूँगी।

नाना-नानी एक-दूसरे को देख कर मुस्कुराए।

नानाजी गठरी क्यों बुरी है?

नानाजी ने बीच में टोका—इस बात पर इतनी बहस नहीं करते।

नातिन नानी की ओर मुड़ी।

नानी मेरे घर में भी सूटकेस हैं।

नानी मुस्कुराई।

मेरे लालीशाह और लोचन माँ के कपड़े सूटकेस और संदूकों में हैं। कभी-कभी दादी सुच्चे कपड़े निकाल कर धूप लगाती हैं। झम्म-झम्म चमकीले, बहुत सुंदर हैं माँ लोचन के कपड़े।

नानाजी ने बात बदली।

यह कहो बेटी तुम अपनी दादी को क्या बुलाती हो।

दादी हैं न मेरी वह। मैं उन्हें दादी पुकारती हूँ।

बेटी तुम्हें सिर्फ दादी नहीं उन्हें दादी माँ पुकारना चाहिए।

लड़की चहकने लगी—और नाना जी नानी को नानी माँ।

नानी ने खुश हो सराहना में सिर हिलाया।

चन्ना दोनों की ओर देखती रही। फिर कहा—नानाजी, मैं रात को रोई थी।

क्यों बेटी।

मुझे मेरी दादी याद आ गई। वह अभी सोई नहीं थी। छत की ओर देख रही थी। मैं जाऊँगी दादी के पारा।

नहीं बेबी उदास नहीं होते। हम तुम्हारी दादी को यहीं बुला लेंगे।

अगर वह यहाँ आ गईं तो मैं अपनी गाय से कैसे मिलूँगी। मेरी भैंसे सुबह-सुबह मुझे ढूँढ़ती होंगी। वह उदास हो जाएँगी। माँ हस्सा, नूरा—मेरी सहेली बिम्बो।

नानी ने पीठ पर हाथ फेरा।

सुन बेटी, तुम्हारी दादी माँ ने तुम्हें यहाँ पढ़ने भेजा है।

मैं तो गाँव में ही पढूँगी।

नाना जी पूछने लगे—यह बताओ तुम क्या पढ़ती हो वहाँ।

मैं आज नहीं कल बताऊँगी नाना जी। मेरी दादी माँ इस समय चर्खा कात रही हैं। वह इतना महीन सूत निकालती हैं ज्यों सिर का बाल हो।

नानी पूछने लगी—तुम्हें अपनी दादी की क्या बात अच्छी

लगती है।

लड़की की आँखें चमकने लगीं, दादी के कानों के बाले। उसमें झूलते रहते हैं मोती। और नाक का लौंग। सिर हिलाती हैं दादी तो खूब चमकता है। नानी आप क्यों नहीं पहनतीं।

मुझे अच्छा नहीं लगता।

लड़की बोली—नानाजी, नानी माँ अंगिया पहनती हैं—मेरी दादी नहीं। नानी तुम्हारा दूधू किसने पिया।

नानी बोली—लोचन ने।

चन्ना के हाथ में जैसे कुछ मनचाहा आ गया।

लोचन मेरी माँ थीं। मेरी। क्यों नानाजी?

हाँ बेटे।

नानी माँ की ओर देखा। लगा कुछ गलत कर दिया है।

नानी, आप पीछे से अंगिया कैसे बाँधती हैं।

नाना नानी हँसने लगे।

नानी बोली—बड़ी होकर आप ही जान जाओगी।

कब होऊँगी मैं बड़ी नानी माँ।

तुम बड़ी हो रही हो। हम सभी हर दिन बड़े होते रहते हैं।

नानी माँ, फिर बाद में क्यों मर जाते हैं।

वह तो नियम है।

नानी मेरी लोचन माँ, लालीशाह, बड़े दादाजी, छोटे दादाजी, सब मर गए। पूरे हो गए। फिर मर जाएगी मेरी दादी भी, माँ नूरा-हस्सा; आप, नानाजी।

किसी के लिए भी ऐसा नहीं कहते बेटी।

नानी माँ कौन मार देता है, सबको?

नानाजी बोले—इस बात को यहीं छोड़ दो बेबी, हम तुम्हें किसी और दिन बताएँगे।

नानाजी ने नानी से पूछा—चन्ना बेटी के गर्म कपड़े बन रहे हैं न।

नानी मैं फ्रॉक नहीं पहनूँगी।

क्यों जिद करती हो।

लड़की ने मदद के लिए नानाजी की ओर देखा।

नानाजी जब मैं यहाँ आई थी तो दादी ने मेरे नये कपड़े बनवाए थे। उनका क्या होगा?

पड़ें रहेंगे। जब गाँव जाओगी फिर पहनना।

नानाजी हँसने लगे।

बेटी अगर तुम फ्रॉक टोपा और लंबे मोजो में गाँव जाओगी तो वहाँ लोग तुम्हें कैसे देखेंगे।

सब मिलकर मुझ पर हँसेंगे। नानाजी।

बस। इतनी-सी ही तो बात है। जैसे गाँववाले इस पहरावे पर हँसेंगे वैसे ही यहाँ वाले तुम्हारे सूथन कुर्ते पर।

चन्ना ऐसे चमकी जैसे बात समझ में आ गई हो।

नानी से कहा—मैं फ्रॉक पहन लूँगी। मेरे वहाँ वाले कपड़ों की गठरी अलमारी में रख दो।

नानी माँ हँस-हँस कर दोहरी हुई।

गठरी नहीं भूलोगी!

सूटकेस इस्तेमाल नहीं करोगी। हमारे घर का है न।

नानाजी बोले—यह घर भी तुम्हारा ही है। एक घर वहाँ गाँव में और एक यहाँ। वहाँ दादी माँ यहाँ नानी माँ।

और नानाजी आप कहाँ!

हम तुम्हारी नानी और अपनी चन्ना के पास।

3

बाहर बादल बरस रहे हैं। अंदर ड्राईंगरूम में अँगीठी जल रही है। नाना-नानी और चन्ना अँगीठी के सामने बैठे हैं। लकड़ियों के जलते ढेर से लपटें उठ रही हैं। सेंक फैला रही हैं।

नानाजी ने अखबार पढ़ते-पढ़ते दो-एक बार चन्ना को देखा। अपलक अँगीठी पर नज़र गड़ाए है। ध्यान बँटाने को कहा—बेटी कुछ याद हो तो सुनाओ।

जी नाना जी।

लड़की कुर्सी से उठ खड़ी हुई। हाथ जोड़े, आँखें बंद कीं।

अग्नि शुचिव्रततम शुचिः विप्र शुचिः कविः शुचि लोचन आहुतः।

सुनकर नानाजी खुश हुए।

चन्ना बेटी यह किससे सीखा!

गुसाईंजी से।

इसके अर्थ जानती हो!

जानती हूँ। इस अग्निदेव से बढ़कर इस संसार में और कोई पवित्र वस्तु नहीं। अग्नि शुचिव्रत है। पवित्र है। इसके साथ लगकर कुछ भी अपवित्र नहीं रहता।

शाबाश।

नानाजी, गोसाईंजी ने कहा था यह मंत्र अग्नि की आराधना में उच्चारा जाता है।

गोसाईंजी ने और क्या-क्या सिखाया?

चन्ना की रटंत शुरू हो गई।

सात जलपरियाँ हैं। कल्याणी, धनादा, नन्दा, पुण्या, पुण्यमुखी, जया और विजया।

पाँच व्रत पाँच गतियाँ और पाँच ज्ञान हैं।

छः दृश्य हैं।

नानाजी ने टोका—

और समय?

समय अनेक हैं। हर मनुष्य का अपना समय है। पर मुख्य रूप से समय तीन हैं। भूत, वर्तमान और भविष्य।

बेटी तुम्हारा वर्तमान क्या है?

नानाजी, शिमला, यह कमरा आप, नानी माँ और—

और क्या?

यह अँगीठी। बहुत अच्छी लग रही है। मुझे मेरी दादी याद आ रही हैं।

तुम्हारा भूत क्या था बेटी...

मेरा गाँव नानाजी।

और भविष्य?

मेरा गाँव जहाँ मेरी दादी है। नानाजी, मैं अपने गाँव जाना चाहती हूँ। मुझे अपने घर की बहुत याद आती है।

बेटी, यह भी तुम्हारा घर है।

यह मेरी ननिहाल है।

नानी ने पूछा—क्या यहाँ अच्छा नहीं लगता?

नानाजी ने बात बदल दी—

गोसाईंजी ने दृश्य की बात भी की होगी!

वह नहीं जानती। गोसाईंजी ने कहा था, अभी मैं छोटी हूँ। नहीं समझूँगी। बाद में बताएँगे।

नानाजी ने ध्यान से लड़की को देखा। बेटी की बेटी में अपनी बेटी दीखने लगी। छिपी नज़र से सृष्टा की ओर देखा और नातिन को पुचकार कहा—कुछ और याद आ रहा हो तो वह भी कहो।

पाँच वाणियाँ हैं। जप्प साहिब, जाप साहिब, सवैये, रहरास और सोहाला। सुनिए नानी माँ,

गुरु गुरु गुरु कवि मन मोर
गुरु बिना मैं नाहीं होर
गुरु की टेक रहहु दिनराति
जांके कोई न भेंटे दाति
गुरु परमेसर ऐको जागु
जो तिसु भावे सोन परवाणु

यह तो भाई जी ने सिखाया था। गोसाईंजी से एक और भी सीखा था—

गुरु ब्रह्मा गुरु विष्णु गुरुदेवो महेश्वरा
गुरु देवा परंब्रह्म श्री गुरुदेवा नमः

नानी एक मेरी छोटी दादी ने सिखाया था। वह अच्छी नहीं है।

बताओ तो—

लोभी गुरु लालची चेला
दोनों खेलें दाँव
भवसागर में डूबते
बैठे पत्थर की नाव।

नानाजी ने जिज्ञासा की—कुछ मौलवीजी ने भी सिखाया होगा!

चन्ना तोते की तरह बोलने लगी—

पीर जी मियाँ मीर काजी साईं दित्ता के बेटे थे। वह सिस्तान में पैदा हुए थे। बाद में लाहौर आए और वहीं रहने लगे। मियाँ मीर बहुत बड़े पीर थे। हरमिन्दर साहिब की नींव भी उन्होंने ही रखी थी। कहा जाता है कि मियाँ मीर और छज्जू भगत एक-दूसरे को बहुत चाहते थे।

एक और कहानी है,

नानाजी कहूँ—

माधो एक ब्राह्मण के बेटे थे। लाल हुसैन माधो पर आशिक हो गये तो माधो मुसलमान बन गए। तब उनका नाम बदलकर शेख माधो रख दिया गया।

नानाजी का चेहरा कड़ा हो गया।

चन्ना ने पूछा—नानाजी क्या यह कहानी अच्छी नहीं लगी।

नहीं। यह बच्चों वाली कहानी नहीं।

नानाजी यह तो गाँव के सभी बच्चे जानते हैं।

बेटी हरमिन्दर साहिब की नींव की बात कर रही थी।

यह बताओ चन्ना बेटी नींव किसे कहते हैं?

कैसी बात पूछ रहे हैं आप नानाजी। नींव तो वही जिस पर दीवार चुनी जाती है। इमारत बनाई जाती है।

मैं कुछ और पूछ रहा हूँ बेटी। नींव होती क्या है?

जहाँ कुछ बनाया जाना हो वहाँ ज़मीन की खुदाई की जाती है।

यह भी क्या गोसाईंजी ने बताया था!

नहीं नानाजी—छोटी दादी के नये भंडार घर बने थे तब मैंने देखा था।

हम बेटी से खुश हुए। चन्ना तुमने जो अब तक सीखा-पढ़ा है, उसका आज इम्तहान हो गया। तुम पास हो। अब तुम्हारा नाम नये स्कूल में लिखाएँगे।

चन्ना फिक्रमंद हो गई।

यहाँ की पढ़ाई मुझे नहीं आएगी। वह क्या-क्या पढ़ाएँगे नानाजी।

तुम अंग्रेजी पढ़ोगी। कल से नानी से सीखोगी ए.बी.सी.—

चन्ना नाना-नानी को चिढ़ाने लगी—

ए.बी.सी.

तुम वहाँ गई थीं।

हैडमास्टर मर गया।

उसे पीटने गई थी।

बेटी ऐसे नहीं बोलते। विद्या को ऐसे कभी मत कोसना। हाँ नानी से सीखो, फिर तुम्हें नये स्कूल में भर्ती करवाएँगे।

लड़की हँसने लगी—

नानाजी भर्ती तो फौज़ में होती है।

क्या सिर्फ फौज़ में?

नहीं-नहीं, पुलिस में भी होती है। स्कूल और मदरसे में तो दाखिला होता है।

ठीक कह रही है हमारी बेटी।

चन्ना बोली—नानी माँ, नानाजी मुझसे हार गए हैं।

इसमें तो हार-जीत की कोई बात ही नहीं। क्या नानाजी ने कोई शर्त बाँधी थी!

चन्ना नानी को समझाने लगी।

नहीं नानी माँ, नानाजी मुझसे बड़े हैं। जब खुश होंगे, मेरा इनाम मुझ तक पहुँच जाएगा। मैं माँगूगी थोड़े! नानाजी ठीक कह रही हूँ न!

इधर आओ, मेरे पास आओ, चन्ना बेटी—

नानाजी ने सिर पर प्यार फेरा।

कैसी अच्छी बातें करती है हमारी बेटी। हम इससे बहुत खुश हैं।

लड़की कुछ सोचने लगी।

नानाजी, गाँव के लोग बातें अच्छी करते हैं कि शहर के। मैं तो गाँव की हूँ। पहले नानी को बहुत तंग करती थी।

नहीं नहीं बेटी!

हाँ नानाजी, नानी को गाँव के लोग अच्छे नहीं लगते।

नानाजी की आवाज़ में सख़्ती आ गई।

ऐसा कभी नहीं सोचना बेटी। शहर के लोग भी किसी-न-किसी गाँव से ही आते हैं।

चन्ना नानी को घूरने लगी।

नानी माँ भी गाँव से आई थीं! नहीं नहीं। और आप नानाजी, आप कब आए थे शहर!

बेटी, पचास बरस पहले। हमारे पिताजी मंडी कामोकी से लाहौर पहुँचे थे। हम सब भाई-बहन लाहौर में ही पढ़े-लिखे और गाँव पीछे छूट गया।

मेरे लालीशाह भी लाहौर में पढ़ते थे नानाजी। और नानी माँ आप!

मैं भी लाहौर पढ़ती थी।

चन्ना ने तुनक कर कहा—

मेरी माँ लोचन भी वहीं पढ़ती थी।

दोनों नाना-नानी हँसे।

चन्ना कुछ समझी, कुछ नहीं भी।

नाना बोले—अच्छा बताओ, शिमला और अपने गाँव में तुम्हें क्या भाता है।

अपना गाँव नानाजी।

गाँव, इतने छोटे क्यों होते हैं। नानाजी।

क्योंकि न वहाँ लोग बहुत होते हैं और खेत बड़े होते हैं।

नानाजी हमारे पास बहुत खेत हैं। जीवियाँ हैं, कुएँ हैं, फसले कटती हैं तो भण्डार भर जाते हैं, खेत-खलिहानों के हिसाब-किताब बहियों में रखे जाते हैं। कितनी फसल हुई, कितना लगान भरा, कितना आसामी ने लिया, कितना कम्मो को दिया।

कम्मो क्या बेटी।

नहीं जानते नानाजी, काम करने वाली। क्या शिमला में नहीं होती कम्मो।

होती है न, गाँव की खेती पर काम करनेवाले यहाँ बोझ

उठाते हैं, रिक्शा चलाते हैं।

नानाजी, मेरी दादी माँ नानी माँ जैसी नहीं हैं।

क्यों बेटी, इन दोनों में तुम्हें क्या फर्क लगता है?

चन्ना कुर्सी पर बैठ गई।

मेरी दादी माँ सूथन कुर्ता पहनती हैं और नानी साड़ी पहनती है और सिर उघड़ा रखती है। दादी दुपट्टे से सिर ढाँकती हैं और दादी साड़ी कंधे पर डाले रहती हैं। बालों में क्लिप लगातीं हैं। मेरी दादी दातून करती है और नानी ब्रश। मेरी दादी माँ दरिया या कुएँ पर नहाती हैं। नानी गुसलखाने में। दादी दूध-दही बलोती है मक्खन निकालती है—नानी केतली से प्यालों में चाय डालती है। मेरी दादी गाय, भैंसों और घोड़ों को थपथपाती है—मेरी नानी माँ किताब पढ़ती हैं। वह चरखा कातती हैं और यह स्वेटर बुनती हैं। मेरी दादी पीढ़ी पर बैठकर सेमइयाँ बनाती हैं और नानी करोशिए से लैस।

नानाजी ने गंभीरता से पूछा—कुछ और भी कहने को है।

हाँ नानाजी। दादी पहले पहर मेरे साथ सोती है, फिर अपने पलंग पर। नानी कुछ देर मेरे पास फिर आपके साथ!

नानाजी हँसते-हँसते इतना हँसे कि खाँसी छिड़ गई।

चन्ना उठकर नानाजी के लिए मिश्री और इलायची उठा लाई।

नानी मग्न हो नातिन को देखने लगीं। बिल्कुल अपनी माँ पर लड़की जैसे नानी को पछाड़ने पर तुली हो।

नानी बोलीं—यह हमारी अपनी लोचन है। याद है न आपको—

नाना-नानी की आँखें भर आईं।

देखकर चन्ना बोली—नानी माँ लोचन मेरी माँ थीं और लालीशाह मेरे पिता। वह भी लाहौर में पढ़ते थे। जब मैं पैदा हुई थी तो उन्हें हमारे असामियों ने मार दिया था। गले में फंदा डालकर। नानाजी लोग दूसरों को क्यों मार देते हैं।

4

सुबह से चन्ना बेबी एक ही खेल में, खिड़कियों-दरवाजों पर लगे परदों के पीछे छिप कर आवाज़ देती है—

लुक छिप जाना
मकई का दाना
राजी की बेटी आई है।

मैं यहाँ हूँ। नानी माँ मैं इधर हूँ। मुझे देखो!

लड़की आज खुश लगती है। टोकना ठीक नहीं। मौका देख समझाऊँगी। खिड़की के सामने धूप में बैठकर चाय पीते हुए लड़की को पुकारा—चन्ना देखो तुम्हारे लिए यह ड्राइंग-कापी और रंग। बैठ कर इस पर कुछ बनाओ।

नानी माँ हर रोज़ मुल्तानी मिट्टी से अपनी तख़्ती पोता करती हूँ गाँव में। फिर धूप में सुखाती हूँ—

सूख सूख पट्टी
लौंगा चट्टी
लौंग सुपारी
तेरी मेरी यारी।

ओह! मन ही मन सोचा नानी ने—कब भूलेगी यह वहाँ की दुनिया।

लड़की ने कुछ भाँपना चाहा। क्या है जो नानी को पसंद नहीं आया! पूछा—नानी माँ सब जगह परदे क्यों लगे हैं।

नानी ने दिलचस्पी से देखा।

यह ठंडी जगह है, सो सरदी और हवा को रोकने के लिए!

और धूप?

धूप लेनी हो तो परदे खींच लो। तुम्हारे घर भी तो परदे लगे होंगे!

नहीं, मेरे घर में परदे नहीं लगे।

फिर समझा कर कहा—नानी माँ गाँव में परदे नहीं लगते! खिड़कियों में लाल, पीले, नीले शीशे लगाते हैं। हमारी हवेली में लगे है न।

नानी ने गले को नरम कर पूछा—वहाँ मेज़ पर बैठ कर खाना खाती हो क्या?

नहीं नानी। चौके में आसन और चौकी पड़े होते हैं। वहीं बैठ कर खाती हूँ। मेरी दादी बूरे की रोटी बनाती है। बहुत स्वाद!

क्या दादी माँ पढ़ने के लिए भी कहती है?

हाँ।

सिर्फ हाँ नहीं, 'जी हाँ' कहते हैं बेटी!

जी हाँ नानी माँ।

क्या कहती है दादी तुम्हारी?

देखो तुम्हारे दादा साहिब और लाली शाह बड़े धनी थे। सयानफ समझदारी के। अच्छा पढ़ोगी तभी वैसी बनोगी।

नानी ने इशारा किया—अब कागज़ पर रंगों से कुछ आंको।

नानी माँ मैं तो दीवार पर आंकती हूँ। दीवाली पर। घर

बनाती हूँ—हाट बनाती हूँ। बेल बूटे। गाय-बल्द, घोड़ी, चिड़िया—खेत।

चिड़िया आई

दान बीन ले गई

फिर आई

फिर बीन ले गई

फिर आ गई

और दाना बीन ले गई।

नानी, यह कहानी चलती रहती है, चलती रहती है—जब तक बोलते जाओ। मैं बोलती चली जाती हूँ, बोलती रहती हूँ। धर्मवीर, कर्मवीर मुझको खूब गुस्सा हो जाते हैं।

कागज पर खींचो कुछ—रंग हैं न। जो ध्यान में आता है वह बनाओ। हाँ, यह पहाड़, यह पेड़, यह सूरज, यह नदी।' यह मैं।

नानी माँ गर्मी में मैं और दादी नदी में नहाने जाते हैं। तौलिये, उबटन और कपड़े ले कर। पानी में खूब खेलती हूँ। मेरी दादी तैरना जानती हैं। तैरते-तैरते पार, पहुँच सकती है!

नानी कुछ न बोली और हाथ में किताब लिए पढ़ती रही।

चन्ना ने जाने क्या-क्या खींचा, आंका—कई पन्ने भर डाले! नानी माँ के आगे कर कहा—

चिड़िया की चोंच में शहतूत है।

तोता बेर में दाँत मार रहा है।

बिल्ली झपटी बोटी पर

कुत्ते ने दाँत से खींच लिया—

हूँ। अच्छा है!

नानी माँ ने किताब मेज़ पर रखी और घड़ी देख नातिन से पूछा—कुछ खाओगी क्या? चॉकलेट, बिस्कुट?

नानी माँ यहाँ मक्का के दाने मिलते हैं क्या?

नानी जाने कैसे पसीज गई।

हाँ, कल मँगवा दूँगी।

हमारे गाँव में भट्ठी है। रुलदू की घरवाली भूनती है। चने-मक्का, मुरमुरे गर्म गर्म।

नानी माँ आप अंग्रेज़ी की किताब पढ़ती हैं।

हाँ।

क्या मेरी माँ लोचन भी पढ़ती थीं?

हाँ, उसे लाहौर पढ़ने भेजा था।

लड़की कुछ सोचने लगी।

मेरी दादी तो हिंदी, उर्दू और गुरमुखी पढ़ती है। वह अंग्रेज़ी नहीं जानती। मैं भी नहीं।

कोई बात नहीं। तुम्हें मैं सिखा दूँगी।

और जो मुझे गुंसाई जी, भाई जी और मौलवी जी पढ़ा रहे हैं, उसका क्या होगा?

कुछ नहीं बेटी। वह सब साथ-साथ पढ़ते रहते हैं! वह तुम्हें भूलेगा थोड़ी याद है।

हाँ। नानी माँ उस सब को कपड़ों की तरह गठरी में बाँध कर के नहीं रख सकते न।

नानी हँसती रहीं, हँसती रही कि नातिन ने हाथ पर चकोटी काटी—चुप्प! ऐसे नहीं हँसो नानी माँ!

नानी हकबका गई। क्यों—मगर क्यों?

नानी मुझे गुस्सा आ रहा है। आप मेरे गाँव पर हँस रही हो न!

नानी ने आवाज़ में जाने क्या सुना कि बाँह को होंठ के साथ लगा लिया और दुलार से कहा—नहीं ऐसा नहीं सोचते! मैं तुम्हारी नानी हूँ, सहेली भी हूँ।"

नहीं सिर्फ नानी।

नानी के घर जाऊँगी।

माल पुए खाऊँगी।

मोटी हो कर आऊँगी।

फिर तू मुझको खाइयो।

मेरी दादी मुझे मेरे माथे पर चूमती हैं।

लोचन की माँ लड़की का हाथ पकड़ बाहर निकली तो मन ही मन सोचा लड़की वैसी ही है जैसे इसकी दादी ने चिट्ठी में लिखा था। पर मैं कैसे इसे सिधाऊँगी। यहाँ की राह-रस्म सिखाऊँगी।

हर बात पर जिरह!

शाम नानी के साथ नानाजी की राह देखती, फाटक पर हाथ रखे लड़की बोली—

नानी माँ अंग्रेजी क्यों पढ़ते हैं। मैं नही पढूँगी।

रात को नानाजी से पूछना। इसे पढ़ना क्यों ज़रूरी है। वही बताएँगे तुम्हें।

मैं तो गाँव में ही पढूँगी।

प्रयाग शुक्ल : साठ के दशक की साझी स्मृतियाँ

(प्रयाग शुक्ल के नाम श्रीकांत वर्मा, निर्मल वर्मा, नामवर सिंह, अशोक वाजपेयी, महेंद्र भल्ला एवम् विनोद भारद्वाज के कुछ पत्र)

पिछले दिनों कागजों के बीच पुराने पत्रों के कुछ पैकेट्स मिले। जब यह पत्र पढ़ने शुरू किए तो बहुतेरी पुरानी यादें ताज़ा हुईं, और वे दिन भी सजीव हो उठे, जब हम लोगों ने लिखना-पढ़ना शुरू किया था। अपने समवयसी मित्रों और अग्रजों से तब जो सहयोग समर्थन मिला था, उसकी सुखद स्मृतियों ने भी मन को घेर लिया। भले ही यह पत्र व्यक्तिगत रूप से मुझे लिखे गए हों, और उनमें कुछ 'व्यक्तिगत' बातें और प्रसंग भी हैं ही, पर इनमें साठ के दशक की बहुत सी साझी चीज़ें भी हैं, और इसलिए इन्हें प्रकाशित कराने की इच्छा हुई है। मुक्तिबोध की बीमारी और उनकी रचनाओं के प्रकाशन को लेकर चिंता के कई साक्ष्य भी इनमें से कुछ पत्र में हैं। यह पत्र साठ के दशक के उस माहौल का भी पता देते हैं, जब साहित्य जगत् में नई उत्सुकताएँ व्याप रहीं थीं, 'आधुनिकता' की दस्तकें सुनी जा रहीं थीं, और 'नवलेखन' अपने लिए स्वभावतः एक नए परिवेश का, नई चिंताओं और सरोकारों का आकांक्षी था। सौहार्द, प्रेम और एक दूसरे के लिए पर्याप्त चिंता की बहुतेरी तरंगें थीं, सोच-विचार और विमर्श के कई बिंदु तो थे ही, जो आज भी प्रासंगिक है।—प्रयाग शुक्ल

95, नार्थ एवेन्यू, नई दिल्ली-1
7/9/63

प्रिय भाई

बदरीविशाल जी यहाँ आए थे। मैंने आपके बारे में उनसे बात की थी। 'कल्पना' के लिए अबतक बाहर से जो लोग आए, उनका उन्हें कटु अनुभव रहा। वह इसीलिए आपसे एक बार मिल लेना चाहते हैं। उन्होंने कहा कि मैं अभी से नियुक्ति का आश्वासन नहीं दे सकता। मगर आप हैदराबाद आकर मिल लें।

मुझे विश्वास है आपसे मिल लेने के बाद आपकी नियुक्ति ज़रूर हो जाएगी, क्योंकि कई प्रकार की शंकाएँ रहती हैं, जो मिलने पर दूर हो जाती हैं।

वेतन 'कल्पना' इस समय तीन सौ से अधिक नहीं दे सकेगी। मगर फिलहाल हैदराबाद जैसी जगह के लिए यह बुरा वेतन नहीं। वेतन असल में उतना महत्त्वपूर्ण नहीं जितनी 'कल्पना'।

बदरीविशाल जी अभी 15 दिनों तक हैदराबाद में रहेंगे। आप एकाध सप्ताह में उनसे मिल

लें। जाने के पहले उन्हें एक कार्ड पोस्ट कर दें। मगर इसमें देर न करें क्योंकि फिर उम्मीदवार हो जाएँगे। 'कल्पना' के लिए कई लोग वैसे ही इच्छुक होंगे।

और सब ठीक है। आप मजे में होंगे।

आपका

श्रीकांत वर्मा

•

94, नार्थ एवेन्यू, नई दिल्ली-1

11/3/64

प्रिय भाई

कई झंझटों के कारण मैं आपको अब तक लिख नहीं सका। 'कल्पना' के लिए भी जो लिखना था, लिख नहीं पाया। मगर अब ज़ल्द ही डॉ. रघुवंश और आपकी पुस्तक पर लिखकर भेज रहा हूँ। वैसे रफली मैंने लिख लिया है।

मुक्तिबोध जी की बीमारी के बारे में आपको मालूम हुआ होगा। उन्हें भोपाल ले आया गया है। मगर दशा में अब तक सुधार नहीं है। प्रकाशकों से उनकी दो-तीन पुस्तकों के कांट्रैक्ट हुए हैं। और उनके कविता-संग्रह की पांडुलिपि मुझे 15-20 दिनों के अंदर वार्ता के अनुसार देनी है। आप जानते ही हैं उनकी कविताएँ यहाँ-वहाँ बिखरी हुई हैं। 'कल्पना' में पिछले 5-6 वर्षों में उनकी कुछ कविताएँ छपी है। उनकी प्रतिलिपि या वे अंक, जो भी सुविधाजनक हों, मुझे तत्काल भेजने की कृपा करें। आशा है आप यह काम व्यक्तिगत दिलचस्पी लेकर फौरन ही अवश्य कर देंगे।

रामनारायण जी का पत्र आया है। अशोक आज कलकत्ते गए। एकाध महीने में लौटने को कह गए हैं।

आपका

श्रीकांत वर्मा

•

16 फरवरी, 1968

दिल्ली

प्रिय, प्रयाग,

सोमवार 19 फरवरी को पूर्वाह्न में (10:30 से 1.00 बजे तक) राजकमल में मिल सको तो कृपा होगी। 'आलोचना' के युवालेखन वाले अंक के बारे में बात करनी है। अपनी कविता साथ ला सको तो अच्छा हो।

कमलेश जी से भी मिलना चाहता हूँ। काफी तलाश के बाद भी उनका पता न पा सका। उन्हें खबर कर सको या साथ ला सको तो भला।

सस्नेह,

नामवर

•

नई दिल्ली

5 सितंबर, 1962

प्रिय प्रयाग

वापस आने पर एकाएक बहुत से कार्यों में उलझ जाना पड़ा। यही कारण है—इच्छा होने पर भी तुम्हें पत्र लिखना संभव नहीं हो सका।

कल शाम श्रीकांत और अशोक के साथ 'अभिज्ञान' देखने गया था। काफी अच्छी लगी—ज्यादा नहीं। क्या तुमने यह फिल्म देखी है? बाद में 'ला बोहीम' में कॉफी पी। बहुत देर तक बातचीत करते रहे। जब ऊब कर बकुल सोने लगी, तो वापस आना पड़ा।

इस बार ज्ञानोदय का अंक नहीं मिला। तुम्हारी कविता भी नहीं पढ़ सका।

आज भी रह-रह कर कलकत्ता के वे दिन स्मरण हो आते हैं। रामकुमार अभी गुलमर्ग में ही हैं—शायद नवंबर तक वापिस लौट आएँगे।

कृपया मेरी ओर से चंद्रप्रभा जी को अनेक धन्यवाद दें। अशोक से पुस्तक मिल गई थी। जब तुम दिल्ली आओ, तो उन्हें भी अपने साथ लाना मत भूलना। यदि रामनारायण जी भी संयोगवश यहाँ आ गए, तो कम से कम पुस्तक के शीर्षक की सार्थकता सिद्ध हो जाएगी।

मैं 13 सितंबर को बंबई जा रहा हूँ। बकुल 16 को बंबई से हवाई जहाज पकड़ेंगी। तुम्हें और चंद्रप्रभा जी को वे अपनी शुभकामनाएँ भेज रही हैं।

तुम दिल्ली कब आ रहे हो?

अरुण से मिलते होगे। आजकल क्या पढ़ रहे हो?

तुम्हारा निर्मल

बकुल : निर्मल जी की पहली पत्नी

चंद्रप्रभा : प्रयाग शुक्ल की छोटी बहन

अशोक : अशोक सेकसरिया

●

नई दिल्ली

30 अक्टूबर

प्रिय प्रयाग

तुम्हारे दोनों पत्र मिले। जल्दी उत्तर न दे सका। इधर कुछ एक ऐसे लंबे काम में उलझा रहा कि किसी से भी पत्र-व्यवहार न कर सका।

'नीग्रो साहित्य' पर मेरा ज्ञान बहुत ही सीमित और अधूरा है—अतः उसके संबंध में कुछ भी लिखना मेरी सामर्थ्य के बाहर है। वैसे मैं किसी विषय पर जब भी कुछ लिखूँगा, 'कल्पना' के लिए अवश्य भेजूँगा।

अब तो तुम 'सम्पादन' कार्य में इतना जुट गए होगे कि शायद दिल्ली न आ सको। क्या रामनारायण जी ने भी अपना आने का प्रोग्राम स्थगित कर दिया?

कल अशोक से मालूम हुआ कि तुम्हारा कहानी-संग्रह निकल आया है। मेरी बधाई स्वीकार करो।

रामकुमार अभी काश्मीर में ही हैं, शायद दीवाली से पहले वापस आ जाएँ। पित्ती जी को मेरा प्रणाम देना।

तुम्हारा

निर्मल

●

नई दिल्ली

2 दिसंबर, 1963

प्रिय प्रयाग

तुम्हारे पत्र का उत्तर शीघ्र न दे सका। मैंने सोचा था जब कोई चीज़ तैयार होगी, तभी पत्र भी भेजूँगा।

रामनारायण जी ने तुम्हारी पुस्तक भिजवा दी। उसके लिए अनेक धन्यवाद। उसकी कुछ कहानियाँ मैंने नहीं पढ़ीं थीं...कुछ दुबारा पढ़ीं और इस बार संकलन में पढ़ते समय ज़्यादा अच्छी लगीं।

अशोक और श्रीकांत से अक्सर भेंट होती है। महेंद्र आजकल बाहर गए हैं। रामकुमार काश्मीर से लौट आए हैं। 'दीवार के दोनों ओर से 'भेज रहा हूँ। उस पर तुम्हारे विचार जानना चाहता हूँ। प्रकाशित करते समय हर item के बीच थोड़ी सी 'स्पेस' अवश्य छोड़ देना। यदि यह स्तंभ italics में छापा जाए (जैसे Encounter में छपता है) तो कैसा रहेगा? शीर्षक कैसा है?

पत्रोत्तर शीघ्र देना,

तुम्हारा,

निर्मल

•

नई दिल्ली

9 दिसंबर, 1963

प्रिय प्रयाग,

पत्र मिला। 'दीवार के दोनों ओर से' तुम्हें पसंद आया, यह जानकर खुशी हुई। हर महीने नियमित रूप से यह तुम्हें मिलता रहेगा।

एक आइटम में रॉब ग्रिये की फिल्म शायद 'मरीनाबाद' चला गया है। सही नाम है 'समर इन मरियनबाद', ठीक कर लेना। फ्रेंच लेखकों के हिज्जों का अवश्य ध्यान रखना। गलत नाम हमेशा अखरने लगता है।

कहानी अवश्य भेजूँगा। एक छोटी सी टिप्पणी भेज रहा हूँ। उस पर तुम्हारे विचार जानना चाहूँगा।

तुम्हारा 'संदेश' राम और विमला जी तक पहुँचा दिया है।

पत्र लिखना। आशा है, प्रसन्न होगे।

तुम्हारा

निर्मल

•

नई दिल्ली

28 अप्रैल, 1964

प्रिय प्रयाग,

अर्सा पहले तुम्हारा और वैद का 'सम्मिलित' पत्र मिला था ...उसे देखकर सहसा प्राग के

शराबघर याद हो आए थे। अक्सर हम बहुत पी लेने के बाद अपने दोस्तों को कार्ड भेजते थे।

वैद एक दिन दिल्ली ठहरे थे। तुमसे मिलकर उन्हें बहुत प्रसन्नता हुई। यों भी उन्हें हैदराबाद बहुत अच्छा लगा—ख़ासकर खुलेआम पीने की छूट। वह एक नियामत से कम नहीं।

आजकल क्या लिख रहे हो? इधर मैंने कोई कहानी नहीं लिखी—न लंबी, न छोटी। एक छोटे से उपन्यास से चिपका हूँ...या शायद वह मुझसे चिपका है!

पिछले एक महीने से अशोक कलकत्ता में है। शायद सप्ताह भर में लौट आएँगे। राम भी बंबई से वापस आ गए हैं।

कृपया लिखो क्या तुम्हें या 'कल्पना' को 'चीड़ों पर चाँदनी' मिल गई? मैंने श्री लक्ष्मीचंद्र जी को दो प्रतियाँ भेजने के लिए लिख दिया था।

ठीक होगे।

तुम्हारा,

निर्मल।

•

अंग्रेजी विभाग, दयाल सिंह कॉलेज

लोदी रोड, नई दिल्ली 3

प्रिय भाई,

आपका पत्र, आभारी हूँ।

इधर मैंने नई पीढ़ी के कृतित्त्व को ध्यान में रखते हुए नई कविता पर एक निबंध तैयार किया है जिसका पिछले बरस एक स्थानीय पत्रिका में संक्षिप्त रूप प्रकाशित भी हुआ था। निबंध तब काफी पसंद किया गया था और उसे महत्त्वपूर्ण मानने वालों में कई नाम थे—अज्ञेय जी, श्री नामवर सिंह, श्री निर्मल वर्मा, श्रीकांत वर्मा आदि। यह नाम-सूची सिर्फ यह बताने के लिए दे रहा हूँ कि निबंध विचारणीय है। अगर आपको उसे प्रकाशित करने में रुचि हो (क्योंकि मेरी उसे 'कल्पना' के अतिरिक्त कहीं प्रकाशित कराने में रुचि नहीं है।) तो लिखें, मैं भेज दूँगा। पूर्व प्रकाशित रूप से अब यह काफी परिवर्द्धित और संशोधित हो गया है।

रहीं टिप्पणी की बात तो ''नई कविता के अध्ययन की समस्याएँ'' विषय पर लिखना क्या ठीक रहेगा?

इधर मकान को लेकर कुछ ऐसे झंझट में पड़ा हुआ हूँ कि कि टिप्पणी बहुत जल्दी नहीं भेज सकूँगा। कोशिश वैसे ज़रूर करूँगा।

और सब ठीक ही है। अपनी कविताओं का संकलन तैयार करने की सोच रहा हूँ—शायद भारतीय ज्ञानपीठ प्रकाशित कर देगा। अपने हालचाल लिखें। आशा है आप 'कल्पना' में कुछ नया dynamism लाने की कोशिश करेंगे। मुझे पहले ही यह जानकर (श्री अशोक सेकसरिया से) प्रसन्नता हुई थी कि आप वहाँ पहुँचे गए हैं।

नई दिल्ली आपका

15 अक्टूबर, 1963 **अशोक वाजपेयी**

•

प्रिय भाई,

इधर मैंने अज्ञेय के कृतित्त्व पर एक पुस्तक की योजना बनाई है जिसमें उसके विभिन्न पक्षों पर विभिन्न लेखकों द्वारा निबंध लिखवाने की बात है। पुस्तक अज्ञेय के कृतित्त्व को ही विविध स्तरों पर उद्घाटित और मूल्यांकित ही नहीं करेगी बल्कि समकालीन साहित्य के प्रति हमारे लेखकों के अलग-अलग 'एप्रोचों' और चिंतन को भी अपेक्षाकृत ठोस ढंग से एकत्र प्रस्तुत करने का यत्न करेगी। मैं चाहता हूँ कि आप 'अपने अपने अजनबी' की एक लंबी रिव्यू इस पुस्तक के लिए लिखें। आम तौर से इस उपन्यास के विषय में बड़ी भ्रामक बातें कही गईं हैं। खासकर अस्तित्ववाद के संदर्भ में। मेरी इच्छा है कि आप उसके अस्तित्त्ववादी आधार के अलावा (जो सार्त्र जैसे नास्तिकों के ढंग का नहीं है। शायद यास्वर्स जैसे आस्तिकों के निकट पड़ता है।) भारतीय चिंतन-परंपरा के साथ इसकी संगति की भी थोड़ी बहुत पड़ताल करें। (कठोपनिषद् के साथ उसके संबंध की चर्चा'धर्मयुग' में श्रीविद्यानिवास मिश्र या श्री देवराज ने की थी।) पर मूल रूप से आपको उस पर कलाकृति के रूप में विचार करना है। लेख डिमाई आकार के 10 पृष्ठों का अधिक से अधिक हो सकता है और 15 मार्च '64 तक मुझ तक पहुँचना चाहिए। पुस्तक प्रकाशित होने पर यथोचित पारिश्रमिक की भी व्यवस्था है।

पुस्तक न तो एकेडमिक ढंग से नियोजित की गई है न ही उसका अभिनंदन ग्रंथ होना अभिप्रेत है। हरेक लेखक को अपना मत व्यक्त करने की स्वतंत्रता होगी। पर आग्रह इस बात का है कि पुस्तक ऐसे आलोचनात्मक चिंतन का उदाहरण बन सके जो रचना के संकुल स्तरों से उत्कट तादात्म्य स्थापित करने में और उन्हें उद्घाटित करने में अपना प्राथमिक कर्त्तव्य देखता है न कि निंदा-प्रशंसा में।

कृपया यथाशीघ्र उत्तर दें।

नयी दिल्ली से

आपका

अशोक वाजपेयी

12.01.1964

•

बी/25 निज़ामुद्दीन पश्चिम
नई दिल्ली 14
25 जनवरी को

प्रिय भाई,

पत्रोत्तर देर से देने के लिए क्षमाप्रार्थी हूँ। लेख लिखना स्वीकार करने के लिए अत्यंत आभारी हूँ।

भारतीय चिंतन-परंपरा का उल्लेख मैंने सिर्फ प्रसंगवश किया था—उसकी उन बातों को न जानना जो उपन्यास के प्रसंगानुकूल हैं, मैं नहीं समझता, उसे समझने और मूल्यांकित करने में कोई कठिनाई उत्पन्न कर सकती हैं। मेरा तो आग्रह ही इस बात का रहा है कि आलोचक का काम कलाकृति को भरसक कलाकृति के रूप में ही समझने-परखने का है न कि किसी दार्शनिक या नैतिक या राजनीतिक अभिप्राय के अनुवाद के रूप में। आशा है कि उपन्यास की प्रति मिल गई होगी। कोई कठिनाई हो तो लिखें, मैं भिजवा दूँगा।—प्रकाशन मेरे एक मित्र साथी प्रकाशन के अधीन करेंगे। इस विषय में निश्चिंत रहें कि पुस्तक को विश्वसनीय और पुष्ट प्रकाशकीय

आधार प्राप्त है। कृपया लेख निर्धारित अवधि में लिखकर भेजन का कष्ट करें।

'कल्पना' से आए आपके एकाध कार्ड का उत्तर अपने जाने तो मैंने दिया था। आप जानते हैं कि टिप्पणी लिखना अपने आप में कोई बड़ा महत्त्वपूर्ण काम नहीं है—यानी उतना नहीं कि उसी पर आप अपना सारा ध्यान केंद्रित कर दें। 'धर्मयुग' के लिए एक तरफ से दिल्ली के साहित्यिक जगत् और उसकी गतिविधियों के बारे में टिप्पणियाँ लिखने को प्रतिबद्ध हूँ। वैसी टिप्पणियों का अव्वल तो 'कल्पना' के लिए बहुत उपयोग न होगा और हो भी तो 'धर्मयुग' द्वारा उन्हें मिलने वाले सार्वजनिक प्रचार से बहुत कम, जो उनके लिए बहुत जरूरी है। इन टिप्पणियों के बाद फिर टिप्पणी लिखने का अवकाश नहीं रहता और न मन ही होता है। इसलिए फिलहाल 'कल्पना' के लिए इस ढंग की कोई चीज़ नहीं भेज सकूँगा। (वैसे अभी कहानी और नई कविता पर कुछ सोच रहा हूँ और वह 'कल्पना' के योग्य पड़ेगा)। अलबत्ता एक लेख जो मैंने यहाँ की एक गोष्ठी में विचार-विमर्श के लिए आलेख के रूप में लिखा था, अगले सप्ताह आपको भेजूँगा। यहाँ तो उसपर काफी लंबी बहस हुई—शायद आपको प्रकाशनीय लगे। विषय है—'नई कविता 'आलोचना की समस्याएँ'। शायद कुछ कविताएँ भी भेजूँ। 'कल्पना' के लिए कविता-संकलनों की समीक्षा करने में मेरी दिलचस्पी होगी—ज़रूरत हो कभी तो लिखें।

आशा है, अच्छी तरह से हैं।

आपका

अशोक वाजपेयी

●

बी/25 निज़ामुदीन पश्चिम

नई दिल्ली 14

4 फरवरी को

प्रिय भाई,

आपका 2/2 का पत्र पाकर प्रसन्नता हुई। प्रकाशकीय योजना के ब्यौरे मैं ही लिखना भूल गया था; आपके फिर पूछने पर अन्यथा मानने का यों भी सवाल नहीं उठता। अधिकार लेखकों की ओर से संपादक के पास रक्षित होंगे। हर लेख पर पचास रुपए पारिश्रमिक देने की व्यवस्था है, जो पुस्तक प्रकाशित होते ही लेखकों को भेजा जाएगा। मैं आशा करता हूँ कि पुस्तक मई या जून के आंरभ में प्रेस में चली जाएगी और अगस्त या सितंबर तक प्रकाशित हो सकेगी बशर्ते सारे लेखक अप्रैल तक अपने वचन का पालन करते हुए लेख भेज दें। अन्य लेखकों में सर्वश्री नेमिचंद्र जैन, कुँवर नारायण, श्रीकांत वर्मा, रघुवीर सहाय, विद्यानिवास मिश्र, बालकृष्ण राव, रामस्वरूप चतुर्वेदी, देवीशंकर अवस्थी, अजित कुमार, भारत भूषण अग्रवाल आदि हैं। नामवर जीं, मुक्तिबोध जी आदि के भी सम्मिलित होने की आशा करता हूँ। 'अपने अपने अजनबी' की प्रति भेजने की व्यवस्था कर रहा हूँ।

'कल्पना' की मेरी प्रति तो अभी आई नहीं है। अलबत्ता दुकान पर उलट-पुलट कर देखी। नया स्तंभ खासकर देखा। सूचियों के प्रति मुझे एक तरह की एलर्जी समझिए। पर उसे बजाय तार्ख रख भी दें तो मैं नहीं चाहता कि रचनाओं की मात्र सूची देने का कोई उपयोग या महत्त्व हो सकता है। अच्छा हो कि महीने में पत्रिकाओं में प्रकाशित रचनाओं से उभरने वाली प्रवृत्तियों

की आलोचनात्मक चर्चा ऐसे स्तंभ के अंतर्गत की जाए। और भी अच्छा हो यदि एकाध-दो रचनाएँ, जो महत्त्वपूर्ण जान पड़ें, उनकी व्याख्या की जाया करे। और इस बहाने समकालीन लेखन की गतिविधि अधिक गहरे ढंग से समझी और प्रकाशित की जा सके। अगर पत्र-पत्रिकाओं के साहित्य का ध्यान में लेना है तो गंभीरता से ही। यह स्तंभ उन्हें ध्यान में तो लेता है पर उसमें गंभीरता मैं नहीं पाता। अपनी पसंद को वास्तविक आलोचनात्मक आधार देने के श्रम से स्तंभकार भागता है। और बिना उस श्रम के उसकी पसंद की प्रामाणिकता क्या है। और बिना प्रामाणिकता के स्तंभ की सिद्धि क्या होगी?

फिलहाल 'कल्पना' के लिए एक छोटी सी कविता अलग बुक-पोस्ट से भेज रहा हूँ। निर्णय यथाशीघ्र सूचित करें।

और समाचार दें,

आपका

अशोक वाजपेयी

●

बी/25 निज़ामुद्दीन पश्चिम

नई दिल्ली 14 से

12 फरवरी को

प्रिय भाई,

मेरा पिछला पत्र मिला होगा।

पिछले बरस भारतीय ज्ञानपीठ से एक योजना पर बातचीत होकर सहमति हुई थी, जिसके अंतर्गत नई पीढ़ी के कवियों के संग्रहों की एक सीरीज़ निकालने का निश्चय हुआ था। परीक्षा आदि की व्यस्तता के कारण मैं कुछ ढीलढाल कर गया। अब उस योजना को फिर से उठा रहा हूँ। श्री लक्ष्मीचंद्र जैन चाहते थे कि कुछ संग्रहों की पाण्डुलिपियाँ तैयारकर प्रस्तुत की जाएँ तो वे अंतिम निर्णय ले सकेंगे। आग्नेय, श्रीराम वर्मा, जितेंद कुमार, महेंद्र भल्ला और मैं अपनी पाण्डुलिपियाँ तैयार करा रहे हैं। मैं चाहता हूँ कि आप भी 15 मार्च तक अपने कविता संग्रह की एक पाण्डुलिपि तैयार कर मुझे भेजने की कृपा करें। संग्रह 100 पृष्ठों का हो सकता है, इस हिसाब से ही पाण्डुलिपि बनाएँ। कविता के प्रकाशन के लिए किसी प्रकाशक का तैयार हो जाना यों भी सौभाग्य की बात होती है और फिर हम जैसे नए कवियों के लिए तो और भी अधिक। इसलिए मैं इस अवसर को हाथ से जाने नहीं देना चाहता। छपते-न-छपते एक-डेढ़ साल यों भी लग जाएगा इसलिए जितनी जल्दी पाण्डुलिपियाँ प्रस्तुत की जा सकें उतनी ही सुविधा हो सकेगी।

कृपया उत्तर दें!

आपका

अशोक वाजपेयी

●

नई दिल्ली
28 मार्च 1964

प्रिय भाई,

आपका पत्र! पिछले पत्र का उत्तर नहीं दे सका इसके लिए क्षमा प्राथी हूँ। दरअसल इधर कुछ मौसम ही ऐसा है कि कुछ करने को जी नहीं करता–कम-से-कम मेरा।

पुस्तक वाली योजना न तो रद्द की है और न ही उसे स्थगित किया है। अगर ऐसा कुछ होता तो सारा आलस्य छोड़कर आपको सूचित करता। मुझे प्रकाशक–मित्र ने लिखा था कि 'अपने अपने अजनबी' आपको भेज दी गई है इसलिए निश्चिंत होकर आपके लेख का इंतज़ार कर रहा था। अब पता चला कि वह अब तक आपको नहीं मिली। मैंने तुरंत ही उन्हें लिखा है–आशा है अब जल्दी ही मिल जाएगी। जरूर कहीं कोई गड़बड़ी हुई होगी। असुविधा के लिए क्षमा करें।

मेरी कविता (उसके बार में अब कोई अधिकृत सूचना न मिलने से अंदाज़ लगाता हूँ) संपादक-मण्डल को शायद पसंद नहीं आई। अगर ऐसा हो तो सूचित करें ताकि उसका अन्यत्र उपयोग कर सकूँ।

मुक्तिबोध जी की एक 65 पृष्ठों की (टाइप किए हुए फुलस्केप साइज के) अत्यंत महत्त्वपूर्ण कविता मेरे पास है। इधर 'कल्पना' ने लंबी कविताओं पर विशेष ध्यान दिया है इसलिए जानना चाहता हूँ कि क्या आप उसे छापना पसंद करेंगे। कविता के बहुत अच्छे और अत्यंत महत्त्वपूर्ण होने पर दिल्ली के सभी महत्त्वपूर्ण लेखक एकमत हैं। उसे एक गोष्ठी में पढ़ा गया था। पिछले दिनों बदरीविशाल जी यहाँ आए थे। मेरी उनसे भेंट नहीं हुई इसलिए कविता के संबंध में बात नहीं कर सका।

22 मार्च के 'धर्मयुग' में एक लेख निकला था। क्या आपने देखा था?

पत्रोत्तर में!

सस्नेह
अशोक वाजपेयी

•

गोपालगंज, सागर म. प्र.
14 मई 1964 को

प्रिय भाई,

आपका पत्र दिल्ली होकर यहाँ कल आया। मैं महीने भर के लिए आया हुआ हूँ और 1 जून तक वापस दिल्ली पहुँच जाऊँगा। पिछले पत्र का उत्तर तो यथासमय मैंने दिया था, पता नहीं क्यों आपको नहीं मिला।

अज्ञेय वाली पुस्तक का काम मैं मई तक समाप्त कर देना चाहता था पर अब तो आप भी जान गए होंगे कि हम हिंदी के लेखक काफ़ी आलसी और मंदगामी होते हैं। अब तक सामग्री नहीं जुट पाई है। इधर मैं अगले 4-5 महीनों एक परीक्षा की तैयारी में सब, कुछ स्थगित कर जुट रहा हूँ। आशा तो है कि अगले दो महीनों में सामग्री एकत्र हो जाएगी पर चूँकि उसे व्यवस्थित और संपादित करने का अवकाश मेरे पास नहीं होगा इसलिए पुस्तक प्रेस में जाने में विलंब

होगा।

आशा है आपने पूर्ण स्वास्थ्य लाभ कर लिया होगा और आँखें भी पूरी तरह से ठीक हो गई होंगी। समीक्षा-लेख के लिए कोई जल्दी नहीं है—चाहें तो कुछ दिन और ले लें। पर अच्छा हो यदि 15 जून तक वह मुझे मिल जाए।

अशोक मेरे यहाँ के लिए चलने से दो तीन दिन पहले दिल्ली लौटे थे। उनसे कुल एक बार मुलाक़ात हो पाई।

दो-एक कविताएँ 2-3 दिनों में भेजूँगा—वैसे चूँकि क़रीब-क़रीब हर बार 'कल्पना' के उन पर निर्णय का अंदाज़ हो जाता है—जो सही भी निकलता है—जो सही भी निकलता है—मन नहीं होता। फिर भी आपने माँगी हैं, तो भेज रहा हूँ।

मुक्तिबोध जी की कविता अलग रजिस्टर्ड बुक-पोस्ट से भेज रहा हूँ। प्राप्ति सूचना दें और जितनी जल्दी हो निर्णय भी सूचित करें।

और सब ठीक है। अपने पहले कविता संग्रह की पाण्डुलिपि पक्की कर ली है और जल्दी ही ज्ञानपीठ को भेज रहा हूँ।

अपने हाल-चाल लिखते रहें।

आपका

अशोक वाजपेयी

•

1964 का पत्र

प्रिय भाई,

आपका पत्र।

प्रसन्नता है कि आप दोनों कविताएँ, मुक्तिबोध जी की दोनों कविताएँ जल्दी ही प्रकाशित कर रहे हैं। उनकी हालत इधर बहुत खराब हो गई है और इस सिलसिले में हम कुछ लेखक कल प्रधानमंत्री के पास गए थे। उन्होंने तत्काल ही यथोचित का आश्वासन दिया है। अलावा इसके कि इनकी चिकित्सा संतोषजनक ढंग से भोपाल में नहीं हो पा रही है, उनकी, खासकर उनके परिवार की आर्थिक दशा काफी खराब है। कृपया श्री बद्रीविशाल जी से कहकर तत्काल ही इन दोनों कविताओं का अग्रिम पारिश्रमिक उन्हें भिजवा दें। ऐसा करना उनकी सच्ची सहायता होगी। अच्छा हो अगर रुपए नगद भेजें, चैक नहीं। दूसरे, उन्हें उनकी पत्नी श्रीमती शांता मुक्तिबोध, प्राइवेट नं. 4, हमीदिया अस्पताल, भोपाल के पते पर भेजें तो सुविधा होगी।

अशोक अच्छी तरह हैं। आप दिल्ली ज़रूर आइए। मैं इन दिनों सब कुछ छोड़-छोड़कर एक परीक्षा की तैयारी में लगा हुआ हूँ इसलिए कविताएँ बाद में भेजूँगा। नया अंक घर के पते पर ही भिजवाइए। उसमें आगे से नई दिल्ली-14 की जगह 13 लिखा कीजिए।

अज्ञेय वाली पुस्तक का काम परीक्षा की तैयारी की वजह से रुक गया है। आप मनचाहा समय लें पर बहुत अधिक नहीं।

आशा है अब पूरी तरह स्वथ हैं। क्या लिख रहे हैं। कविताएँ कई दिनों से नहीं दीखीं।

आपका

अशोक वाजपेयी

पुनश्च : क्या मुक्तिबोध जी की एक कविता अगले अंग में नहीं छाप सकते? कोशिश करें।

अशोक वाजपेयी

•

178, विंडसर रोड
इंगलैण्ड
3 मई, 1968

प्रिय प्रयाग,

आशा है, इस बीच तुम कलकत्ते जाकर लौट आए होगे या फिर गए ही नहीं होगे। यहाँ मुझे अभी तक तो अच्छा ही लग रहा है। मौसम बढ़िया है, करने के लिए कोई wretched काम नहीं है, पैसे और जीवन के लिए कोई खास चिंता भी नहीं है। और अभी तक इस समाज को अच्छी तरह जाना भी नहीं (थोड़ा भी नहीं) कि बोरियत होने लगे। यह सब बावजूद गोरे-कालों के बारे में पिछले पंद्रह दिन से चल रही लगभग उपद्रवी बहस के।

यहाँ बीयर बहुत सस्ती है। इस समय भी पी रहा हूँ—और कई प्रकार की हैं। "तुम चुन सकते हो! "और क्योंकि तुम कवि हो इसलिए यह बताना नहीं भूलूँगा कि यहाँ के पेड़, घास, खेत, सड़कें, पार्क, छोटी-छोटी झीलें, पहाड़ियाँ इतनी साफ, इतनी हरी (Green, Green, How Deeply Green-Lorca) और इतनी लुभावनी हैं कि ऐसी मैंने पहले सिर्फ हिमालय में देखी थीं। यहाँ फर्क इतना ही है कि आदमी और प्रकृति दोनों मिलकर गजब ढाते हैं—लैण्डस्केप में।

यों मूलतः जीवन वही है—वह अलग होगा, ऐसी आशा ही गलत है। लेकिन इन लोगों ने, अभी तक यही लग रहा है, वातावरण को ऐसा बढ़िया बना रखा है, उन सब चीजों को अपने गिर्द जुटा रखा है, जिससे कम से कम एक हद तक फर्क पड़ता है। 'आरंभ' के तिए मैंने कविता आज ही भेजी है। उसका पूरा पता यदि तुम लिख सको तो अच्छा हो। मैंने उसे 10 ए, सिंगारनगर, लखनऊ के पते पर भेजा है। मुझे लग रहा है, यह पता पूरा नहीं है।

और सब ठीक है। आशा है ज्योति और राम मजे में होंगे। और बाकी लोग भी।

तुम्हारा
महेंद्र भल्ला

हिंदी में कोई अच्छी रचना पढ़ ने को मिले तो बताना-भेजना।
और हिंदी की गतिविधियों के बारे में भी कभी-कभी लिखना।

ज्योति : प्रयाग शुक्ल की पत्नी
राम : बड़े भाई रामनारायण शुक्ल

•

11 जनवरी, 1968
लखनऊ

प्रिय भाई,

पाँच तारीख की चिट्ठी के लिए आभारी हूँ। 'आत्महत्या के विरुद्ध' पर लिखना आप भूले नहीं हैं, ऐसा जानकर खुशी हुई।

असल में 'आरंभ-3' की योजना ही कुछ ऐसी है कि उसमें आपकी समीक्षा जानी आवश्यक

सी है। नरेश ने, शायद बताया हो, कि एक साथ कई समीक्षाएँ दी जा रही हैं। चूँकि दो-एक अन्य सहयोगियों ने भी अभी समीक्षाएँ नहीं भेजी हैं, इसलिए अंक छपने में कुछ देर हो ही जाएगी। वैसे पूरी उम्मीद है कि एक हफ्ते में सभी का मैटर आ जाएगा। आपका भी। आप भेज देंगे न!

मेरा ख्याल है, मकान आदि बदलने का काम हो चुका होगा और आप निश्चिंत होंगे।

'आरंभ-4' को आधुनिक हिंदी कविता की भूमिका के रूप में प्रस्तुत किया जा रहा है। तीन के छपने के बाद मैं यूनिवर्सिटी के इम्तहानों में व्यस्त हो जाऊँगा। योजना को शेप देकर फिर गर्मी की छुट्टियों में उसे आराम से प्रकाशित किया जाएगा। इस संबंध में आपको फिर लिखूँगा।

'वापसी' को काफी पसंद किया गया है। नरेश सक्सेना का ट्रांस्फर कानपुर हो गया है। और आप लखनऊ कब आ रहे हैं। तो फिर मैं निश्चिंत होकर 'आत्महत्या के विरुद्ध' की समीक्षा की प्रतीक्षा में हूँ।

परिचित मित्रों को नमस्कार कहें।

विशेष फिर,

विनोद कुमार भारद्वाज

अध्ययन

काव्य-सर्जन

यशदेव शल्य

काव्य को सामान्यतः भावनामूलक कहा जाता है। हमने इसे वषयितामूलक कहा है,[1] यद्यपि कहीं कहीं विषयिता को भावनात्मक विषयिता के रूप में भी परिभाषित किया है।[2] किंतु 'विषयिता' भावना से व्यापकतर पद है और भावना का समावेशी है। उदाहरणतः ज्ञान में ज्ञाता और ज्ञान विषयिता के पक्ष हैं जबकि ज्ञेय विषयता का, विचार में विचारक और विचारणा विषयिता को पक्ष हैं और विचार्य या विचारित विषयता का। किंतु द्रष्टव्य है कि विचारक और विचारणा, ज्ञाता या ज्ञान भी विषयता के पक्ष हो सकते हैं—जब ये विचार या ज्ञान के विषय होने हैं[2] उदाहरणतः जब दार्शनिक कहता है कि ज्ञान ज्ञाता, ज्ञान और ज्ञेय की त्रिपुटी है' तब ज्ञाता और ज्ञान भी विषय ही होते हैं। वूसरी ओर ज्ञेग भी तब विषयिता के अंतर्गत होता है जब वह नाटक के या उपन्यास के पात्र के ज्ञान का विषय होता है। यह नाटक के अभिनय से देखा जा सकता है। अभिनेता जब किसी पात्र का अभिनय करता है, तब उसके ज्ञान या भाव या इच्छा आदि की पूरी त्रिपुटी ही अभिनेय होती है और यह विषयिता के रूप में ही अभिनेय होती है, विषय के रूप में नहीं। कथात्मक काव्य सामान्यतः व्यक्तियों और उनके समाज का चरित्र प्रस्तुत करता है, यही इतिहास या सामान्य विवरण भी करता है। इनमें यही भेद होता है कि कथात्मक काव्य यह चरित्र विषयितया प्रस्तुत करता है जबकि इतिहास तथा सामान्य विवरण, जैसे समाचार-पत्र के संवाददाता का, यह विषयतया करते हैं। लघु कविता या गीत में सामान्यतः कवि की स्वयं की विषयिता ही अभिव्यक्त होती है।

'काव्य' शब्द का प्रयोग लघु कविता और गीत से लेकर उपन्यास तक के लिए होता है। यदि इसका प्रयोग पद्यात्मक रचनाओं तक भी सीमित किया जाए तो भी गीत और महाकाव्य दोनों इसके अंतर्गत गिने जाएँगे, जबकि इनमें बहुत भेद रहता है। लघु कविता जबकि भावना-प्रधान होती है, महाकाव्य में भावना समवेत होती या हो सकती है, किंतु वह उसका सर्वस्व नहीं होती, बल्कि उसकी उसमें मुख्यता भी नहीं होती। उसमें कथा के प्रयोजन का निर्वाह, कथा के घटक पात्रों के चरित्र का निर्वाह, उनके परस्पर संबंधों की सूक्ष्मता और जटिलता का निर्वाह, यह सब लक्षित रहता है। अब, जैसे लोक में व्यक्ति और उनके संबंध केवल भावनात्मक नहीं होते उसी प्रकार कथा में भी नहीं होते। कथा में भी पात्रों का जीवन अपनी समग्रता में, जटिल सावयवता और संश्लिष्टता के साथ रहता है, यों चाहें एक कथा में प्रस्तुत एक या कुछ पक्ष ही हों। महाकाव्य की कथा में तो व्यक्तियों से अधिक उनका सामाजिक-सांस्कृतिक परिवेश ही मुख्य रहता है। **महाभारत** और **रामायण,** कालिदास के दोनों महाकाव्य और **रामचरितमानस,** यहाँ तक कि **कामायनी** भी इसके साक्षी के रूप में प्रस्तुत किए जा सकते हैं। महाभारत में तो 'धर्मव्याध-कौशिक संवाद' यक्ष-प्रश्न, शांति पर्व में मनुष्य के विभिन्न धर्मों (कर्त्तव्यों) पर विचार और सर्वोपरि **श्रीमद् भगवद्गीता** आदि कितने ही गहन दार्शनिक प्रसंग हैं, जो उसे एक अद्वितीय महाकाव्य बनाते हैं। यही बात नाटक

1. इसके लिए द्रष्टव्य हमारी **चिद्विमर्श** पुस्तक में 'कला-सर्जन', **सत्ताविषयक अन्वीक्षा** में 'कला-तत्त्व', **मूल्यतत्त्व-मीमांसा** में 'कला का अन्वेष्य' शीर्षक तीन अध्याय, 'पूर्वग्रह' के अंक 104 अंक तथा **संस्कृति : मानव-कर्तृव्य की व्याख्या** पुस्तक में 'काव्य का स्वरूप' लेख तथा **उन्मीलन,** जुलाई 2001 अंक में 'काव्य का याथार्थ्य' लेख।
2. 'काव्य का स्वरूप' लेख में विचार की विषयिता की भी चर्चा की गई है।

और उपन्यास के लिए कही जा सकती है। उनकी उत्कृष्टता का भी मुख्य मानदंड वैचारिक उत्कृष्टता और पात्रों के व्यक्तित्व की ऊर्जस्विता होता है, या फिर परिस्थिति का यथोचित मार्मिक, सशक्त, गहरा या सूक्ष्म-व्यापक चित्रण होता है। लघु कविता में भी केवल भावना की तीव्रता या गहनता ही उत्कृष्टता की मानदंड नहीं बनती, बल्कि वैचारिक स्तर या मूल्य-दृष्टि भी मानदंड बन सकती है। अब, कहानी हो या उपन्यास, लघु कविता हो या महाकाव्य सब में एक और अपेक्षा होती है—याथार्थ्य की, वाच्य की वस्तु से अनुरूपता की और वचन की वाच्य से सम्यक्ता की। कविता या कथा की वस्तु क्या हो सकती है, इसका कोई निर्धारण नहीं किया जा सकता। **वाल्मीकीय रामायण** की वस्तु पाताल लोक, भूलोक और स्वलोक तीनों को अपने में समाहित करती है जबकि **रामचरितमानस** की वस्तु इन तीनों लोकों को व्याप्त करके भी इनसे बाहर भगवल्लोक में अवस्थित रहती है, इसके विपरीत प्रेमचंद के **गोदान** की वस्तु भूलोक के भी अनेक आयामों को स्पर्श नहीं करती, वह केवल भारतीय ग्राम के मिट्टी-पानी तक ही सीमित रहती है। निश्चय ही वस्तु की बृहत्ता और लघुता वाच्यार्थ के गौरव को प्रभावित करती है—वाल्मीकि और वेदव्यास या तुलसीदास के पास व्यापकता और गहनता के लिए जो अवकाश है उसका अणुमात्र भी प्रेमचंद के पास नहीं है, इसी से वे लोग एक पूरी संस्कृति और समाज को युगों तक के लिए सत्य दे सके, जबकि प्रेमचंद की कृति नितांत सीमित सामाजिक स्थिति विशेष के उपलक्ष से एक सीमित सत्य को ही व्यक्त कर पाई। किंतु वस्तु की यह बृहत्ता या लघुता किसी काव्य-कृति की सफलता की प्रमापक नहीं होती, कृति की सफलता की प्रमापक तो वाच्य की वस्तु से और वचन की वाच्य से सम्यकृता ही होती है। अब, वाच्य की वस्तु से सम्यक्ता छाया-चित्र के जैसी नहीं होती क्योंकि वस्तु भी चेहरे के समान कैमरे से बाहर अवस्थित नहीं होती। यह वस्तु कवि की सृजनात्मक कल्पनागम्य ही होती है और वह उसी के क्रम में उत्पन्न होती है। चाहे प्रकटतः वह वस्तु ग्राम-जीवन, ऐतिहासिक तथ्य आदि रूप भी हो, और ये गम्य और गमक पारस्परिक होते हैं। यह इस बात से देखा जा सकता है कि एक ही ग्राम-जीवन पर असंख्य उपन्यास हो सकते हैं और स्वभावतः उनमें प्रत्येक की वस्तु अन्यों से भिन्न होती है। ऐसा नहीं है कि 'भारतीय ग्राम-जीवन' की उपन्यासकार से स्वतंत्र कोई अपनी वस्तुता नहीं है और कि कवि-कल्पना का उससे कोई संबंध होना आवश्यक नहीं होता, किंतु उस बाह्य वस्तुता का सत्य कवि-कल्पना, या कहे कल्पना, ही को गम्य होता है। कल्पना, वस्तु और सत्य के इस संबंध को व्यक्त करने वाली एक कविता उद्धृत करना यहाँ अस्थाने नहीं होगा—

कल्पना वस्तु-भ्रम रचती
यह भी सत्य
पर तेरे में अपना सत्य
कल्पना से ही पाया मैंने, ओ मेरे सौन्दर्य!
प्रेम के लिए रचा मैंने तुझे
क्या यह रज्जु में सर्प-भ्रम?
या यह मात्र इन्द्रजाल है मनका?
पर इससे ठोस,
इससे विपुल गहन
दूसरा सत्य नहीं देखा मैंने!

इस कल्पना को साक्षात्कारात्मक कल्पना भी कह सकते हैं। भू-निष्ठ लोक से व्यापकतर लोक तो स्पष्टतः-ही इस साक्षात्कारी कल्पना को गम्य होते हैं किंतु वास्तव में मनुष्य का साधारण व्यवहार-लोक भी कल्पना-रचित लोक ही होता है जो कल्पना मनुष्य द्वारा जीवन और जगत् के अर्थ, उसकी वास्तविकता, उसके सत्य को समझने और उसके साथ सामंजस्य साधने की साधन होती है। विभिन्न संस्कृतियाँ ऐसे ही कल्पना-लोक हैं। किंतु काव्य मनुष्य के इस प्रयत्न में उत्पन्न विसंगतियों को दूर करने अथवा यथात्व साधने के लिए रचित कल्पना-लोक की अयथार्थता का निवारण करने का प्रयत्न करता है। दूसरे शब्दों में यह यथार्थ-साधक कल्पना-रचित लोक की अपने याथार्थ्य से असम्यक्ता के निवारण का प्रयत्न करता है। यों यह बात कला मात्र के लिए कही जा सकती है, किंतु काव्य में यह अधिक स्पष्टता से लक्षित होती है।

यहाँ इस प्रतिपादन का स्पष्टीकरण आवश्यक प्रतीत होता है। जैसाकि हम जानते हैं, भौतिक जगत् को ही नहीं मनुष्येतर जीवों को भी 'प्रकृति' के रूप में देखा जाता है। सांख्य दर्शन ने जगत् को ही मानवसहितः 'विकृति' कहा है और 'प्रकृति' इस जगत् के मूल उपादान को कहा है। इसमें उसका क्या अभिप्राय है इसे यहाँ हम छोड़ते हैं। अब, प्रकृति वस्तु की, अर्थ की तथता की, चेतना की रचना-क्रिया से निरपेक्ष सत् की, वाचक कही जा सकती है। संस्कृति को, बल्कि कहें मानवीय जगत् मात्र को अर्जित लोक, सर्जन का लोक कहा जा सकता है। कुछ दार्शनिक इसे कल्पना का लोक कहते हैं और कल्पना को अयथार्थविधायिनी

ही कहते हैं। अद्वैत वेदांत और महायानी बौद्धों में ही नहीं, पाश्चात्य अनुभववाद तक में साक्षात्कारी कल्पना के लिए कोई स्थान नहीं है, इसे केवल असत् रूपों की रचना करने वाली के रूप में ही देखा गया है जिन रूपों को परमार्थ से भिन्न व्यवहार-परक कहा गया है। निश्चय ही कल्पना अयथार्थ-विधायिनी भी होती ही है, इसका मूल अर्थ यही है, किंतु यह अप्रकट और गुह्य सत्यों को देख पाने में तृतीय नेत्र का काम भी कर सकती है, यह कम ही देखा गया है। सामाजिक मनुष्य के सांस्कृतिक प्रयत्न, सांस्कृतिक सर्जन और अन्वेषण और व्यक्ति के सर्जनात्मक प्रयत्न कल्पना के साक्षात्कारात्मक रूप ही हैं जो दार्शनिक, विशेष रूप से सांख्य अद्वैत वेदांत और महायानी बौद्ध इन्हें मिथ्या कहते हैं वे पूर्णतः ही ग़लत हैं ऐसी बात नहीं है, उनकी अभ्रांतता उन बुद्धों से प्रमाणित है जो इन रचना-लोकों या कल्पना द्वारा साक्षात्कृत सत्यों का अतिक्रमण करते हैं, किंतु बुद्धों द्वारा साक्षत्कृत परमार्थ वाल्मीकि, वेव्यास, कालिदास और प्रेमचंद के साक्षात्कृत सत्यों को मिथ्या सिद्ध नहीं करता। सृजनात्मक कल्पना किस प्रकार सब स्तरों पर गुह्य सत्य की उद्‌घाटक और प्रापक होती है यह एक अत्यंत साधारण उदाहरण घट से देखा जा सकता है। घट मिट्टी में निहित संभावना की, उसकी औपादानिकता की और घटत्व प्रत्यय के साक्षात्कार की अभिव्यक्ति है। इसी क्रम में यंत्र-विज्ञान, शिल्प आदि और कुशलतर तथा सूक्ष्मतर साक्षात्कार हैं। इसके आगे विज्ञान, काव्य और संगीत आदि आते हैं। इन सब सर्जनों की आधार सर्जना भाषा है। इसे भी तत्त्व की आवरक के रूप में देखा गया है और तत्त्व को अनभिलाप्य कहा गया है। किंतु यह वस्तु की ज्ञप्ति, उपलब्धि और क्रियान्विति की उपकरण भी है। यह सही है कि इसके द्वारा प्रदत्त वस्तु के कल्पना-प्रसूत : भले ही वह कल्पना साक्षात्कारी ही हो : स्वरूप का बोध होना भी आवश्यक है, क्योंकि यह बोध ही चेतना के बुद्ध-भूमि पर आरोहण को संभव करता है, किंतु इस कल्पना के अपने तत्त्व को समझना भी आवश्यक है, जो अनंत और अपार वैभव की सर्जक है। शंकर या नागार्जुनीय दृष्टि को काश्मीर शैव दृष्टि और भर्तृहरीय शब्द- ब्रह्म-दृष्टि[3] की पूरक के रूप में ही युक्त दृष्टि कहा जा सकता है।

इसका अर्थ यह नहीं है कि यह कल्पना कभी काल्पनिक : असत् को सत् अथवा असद् को सद् दिखाने वाली नहीं होती। असद् को सद् तो हम प्रायः ही देखते हैं। इसके अतिरिक्त सत्य पाने या सत्य देखने के सभी प्रयत्न सत्य से न्यून या अधिक असम्यक ही होते हैं, बहुत से प्रयत्न नितांत भ्रांत भी हो सकते हैं। किंतु इनका अभ्रांत सत्य इस कल्पना के अंतर्गत ही होता है। इसकी अपने से अपनी न्यूनता ही वास्तव में इसके वैभव की अनंतता और अपारता की स्रोत होती है। काव्य और कलाएँ, शिल्प कलाओं सहित, इसके इसी स्रोत का अवगाहन करती हैं। इसक लिए ये या तो सामान्य जीवन और जगत् में उपलब्ध सम्यक्ता का उत्तानीकरण करने का प्रयत्न करती हैं या उपलब्ध असम्यक्ता का प्रखरतया दिखाकर सम्यक्ता को व्यंग्यतया संकेतित करती हैं। **रामायण** को प्रथम प्रकार का काव्य कहा जा सकता है और **महाभारत** को दूसरे प्रकार का। अथवा यह भी कह सकते हैं कि काव्य तो केवल दूसरे प्रकार के ही होते हैं, क्योंकि जगत् में तो सम्यवक्ता सिद्ध रूप में कहीं होती ही नहीं, केवल कथा ही दो प्रकार से रची जाती है।

किंतु कला की एक स्वकीय सम्यक्ता होती है जो कथावस्तु द्वारा लक्षित सम्यक्ता से पृथक् और स्वतंत्र होती है। यह प्रकृति में गुह्य औपादानिकता और घटत्व की संभावना के साक्षात्कार के समान ही चित्त में गुह्य आकारों की संभावना के साक्षात्कार की अभिव्यक्ति होती है। यह देखने के लिए बाह्य वस्तु से सर्वाधिक स्वतंत्र कला संगीत को लें। संगीत को प्राणगत छंद और चित्तगत अनुभूतियों की व्यंजक ध्वनि, लय और स्वर की संभावनाओं का साक्षात्कार कह सकते हैं। ये लय और स्वर इस साक्षात्कार की स्पष्टता और उसके क्रियान्वयन की सम्यक्ता से प्रमाणित होते हैं। यही बात सब कलाओं के संबंध में सही है, केवल इस अंतर के साथ कि संगीत में जबकि संपूर्णतः भावना ही लक्षित् होती है, शेष कलाओं में चित्त के दूसरे आयाम भी, न्यून या अधिक मात्रा में, सम्मिलित रहते हैं। किंतु द्रष्टव्य है कि संगीतकार स्वर साधते हुए भावना-भावित हो, यह आवश्यक नहीं होता, स्वर साधने में भावना की भावितत्तापरक स्मृति अपेक्षित होती है जिससे स्वर की सम्यक्ता साध्य होती है, स्वर उस भावना के लिए संकेत बनता है। स्वर एक स्वर-व्यवस्था का अवयव होता है और यह व्यवस्था एक भाव-विमर्शी तर्क लिए होती है। इस प्रकार संगीत भी दृष्टि और तर्क का ही व्यापार होता है जिसका

---

3. एतद्विषयक भर्तृहरि का निम्न श्लोक उद्धरणीय है—
अनादिनिधनं ब्रह्म शब्दतत्त्वं यदक्षरम्
विवर्ततेऽर्थ भावेन प्रक्रिया जगतो यतः। (वाक्यपदीय)

लक्ष्य भावना के मर्म का अवगमन, भावना के तत्त्व का पुनरधिगमन होता है, किंतु यह अधिगमन या अवगमन विषयावलोकनात्मक नहीं होकर विषयिता का ही आत्मविमर्श होता है। इसके विपरीत महाकाव्य और उपन्यास में भावना एक संपूर्ण मनोमय अवयवी में एक अवयव मात्र होती है और प्रायः ही गौण अवयव। उदाहरणतः श्रीराम मर्यादा पुरुषोत्तम हैं, और मर्यादा की विषय काम, क्रोध, लोभ, मोह आदि मूलक भावनाएँ ही हो सकती हैं। अवश्य मर्यादामय व्यक्तित्व एक दूसरी भावना जगाता है, कवि उसी भावना का विमर्श अपने काव्य में करता है, किंतु यह विमर्श एक मर्यादामय व्यक्तित्व की रचना के रूप में होता है, जो व्यक्तित्व विचारशील, युक्तिसंगत, संकल्पवान् आदि-आदि होता है। कथाकार एक अवयवी की विषयिता प्रस्तुत करता है जिसकी सावयवता में से सब अवयव होते हैं। मर्यादापुरुषोत्तमत्व की विषयिता की उसकी विषयता से भिन्नता का एक महत्त्वपूर्ण लक्षण यह है कि इसकी विषयता इस पद की परिभाषा और परिभाषा के समर्थन में युक्ति की अपेक्षा करेगी और यह परिभाषा तथा युक्ति सामान्यवाची होगी और तब राम के आचरण उसके सही उदाहरण के रूप में प्रस्तुत किए जाएँगे। इसके विपरीत विषयिता किसी सामान्य के उदाहरण के रूप में प्रस्तुत नहीं होकर विशिष्ट आचरण के द्वारा व्यक्त होगी और सामान्य के लिए आधार प्रस्तुत करेगी। किंतु जैसाकि हमने पीछे देखा, कोई कथा एक व्यक्ति का चरित्र प्रस्तुत नहीं करती, वह व्यक्तियों के समाज का चरित्र प्रस्तुत करती है। सामाजिक चरित्र की विषयितापरक प्रस्तुति का अर्थ है उस समाज के उस रूप में घटित होने की प्रस्तुति।

लघु कविता इससे कुछ भिन्न होती है, इसे आधारतः भिन्न भी कह सकते हैं। इसमें कवि प्रत्यक्षतः स्वयं की मनोवस्था को ही अभिव्यक्त करता है, उसके लिए चाहे वह किसी बाह्य घटना स्थिति का सहारा भी ले। उदाहरणतः रवींद्रनाथ ठाकुर की 'दो पंछी' कविता में एक पंछी सोने के पिंजरे का वासी है और दूसरा वन-विहारी। ये दोनों उसमें परस्पर बात करते हैं। इस प्रकार ये प्रकटतः कहानी के दो पात्रों जैसे हैं, किंतु वास्तव में यह कहानी नहीं है और वे उसके पात्र नहीं हैं। इनके माध्यम से कवि वहाँ दो परस्पर विपरीत मानसिकताओं के बावजूद दो व्यक्तियों की परस्पर की अपेक्षा को अभिव्यक्ति दे रहा है जिस अपेक्षा ने कवि को कहीं द्रवित किया है। यह भावनात्मक कविता है। लघु कविताएँ अधिकांशतः भावन-प्रधान ही होती हैं, किंतु ये विचार-प्रधान भी हो सकती हैं। किंतु इनमें विचार की अभिव्यक्ति के लिए अमूर्त सामन्यवाची पदों के बजाय मूर्त प्रतीकों का आश्रय लिया जाता है और ये प्रतीक भाव-संवलित होते हैं। इसमें दूसरी महत्त्वपूर्ण बात विचार का युक्तितः प्रतिपादन नहीं होकर उसके अंतःसार के भावन की अभिव्यक्ति होती है। इसी से कवि से यह नहीं पूछा जा सकता कि उसके उस विचार के लिए युक्ति क्या है, उसे क्यों स्वीकार किया जाए, बल्कि यही देखना होता है कि उसने जिस अंतःसार का भावन किया है वह भावन कहाँ तक युक्त और गहरा है और उसकी अभिव्यक्ति कहाँ तक कुशल और समीचीन है। कबीर के सबद और महादेवी की **दीपशिखा** संग्रह की कुछ कविताएँ इसके उदाहरण रूप में देखी जा सकती हैं। ऋग्वेद के अनेक मंत्र इसका उत्कृष्टतम उराहरण प्रस्तुत करते हैं। यहाँ हम अज्ञेय की निम्न कविता उदाहरण रूप में प्रस्तुत करना चाहेंगे—

शून्य को भजता हुआ भी मैं
पराजय को बरजता हूँ
चेतना मेरी बिना जाने
प्रभा में निमजती है
मैं स्वयं अभिषिक्त
सजता हूँ।

यह कविता बौद्ध शून्यवाद को लेकर है। शून्यता की बात महात्मा बुद्ध ने भी की है और नागार्जुन ने उसे दार्शनिक युक्ति-तर्क के साथ एक सैद्धांतिक आधार दिया है। किंतु अज्ञेय को उससे कुछ लेना-देना नहीं है, वे इस दृष्टि के महात्मा बुद्ध के जीवन में प्रतिफलन का अपनी भावना-दृष्टि में साक्षात्कार कर उसे अभिव्यक्ति देते हैं। अथवा यह भी कह सकते हैं कि कवि के रूप में वे नागार्जुन की तार्किक युक्तियों से जिस जीवन को लक्षित देखते हैं, उसे अभिव्यक्ति देते हैं। इसी में इसका काव्यत्य है। इस कविता की प्रामाणिकता इसके तर्कतः सिद्ध होने में नहीं होकर कवि के भावन की सच्चाई में है। अभिव्यक्ति की भावना से समीचीनता और उसकी स्वयं में समृद्धि कविता का अतिरिक्त गौरव है। कविता में वैचारिकता के एक दूसरे रूप के लिए हम अज्ञेय से ही एक और उदाहरण देना चाहेंगे—

क्रौंच बैठा हो कभी वल्मीक पर
तो मत समझ
वह अनुष्टुप बाँचता है संगिनी के स्मरण के

जान ले, व दीमकों की टोह में है।

कविजनोचित न हो चाहे, वही सच्चा साक्ष्य है

एक दिन तू सोहनी से पूछ लेना।

ये पंक्तियाँ **हरी घास पर क्षणभर** संग्रह से 'माहीवाल से' शीर्षक कविता से हैं। इसकी प्रथम चार पंक्तियाँ तर्कशास्त्र विषयक पुस्तकों में निगमन के उदाहरण के जैसी हैं—"सब मनुष्य मरणधर्मा हैं, अरस्तू मनुष्य है, इसलिए अरस्तू मरेगा।" यहाँ जो बात कही गई है वह भी सचमुच ही 'कविजनोचित' नहीं है। किंतु तब भी यह कविता है और उत्कृष्ट कविता है, क्योंकि इसका वाच्य अभिधेय नहीं होकर व्यंग्य है और व्यंग्य सामान्य जीव-व्यवहार; मानव-व्यवहार-सहितः का अकविजनोचित स्वरूप है। यहाँ मानो विचार अपने पर पलट कर अपने विषय की विद्रूपता देख रहा है। यहाँ अभिव्यक्ति का विषय विचार से निष्पन्न भावना है जो विचार का साथ नहीं छोड़ती। अथवा यह भी कह सकते हैं कि यहाँ अकविजनोचित जीव-व्यवहार से उत्पन्न कटु अनुभूति विचार के परिधान में व्यक्त हुई है।

जहाँ कविता का व्यंग्य शुद्ध रूप से भावानुभूति भी होती है वहाँ भी कवि भावना का उद्‌गीरण नहीं करता बल्कि उसके लिए उसी प्रकार रूपरचना रचता है जिस प्रकार किसी विषय-दृष्टि की अभिव्यक्ति के लिए सिद्धांत-रचना की जाती है, अथवा ऐंद्रिय प्रस्तुतियों की अभिव्यक्ति के लिए विवरण-रचना की जाती है। केवल सिद्धान्त रचना और काव्यात्मक रूप रचना विवरणात्मक वाक्य-रचना से बहुत अधिक दुष्कर होती है और उसमें सफलता के अनेक स्तर हो सकते हैं यों तो ऐसा ही महाकाव्य-रचना या उपन्यास-रचना में भी होता है, कवि-उपन्यासकार किसी भाव, किसी विचार, किसी भाव-विचार की आहट—जैसी सुनता या छाया—जैसी देखता है और तब कल्पना के द्वारा उस आभास या आहट के अन्तस् में प्रवेश करता है और तब रूपों और शब्दों के द्वारा उसे अभिव्यक्त करने में प्रवृत्त होता है। रचते हुए वह साथ-साथ उस अनुभूत या दृष्ट या साक्षात्कृत भाव-विचार में उस रचना का मिलान भी करता चलता है और दूसरी ओर उस रचना के द्वारा वह स्वयं भी उस भाव-विचार के अव्याकृत स्वरूप को व्याकृत रूप में समझ पाता है। प्रेमचंद ने तत्कालीन ग्राम-जीवन की जिस दुःख-दशा का साक्षात्कार किया था उसका स्वयं में कोई रूप नहीं था। प्रेमचंद उस साक्षात्कार का उपन्यास रूप में अभिव्यक्त करने में प्रवृत्त हुए और उस अभिव्यक्ति ने **गोदान** उपन्यास का रूप लिया। यह उस साक्षात्कार के लिए एक आगंतुक बात थी। किंतु एक बार गोदान उपन्यास-रचना का आरंभ हो जाने के बाद वह रचना अपने तर्क से भी अनुशासित रहती है और उस साक्षात्कार से भी जिसे अभिव्यक्त करने या रूप देने को वह लक्षित करती है। इस रचना के सत्य का प्रमाण, या कहें इसकी प्रामाणिकता इसके साक्षात्कार से सम्यक् होने से होती है। ऐसा ही लघु कविता में भी होता है और ऐसा ही गायन या वादन या चित्र बनाने में भी होता है। स्वाभाविक है कि यह सम्यक्ता केवल न्यून, अधिक या बहुत अधिक ही हो सकती है, पूर्ण नहीं।

इस विवेचन से यह स्पष्ट है कि कला-सृजन, विशेषतः काव्य-सृजन एक अत्यंत जटिल मानसिक क्रिया होती है और इसमें सर्जन भावना का भी भावन में उद्‌गीरण नहीं होता बल्कि उस अनुभव के अर्थ उसी विषयिता में ही विमर्श होता है। किंतु आश्चर्य की बात है कि काव्य विषयक अधिकांश विचार में काव्य को केवल भावनात्मक अभिव्यक्ति के रूप में ही देखा गया है। भारतीय रस-सिद्धांत इसमें अग्रणी कहा जा सकता है। इसके स्थायी भाव, संचारी भाव और उद्दीपन विभाव आदि अवयव इस दृष्टि के द्योतक हैं। यद्यपि वक्रोन्ति-सिद्धान्त और ध्वनि-सिद्धांत को व्यापक रूप में भी देखा जा सकता है, और इनको विषयिता की अभिव्यक्ति से जोड़ा जा सकता है किंतु इन सिद्धांतों के प्रतिपादकों ने इन्हें इस व्यापक रूप में नहीं देखा और इन्हें केवल भावना की अभिव्यक्ति तक ही सीमित रखा। अवश्य काव्य का पाठक नाटक और चित्र का दर्शक और संगीत का श्रोता सर्जक की अपेक्षा निष्क्रिय होने से भावनात्मक अधिक हो सकता है, किंतु वह भी पूर्ण निष्क्रिय नहीं होता, उसकी भी आलोचक-बुद्धि सक्रिय रहती है, जैसाकि रसवादियों के रसाभास और रस-भंग आदि दोषों के स्वीकार से स्पष्ट है। पाठक या सहृदय की आलोचक बुद्धि काव्य-सर्जक के समान ही यह देखती है कि कोई अभिव्यक्ति अभिव्यंग्य के स्वरूप के अनुरूप, उससे सम्यक् है या नहीं और यह जाँच भावनात्मक नहीं हो सकती।

विनोद कुमार शुक्ल : चार कविताएँ

नजर लागी राजा

नजर लागी राजा काले चश्में में
अब तू यह चश्मा उतार दे
मैं बहुत साँवली हूँ
काले चश्में से मैं नहीं दिखूँगी।
राजा चश्मा उतार दे, और नजर मिला ले
अपने साँवलेपन में मैं अच्छी दिखूँ
इसलिए में तेज धूप में खड़ी हूँ।
काले चश्में की बदली ने तुम्हारी आँखों को
और मुझे साँवला ढाँक दिया है
काला चश्मा उतारकर मुझे उघार दे
और मुझे नजर लगा दे।

सचमुच तू यह चश्मा उतार दे
मैं बहुत साँवली हूँ
और मैं रात में तुम से मिलना चाहती हूँ
तेरे काले चश्मे से पूर्णिमा का गोरा चंद्रमा भी नहीं दिखता होगा
धूप का चश्मा लगाने वाले
चश्मा उतार दे
रात में कहीं धूप होती है?
धूप को देखे हुए तुझे बहुत दिन हो गए
मैं बहुत साँवली हूँ
इतनी कि काला चश्मा उतारकर देखोगे तो भी लगेगा

तुमने काला चश्मा नहीं उतारा है।
राजा प्रेम का संसार बुझ गया है
मेरी छाती चकमक पत्थर की तरह कठोर है
तुम्हारे हाथ भी चकमक पत्थर की तरह कठोर हैं
हाथों के आघात से जो चिनगारी पैदा होगी
उसी की प्रतीक्षा यह संसार कर रहा है
ताकि वह जल उठे
और अग्नि को पा सके
राजा मैंने तुम्हारे हृदय को पत्थर नहीं कहा।

राजा तुम्हारा काला चश्मा चुरा लेने का मेरा मन है
चश्मा चोरी न हो इसलिए
तुम इसे पहने सो रहे होगे
मैं तुम्हारा चश्मा चुरा नहीं सकूँगी।
कई रातों की जागी हूँ
तुममें जो मेरा मन बसा है
मुझे तुम तक हमेशा बुलाता है
चलते-चलते तुम्हारी दूरी से थकी
एक दिन तुम्हारे बिछौने पर तुम्हारे साथ सो जाऊँगी
तुम चश्मा पहने सो रहे होगे
और मैं तुमको चश्मा सहित चुरा लूँगी।

राजा तेरे काले चश्में में मेरी नजर लगी है
अपनी अनदेखी देह का क्या करूँ
मैं कैसे उजागर होऊँ
कि केवल तुम मुझे देख सको
या तो चश्मा उतार कर फेंक दो
धूप में खड़ी हुई मैं कोयला हो गई हूँ
तुम्हारी देह को छूकर आई हवा से परचकर अंगार
या चश्मा मत उतारो
देखो सूर्य बुझ गया है
और मैं सुलग रही हूँ।
जो गरमी है मेरा ग्रीष्म है
तुम चश्मा उतारना मत
मेरे ग्रीष्म में बहुत तेज धूप निकली है

मेरे ग्रीष्म में तुम्हारी धूप निकली है।
राजा काले चश्में में मेरी नजर लगी है
तुम्हारी धूप और ताप को मैं सह नहीं पाऊँगी
तुम काला चश्मा मुझे दे दो
मैं शृंगार करूँगी
हँसुली, पैरी, मुंदरी पहनूँगी
स्नो–पाउडर लगाऊँगी
कीमती गहने की तरह काला चश्मा पहनकर
तुमको रिझा लूँगी।
परंतु राजा तुम मेरे लिए कार्तिक मेले से
एक काल चश्मा खरीद देना
हम दोनों काला चश्मा लगाए मेला घूमेंगे
एक फोटो खिंचवाएँगे परदे के हवाई जहाज के साथ
जिसमें उड़ते हुए काला चश्मा लगाए दोनों बैठे होंगे।
राजा काले चश्में में मेरी नजर लगी है।

एक लिखी जाने वाली ददरिया का

एक लिखी जाने वाली ददरिया का
दृश्य में अनुवाद है–
ददरिया के
एक वाक्य के नीचे दूसरा वाक्य है
वैसे ही तालाब के पार पर लगे
आमा के रुख के दृश्य के नीचे
एक टूरी उदास बैठी है का दृश्य है।

तल में बचे तालाब का स्थिर जल है
पत्ती नहीं हिलती
हवा स्थिर
मछली भी डुबुक नहीं उछलती का सन्नाटा है
आजा राजा-एक चिरई बोलती है
आजा संगवारी–दूसरी चिरई और चुप होती है।

संगवारी के दिख जाने की तय्यारी का पता नहीं चलता–

उसके दिख जाने पर
सब जगह एक साथ खुशी तैरती
या उसके पहले तालाब में मछली
या हवा चलती
या सुनहरा पका आम टपकता और आवज होती
या आवाज पहले और आम उसके बाद टपकता
इस तय्यारी में एक काली तितली
टूरी के आँगन में लगे नीबू के पेड़ की
बिल्कुल नई कोंपल-पत्ती में अंडे देती है।
चार लड़कियाँ एक-एक के घर जाकर
इकट्ठी होती हैं
और किसी सूने घर के पिछवाड़े की दीवाल से
पीठ टिकाए देर तक बात करतीं हैं
उनको भूख नहीं लगती
खेलती-कूदती इस तय्यारी में
दूर तक चली जातीं हैं
और दूर के रास्ते को कुछ दूर देख आतीं।

परंतु आमा के रुख से कभी
एक आम आँसू सा टपकता
पार के ऊपर से लुढ़कता
जैसे गाल पर ढुलकता है।
परंतु ठूरी आँसू से
तालाब भरने को बैठे रहती।

संध्या के समय
एक मितान बदी सन्ध्या होती है
सन्ध्या जैसे और कहीं नहीं होती
ठूरी के कन्धे पर हाथ रखे बस होती
और उसका घर लौटने तक का
रोज की तरह साथ हो जाता
दबे पाँव घर लौटने का
तब भी पैरपट्टी की आकाश तक गूँज होती
और उस गूँज से टूटा
पैरपट्टी के घुँघरू सास एक तारा दिखता

और घर पहुँचने तक गूँज के
सब घुँघरू के टूटने बिखरने के तारे
घर के रास्ते के ऊपर के आकाश में दिख जाते—
इतने दबे पाँव।
तब देर हुई सन्ध्या चली जाती।
रोज की रात में
रतिया का सहारा होता है
रात तो सब जगह होती
पर दोनों सहेली की तरह खटिया पर लेटे जागतीं
रोते-रोते टूरी कहती है—
सूखा पड़गे कहिके कमाये बरगे
मोर आँखी के बरसात से धोका खात नई हे।

मैं बाहर खड़ा रहा

मैं बाहर खड़ा रहा
मन्दिर जाकर वह मूरत देखती है।
जब वह मन्दिर से बाहर आई
तब मैं इधर-उधर चला गया
फिर दिखा।
'कहाँ चले गए थे'
'कहीं नहीं'
मंदिर के बाहर मैं उसके साथ रहा।

मन्दिर के अन्दर
मूर्ति के साथ मूर्ति छूट गई।

अँधेरा एक रंग रहा होगा

अँधेरा एक रंग रहा होगा
स्याह
मैंने सफेद से कहा।

एक लकीर की प्रागऐतिहासिकता में
जो प्राकृतिक था रंग गेरुआ
वह हिरण, वनभैंसा
वही गेरुआ भाग रहा है
वह हरा उड़ा झुंड के झुंड
और वही रंग रंगीन।

तब के रंगों की भीड़ में
एक दिन अभी
एक चित्र मित्र के साथ
दिखा एक शब्द मित्र सा मैं
'कितने दिनों के बाद मिले'
मैंने रंगीन से कहा।

लीलाधर जगूड़ी : पाँच कविताएँ

मरने का लौटना

पुरानेपन की उम्र पुरानों से भी पुरानी-धुरानी है
फिर भी आग जो वर्तमान में नहीं है इतिहास से
चुरानी है इसको आधुनिक राख में बदलने के लिए।

आधुनिक राख का मिट्टी बनना थोड़ा-थोड़ा उसका
पुराना बनना है। कुछ नई प्रजाति के बूटे-फूटे हैं
वाकई शायद थोड़ा-थोड़ा नया पुराना हुआ हूँ मैं
जबकि फिर से याद आने लायक कई बार का मंजा हुआ
पुराना नहीं हुआ हूँ मैं कि मरा हुआ भी काम करने लगूँ
और नयों को मुझे हरबार दफ़्नाने की ज़रूरत महसूस हो।–

पुरानों का नयापन हमेशा चौंकाता है जो उन्होंने तब
पाया था जब वे नए-नए थे। चेहरे पर अनजानी
खुशी का नया ठिकाना दमकता है जब किसी में नया
पुरानापन देखता हूँ जो धमनियों को धौंकाए रहता है
भट्टी की तरह।

बूढ़ा होना

बूढ़ा होना, रहस्यों के पीछे जाकर उसक कला को जानना है
जिसे बाद के लोग जीवन की कला कहते हैं। एक अधूरापन

पूर्णता का रह ही जाता है हर बार जिसकी उदासी में
प्रसन्नता को थोड़ा-थोड़ा ठोक पीटकर जानते रहना छिपा होता है
जो ठीक-ठाक को भी ज़रा और ठीक करने में उलझा देता है।

हिलोरें जो बचपन में कहीं खो गई होती हैं उनकी पेंगों पर
बैठी प्रसन्नताएँ भी अप्रसन्न बुढ़ापे की दुर्लभ खुशियों में
शामिल हो जाती हैं। जैसे लालटेन की वत्ती का गुल काटकर
मिट्टी तेल का उजाला मिट्टी पर फैल जाता है वैसे ही अचानक
बिजली आजाने से चमत्कृत; सबसे नन्हें सदस्य के साथ
अपने बचपन को फिर से शुरू कर रहा होता है कोई बुढ़ापा।

अपने पुराने मुँह को एक नन्हें नए मुँह से मिलाते हुए, पत्थर के
दो टुकड़ों को मुखा-मुखी मिलाकर बच्चे के खेल में अलग
तरह की चिनगारी पैदा करता बुढ़ापा, कोटरों से
बार-बार गरदन निकालकर फिर से उड़ने की ललक पूरी
करना चाहता है उड़ान सिखाते हुए।

चट्टान पर भीड़

पानी पीटता रहा, हवा तराशती रही चट्टान को
दरारों के भीतर गूँजती हवा कुछ धूल छोड़ जाती रही हर बार
कुछ धूप कुछ नमी कुछ घास बनकर उग आती रही धूल
छेद में पड़े बीज ने भी सपना देखा
मातृभूमि में एक दरार ही उसके काम आई

चट्टान को माँ के स्तन की तरह चूसते हुए
बाहर की पृथ्वी को झाँका
हठी और जिद्दी आखिर यह चीड़ का पेड़ निकला
जो अकेला ही चट्टान पर जंगल की तरह छा गया

उस पेड़ और चट्टान को हिलोरने चली आ रही है,
नटों की तरह नाचती हवा
कारीगरों की तरह पसीना बहाती धूप
चट्टान और पेड़ को भिगोने आँधी में दौड़ती आ रही है बारिश।

कोई न कोई रास्ता

कुछ पौधे, कुछ पेड़ कठिन से कठिन जन्मस्थान पर भी
पैदा हो जाते हैं

चट्टानों पर, ढाल के ख़तरनाक बिंदु पर
नदी के बीचों-बीच मछली बराबर किसी द्वीप में
आड़े तिरछे बढ़ ही जाते हैं
ढहते कगार पर भी कुछ पौधे पेड़ बन जाते हैं

होनी अपनी बोनी किसी भी रास्ते पर कर लेती है

पानी, पौधे और बच्चे
अपनी लिए कोई न कोई रास्ता निकाल ही लेते हैं।

घेरा

तब रातों को चीख उठते थे जब कोई घेरा नहीं पाते थे
आस-पास
अब दिन को भी चीख उठते हैं जब कोई दरवाजा नहीं पाते
दीवारों में

सिर्फ एक गोल घेरा खींच दिया था खेल-खेल में अपने चारों ओर
और पूरे झुंड में हँसी मच गई थी
सिर्फ गोल घेरा जैसा कोई अभिमंत्रित बाड़ा हो
हर कोई उसमें जाता और नाचते-नाचते थक कर सो जाता

हमारे चलने में घेरा भी चलने फिरने लगा
समुदाय के लोग घेरे के बाहर आग जलाने लगे
पूरा घेरा आग का घेरा हो गया
छिटकते-छिटकते घेरा भी समय के घेरे से बाहर आ गया
अपने-अपने घेरे में फँसे ग्रह नक्षत्र भी अचंभे से देखने लगे
जैसे भविष्य देख रहे हों

घेरे के बाहर के लोग घेरे के भीतर सोने लगे
इस तरह आग का घेरा ही सबका डेरा बनता चला गया

सिखाया नहीं गया था जो वह अनजाने में उठाया गया
जोखिम था
आगे चलकर औरों के भी जो काम आया

पहली बार घेरे ने ही सबको घर जैसा घेरा
बीच के बाहर और बाहर के बीच में
केन्द्र की परिधि और परिधि का जो केन्द्र था
उसमें समुदाय ने भी एक और खेल-खेला
रेखाएँ खींची जाने लगीं घेरे में
जो आगे खींच ले जाएँगी घेरे को नसों की तरह

घेरे में फँसा आसमान बोझ उठाने लगा
घेरा पहियों में बदल गया
रेखाएँ अराओं में बदलीं
समय धुरी में समा गया
दिशाएँ पट्टे में बदल गईं
पड़ा घेरा खड़ा हो चलने लगा

समुदाय में न भींचकों की थी न खींचकों की कमी
जहाँ-जहाँ यह घेरा चौकोर बन गया वहाँ-वहाँ घर बन गए
अराएँ सींकचों में बदल गईं

पड़ा गोल घेरा जो तब उठ खड़ा हुआ था
आत भी तरह-तरह के पहियों में चल रहा है
घेरों और घरों को खींचते समुदाय कंपनियों में बदल गए हैं
और आग से घिरा घेरा अब रिंग रोड के नाम से भी जाना जाता है।

गगन गिल : नौ कविताएँ

गठरी

गठरी गठरी गठरी
हर दम सिर में चुभती गठरी

अंतड़ी अंतड़ी अंतड़ी
बाँध अंतड़ियाँ बनाई उसने गठरी

मटका मटका मटका
उसका तैरती का घुल गया मटका

बचड़ी बचड़ी बचड़ी
मिट्टी की हो गई उसकी बचड़ी

उड़ती उड़ती उड़ती
ले गई चील चुरा के आँख उसकी

रोई रोई रोई
उसे मिलकर भी नहीं वह रोई

चुभती चुभती चुभती
एक गाँठ उठाके उसने रख ली

गिरती गिरती गिरती
ये किस दर पे वह पहुँची गिरती-गिरती

सोई सोई सोई
नीचे सात पाताल में जा सोई

नहीं रहना देस पराया

नहीं रहना
देस पराया
नहीं रहना
देस पराया
देह परायी
धड़के बस इक सपना
अपना

यहाँ
नहीं रहना
देही में धड़के
धक-धक जी
तिप-तिप आँख
फुर-फुर साँस

कैसे भी निकले न
चुभती एक गाँठ

कब तक सहना
यहाँ क्यों रहना

यहाँ नहीं रहना

माथे में तिड़के
तिड़-तिड़ बिजली
चिर्र-चिर्र सोच
भूली एक लौ
कहे, पार इसी ने लगाना
यहाँ क्यों रहना

देस यह पराया

दिल में डूबी हुई

दिल में
डूबी हुई तैरे
एक किश्ती

एक पाल
एक तिनका
एक मरा हुआ तैराक

दिल में सोई सोई
बहे एक
मछली

एक मकड़ी
एक जाल
एक फँसा हुआ घड़ियाल

सिर में थकी-थकी चले
एक नींद

काली काई
एक आहट
भूली किसी बात की गड़-गड़

तोड़े धीरे-धीरे
धीमा दम अपना
एक ज़िद

एक प्यास
एक आस
औलाद एक

कहीं डूबी हुई
काँपे एक
छाया

एक काया
एक कंजिका
अपने खोल में मरी
जलकन्या

जाने कौन

एक साँस आए

एक साँस आए
एक साँस जाए
बीच में दरिया
डुबकी लगवाए

एक साँस अटके
एक साँस भटके
पिंजरे में मैना सिर
रह-रह पटके

एक साँस गुमसुम
एक साँस बड़बड़
नींद चाहे छूटे ना
सपना तो टूटे

एक साँस सूखी
एक साँस बिरहन
एक साँस विनती
एक साँस मिन्नत

एक साँस तपती
एक साँस ठंडी
वही साँस मिट्टी
वही साँस जन्नत

एक साँस दरिया
एक साँस मरुथल
उसी में तूफ़ान आया
उसी में बवंडर

पिंजरा मेरे आगे

पिंजरा मेरे आगे
पिंजरा मेरे पीछे

एक-एक पंख जले
एक-एक पांख चिरे

रास्ता मुझे रोके
रास्ता ही धकेले

एक-एक कदम धँसे
एक-एक पैंड़ घिसे

काँटा मेरे इस पार
उस पार मैं शूलों के

फिर क्या ये अब भी दुखे
क्या ये अब भी पके
हर एक फूल झरे

कैसा सोग मेरे आगे
कैसी चुप ये मेरे पीछे

एक चुप ही न मौत मरे
सौ चुप भी मौत मरें

धक-धक मेरे अंदर
धुक-धुक मेरे बाहर

आहट रुके न रुके
बारूद फटे तो फटे

न मैं हँसी, न मैं रोयी

न मैं हँसी, न मैं रोयी
बीच चौराहै जा खड़ी होई

न मैं रूठी, न मैं मानी
अपनी चुप से बाँधी फांसी

ये धागा कैसा मैंने काता
न इसने बाँधा, न उड़ाया
ये सुई कैसी मैंने चुभाई
न इसने सिली, न उधेड़ी

ये करवट कैसी मैंने ली
साँस रुकी, अब रुकी

ये दुख कैसा मैंने पाला
इसमें अँधेरा न उजाला
ये मैंने कैसी सीवन छेड़ी
आँते खुल-खुल बाहर आईं

न मैं गई, न मैं पहुँची
फिर ये दुनिया क्योंकर भूली

जब मुझसे लिख गया न बूझा
टंगड़ी दे खुद को क्यों दबोचा

दिया ये जले, न बुझे

दिया ये जले, न बुझे
प्रभु जी
दिया ये जले, न बुझे
इस दिए डाला मैंने
दुख का तेल
मन का सेंक

इस दिए
सींकी मैंने
हांड़ की बाती
साँस की लौ

फिर भी जले न बुझे

ये दिया
मांजा मैंने
तन की माटी से
ये दिया
धोया मैंने
आँख के जल से

रो कभी हँस मैंने
काटी इसकी कालिख
जैसे अपनी पलक से

न ज़हर की बूँद फले
न मन का तप ही गले

दिया ये बुझे न जले

इस दिए छिड़की मैंने
पंछी की राख
डूबे का जल

इस दिए
फूँकी मैंने
थकी की साँस
मरी की प्यास
फिर भी जले न जले

प्रभु जी
कैसा दिया ये दिया जी मुझे

कौन गाँव हम आए

कौन गाँव हम आए
प्रभु जी
कौन गाँव से आए?
गाँव हमारे
घर न बार
गाँव हमारे
बसिहैं संसार

हम हुँ दियो उजाड़
प्रभु जी
हम क्यों दियो उजाड़?

एक गाँव हम
गुड़ियन खेले
एक गाँव हम
भये उदासी

बीच पड़ी काली रात
चहुँ ओर अभी भी
वह रात

कौन सुने यह बात?
प्रभु जी
माने कौन यह बात?

एक ठौर हम
चुप्पे होए
एक ठौर हम
पत्थर-गुमसुम

फिर भी न अपना ठाँव
प्रभु जी
कहीं न अपना ठांव

एक गाँव हम भटके
प्रभु जी एक द्वार हम खटके

एक द्वार हम गए दुरकारे
एक राह
चिंचियाए

न कहीं काँट
न काँच

प्रभु जी
किसने उकेरे

म्हारे पाँव?
किसने चुभाई
ऐसी फाँस?

एक गाँव हुए
अस्थियाँ
एक गाँव हम
माटी

एक नगर हम
महज़ पोटली
सो भी बीच
मँझधार

कहीं न दीखे पार
प्रभु जी
कौन ले जाए पार?

ढँको प्रभु जी

ढँको प्रभु जी
इस दिल को ढँको

इस दिल में अँधी
आँधियाँ झूलीं
इस दिल में कई
लपटें फैलीं

भसम गए सब
जीव सलोने

ढँको प्रभु जी
इसके
बन को ढँको

इस दिल में कई
शीत शिलाएँ
उफ़ने सोते
मुर्दा मच्छियाँ,

दूर-दूर तक
रिस गया लावा

ढँको प्रभु जी
इसके
दुख को ढँको

इस दिल में एक
नंगी चाहत
उखड़ी मिट्टी
टूटे नाखून

खुरच गई सारी
माया मिट्टी
गटक गई सारी
प्यास जनम की

ढको प्रभु जी
इसके
कुएँ को ढँको

जल न मिले
तो मिट्टी से पूरो
ढँक न सको तो
एक नींद दियो
लंबी नींद दियो

बद्रीनारायण : तीन कविताएँ

यक्षगान

झरने गिरते हैं यहाँ झर झर कर
मेघ झुकते हैं नीचे
झुककर उड़ जाते हैं
कभी बूँदे गिरती हैं कभी प्यासी रह जाती हैं सीपियाँ
यहाँ वन हैं देवदारु के, लंबे वृक्षों से भरे

मैं कालिदास का यक्ष हूँ
पाया नया अवतार

पिछली बार तो रामगिरि में था
रानीखेत एक्सप्रेस से नैनीताल आया हूँ इस बार

मैं जब तक रहूँगा इस प्रकृति की घाटी में
मेरी कोशिश होगी
मैं यक्षिणी का प्रिय रहूँ
और यक्षिणी के बलात्कारियों का भी

बाघ से तो प्रसिद्ध रहा है मेरा याराना
मेरी कोशिश होगी कि मैं बकरी का विश्वास भी हासिल करूँ
और जब तक मन करे दिल्ली
जब चाहे नैनीताल रहूँ

सपने

मैं एक दिन
एक रंगरेज के सपने में घुस गया
तो मैंने पाया कि वह हमसे अच्छे सपने देखता है

मैं सपने में देखता हूँ
एक छोटी नौकरी, एक छोटा घर
वह सपने में पूरा राज्य देखता है
वह देखता है कि
वह बैठा है राजगद्दी पर
मुकुट पहने
मैं सपने में किसी तरह हासिल करता हूँ शिमला जाने की टिकटें
वह सपने में खुद को हासिल करता है
मैं सपने में जीता हूँ अपने लिए
वह सपने में अपने रंगों के लिए जीता है
जहाँ मेरे सपने खाली होते गए हैं धीरे-धीरे
वहीं उसके सपने अत्यंत संभावनाओं से भरते गए हैं
मेरे सपनों में टी. वी., फ्रिज, कुछ खास तरह की चीज़ें
आती गई हैं बार-बार
वहीं उसके सपने विविधताओं से भरते गए हैं

अनेक चीज़ें, अनेक फूल
अनेक फल, अनेक आकांक्षाएँ
अनेक ग़म
कई तरह की खुशियाँ, कई तरह के उत्साह
कई कई तरह के उसमें दीखेंगे उमंग
क्यों मेरे सपने जर्जर होते गए हैं

परिवर्तन

कल मैं एक रंगरेज के सपने में था
अगर संभव हुआ तो आज
डफाली के सपने में जाऊँगा

और पूछूँगा
पहले तुम कैसे थे, आजकल कैसे हो गए हो
पहले तुम क्या गाते थे, अब क्या गा रहे हो
पहले तुम्हारे गीतों में रोने वाली
जसो मड़या कहाँ गई
पहले तेरे धुन में शामिल
गाजी मियाँ का फैला खून
कहाँ गया

तुम्हारे गीतों में भरा रहने वाला शोक
एक आक्रोश में बदल गया है
तुम्हारे ग़म, गुस्से में
और रुलाई शिकायतों में बदल गई है

अब तुम ऐसा क्यों गाते हो
मानो अपने गीतों में गाए गए
अब तक की करुणा के लिए
तुममें कोई अपराध बोध हो

लेकिर श्रोताओं! यह एक डफाली का नहीं
एक समाज का परिवर्तन है
जो एक डफाली के माध्यम से हो रहा है
धीरे-धीरे।

राकेश श्रीमाल : छः कविताएँ

प्रेम एक लोरी है

प्रेम एक लोरी है

माँ जब गाती थी
वैसी ही

हर उम्र, में हर जगह
साथ देती है माँ
वह दिखती है घर की हर वस्तु में
पुरानी डायरियों, एलबमों
जतन से तह किए रखे गर्म कपड़ों में

बसंती हवा में बहती है माँ
कभी धूप में चमकती है

सपने में तो वह दिखती ही है

माँ कभी नाव में खे ले जाती है
कभी नौकरी पर
कभी छुट्टा छोड़ देती है
(बोल कहाँ कहाँ घूमेगा)

प्रेम में
माँ हमेशा साथ रहती है
छोटी-छोटी हथेलियों में छुपी माँ
अपनी गर्माहट में
मुझे खेलने देती है
मैं और अधिक प्रेम करता हूँ

प्रेम करते हुए
मैंने माँ को कभी याद नहीं किया

प्रेम करते हुए
माँ हमेशा मेरे साथ रहती है

तुम्हारे लिए ये शब्द

ठीक इसी वक़्त
जब तुम
यह पढ़ रही हो
तुम मेरी स्मृति में आ रही हो

ये शब्द नहीं होते
तो मैं कहाँ जाता
तुम्हें कैसे बताता
मैं इस समय क्या सोच रहा हूँ

तुम्हारे लिए ही
बने हैं ये शब्द
ये शब्द नहीं होते
तो कुछ भी नहीं होता

हम आपस में
कभी चिट्ठी नहीं लिखते
यह भी नहीं पूछते
कैसे हो?

शब्द देते हैं हमें
धूप, आग, पानी
और घर भी

वे हमें अपने पास रखते हैं
तब तक
जब तक हम रहना चाहें

शब्द
रोज ही मुझे
तुम्हारे पास ले आते हैं
यह जताने कि
तुम्हारे लिए ही बने हैं ये शब्द

लड़की

लड़की
अपने प्यार के बारे में सोचती है
और फिर
अपने लड़की होने के बारे में सोचती है

गेंद, खेल और दुनिया
या ऐसा ही सबकुछ
लड़की नहीं सोचती

अपनी कोहनियों
अपने नाखूनों
अपने काले लंबे बालों के
बारे में सोचती हुई
लड़की
क्या सच में
अपने बारे में नहीं सोचती?

असम्भव

कल ही मैंने
बिखेर दिए थे तुम्हारी चोटी के बाल
कल तुम ही तो गुनगुना रही थी गाना
कल ही यह भी हुआ था
हम झगड़े नहीं थे किसी बात पर
कल ही तुम लाई थी मेरे लिए टिफ़िन
कल ही छेड़ा था मैंने तुम्हें फ़ोन पर
कल ही मिलते रहे थे हम विदा के बाद तक

क्या यह सम्भव है कि हमारा जीवन
वैसा ही रहे जैसा कल था

अन्तिम

वह कौन सी लड़की होगी
जिससे हम
जीवन में अन्तिम बार मिलेंगे

लगभग क्षणिक मुस्कान
या दूर सड़क पर चलती
अपने बीमार भाई का टिफिन ले जाती
पता नहीं कौन सी

हो सकता है
वह लाल फ्राक पहने हो
या उसने अपने जूड़े में फूल लगा रखे हों
यह भी तो पता नहीं
हम जिसे अंतिम बार देखेंगे
उसके विचार प्रेम के बारे में क्या होंगे?

सम्भव है
अन्तिम लड़की आपसे कुछ बात कर ले

पूछ ले आपका नाम
और यह भी
कि आपने जीवन में क्या किया है

हमें यह भी पता नहीं पड़ेगा
कि जो लड़की हम देख रहे हैं
वह हमारे जीवन की अन्तिम लड़की है
वह कभी नहीं जान पाएगी
कोई उसे अन्तिम बार देख रहा है

होगी ज़रूर
कहीं न कहीं एक लड़की
जिसे जीवन में हम अन्तिम बार देखेंगे

अक्सर

एक स्त्री से
प्यार करने के बाद
क्या बचता है?

निस्सन्देह
स्त्री बिल्कुल नहीं बचती
वह बचता है
जो हमने
कभी नहीं चाहा था
और वह भी बचता है
जो कभी कुछ होता ही नहीं

स्त्री से
प्यार करते समय
हम स्त्री को ही बचा नहीं पाते हैं

प्यार करते हुए
वह इतनी दूर चली जाती है

जितनी कि अक्सर
वह जाती नहीं है

हम एक ही समय में
स्त्री से प्यार करते हैं
और उससे दूर भी होते हैं

स्त्री के साथ कौन रहता है?

संगीता गुंदेचा : पाँच कविताएँ

अंजुलि भर आकांक्षा

(1) कितने अर्थ छुपाता है शब्द, प्रकट करता है
एक के बाद अनन्त।

(2) उसकी आँखों में स्वप्न पानी पीने आते हैं। उसकी
विलासखानी तोड़ी में तानसेन का शव हिलता है।
उसकी जुबान पर तुम्हारे लिए अटका है, एक शब्द।

(3) अन्ततः उसने एक शब्द चुना-जल। वह सैर पर निकल
गई है। तालाब के जल में ठिठुरता है चन्द्रमा। उसकी
लहरों में उभर आती है, एक आकृति।

(4) अन्ततः उसने एक और शब्द चुना–जल। वह यज्ञ करना चाहती है, प्राणाग्नि होत्र। सूर्य के सम्मुख देर तक खड़ी रहती है, निष्फल।

अन्ततः उसने नहीं चुना नहीं।

(5) वह निपट सुबह पहुँचेगी द्वार पर
तुम्हारे सपनों पर दस्तक दिए बगैर लौटेगी
अंजुलिभर आकांक्षा देहरी पर छोड़कर।

अदूर गोपालकृष्णन् का गोलार्द्ध

कभी स्वयंवरम् तो कभी कथापुरुषन्

डॉ. गगन

मैं हमेशा अपनी पिछली फिल्म से आरंभ करता हूँ।

सुनने के बाद से, कई बार कहे अदूर के इस वाक्य से ही अक्सर उनकी फिल्मों को देखने (स्क्रीन पर नहीं) और फिर उनसे हुई मुलाकतों से उन्हें देखने की कोशिश की है। हमारे संवाद का यह आरंभ वाक्य उन्होंने 1987 में दिल्ली के सिरीफोर्ट प्रेक्षागृह के बाहर जनवरी की ठंड, घास और धूप में बैठकर कहा था। अंतर्राष्ट्रीय फिल्म समारोह का मौसम था। जूरी अध्यक्ष लिण्ड्स्ले ऐण्डर्सन ने प्रतियोगी फिल्मों के स्तर पर टिप्पणी की थी—नो क्वालिटी फिल्मस्! निदेशालय ने निर्णय ले लिया था कि '89 से अब समारोह प्रतियोगी नहीं हुआ करेगा। अदूर 'अनंतरम्' तैयार कर रहे थे। चेहरे पर समभाव रख उस टिप्पणी और इस फिल्म से बात शुरू करते हुए उन्होंने कहा था—मैं हमेशा अपनी पिछली फिल्म से आरंभ करता हूँ।

'अनंतरम्' उनकी पाँचवीं फिल्म है। पहली फिल्म 'स्वयंवरम्' की चर्चा शुरू होने पर भी वे यही कहते हैं।

यह 'पिछली फिल्म' उनके साथ हमेशा रहती है। अभी भी है, जब वे इन दिनों अपनी नई फिल्म की शूटिंग में कन्याकुमारी में व्यस्त हैं। भाषा की मलयालम् दुनिया से बाहर आकर भी उनके चरित्र, कथा चेतना में ड्रिफ्ट करते क्यों प्रतीत होते हैं, सत्यजित रे और ऋत्विक घटक की परंपरा को फिल्मकाव्य के स्तर पर क्या वे उसी तरह ब्रेक नहीं करते जिस तरह नागिसा ओशिमा ने ओज़ू, मिज़ोगुची और नरूसे की जापानी फिल्म परंपरा को ब्रेक किया था—जैसे प्रश्नों को लेकर ही उस बार सिरीफोर्ट की घास पर विस्तार से बात हो सकी थी। उस डेढ़-दो घंटे की बातचीत में मुझे उनकी वह पिछली फिल्म नहीं मिल सकी थी। उसके बाद वे जितनी बार मिले, अपनी नई फिल्म के साथ मिले, जैसे 1991 के मद्रास फिल्म समोराह में 'मतिलुकल' के साथ, 1993 और 1996 में दिल्ली समारोहों में क्रमशः 'विधेयन' और 'कथापुरुषन' के साथ और फिर 1997 में तिरुवनन्तपुरम के कइरली थियेटर के बाहर, किन्तु वो पिछली फिल्म!

इन पाँच मुलाकातों में हुई ढेरों बातचीत के बावजूद उन्हें भी लगता रहा कि अभी आरंभ होना है। बातचीत में सहज, शांत और गंभीर रह कर संवाद का विषय वे स्वयं चुनते हैं और 'स्वयंवरम्' के मुख्य चरित्र विश्वम् की तरह जब विषय में शामिल होकर भी बात विषय से बाहर कहीं 'अन्य' पहुँच जाती है, तो वे स्वयं को विषय से अलग करते हैं और 'कथापुरुषन्' के मुख्य चरित्र कुनजुन्नी की तरह उस विषय की कथा जो अब तक घटा और जिसे अभी घटना है, कहनी शुरू करते हैं। अदूर गोपालकृष्णन् के व्यक्तित्व का यह अद्भुत संवाद लोक है। अवधूत की तरह जो उनकी प्रत्येक फिल्म में हमें सहज ही मिलता है।

"मेरी फिल्म मे राजनीति है किंतु यह राजनीतिक फिल्म नहीं है (एलिप्पथयम और मुखामुखम्)। मेरी फिल्म में रहस्य है किंतु यह आध्यात्मिक नहीं है, क्योंकि रहस्य की जादुई प्रकृति ही कथा और कला को उनके स्व-भाव तक ले जाती है। मैंने कभी रहस्य, प्रेम, मुक्ति, जीवन, कविता, स्वप्न या मृत्यु को आध्यात्मिक ढंग देने की कोशिश फिल्मों में नहीं की है। मैं नहीं चाहता कि फिल्म माध्यम का अपना आकर्षण ही लोगों को आकृष्ट करे। भावनात्मक और मानसिक रचनामिति से निर्देशित होने वाली फिल्में ही मैं

बनाता हूँ। 'अनंतरम्' को कई लोगों ने सेरेब्रल और 'मुखामुखम्' को पोलिटिकल कहा है किंतु मेरे सिने गोलार्द्ध में ऐसे सुनिश्चित प्रत्यय पूर्व वैचारिकी की तरह नहीं हैं।''

सिरीफोर्ट में यह सब उन्होंने तब कहा था, जब वे चार फिल्में बना चुके थे और पाँचवीं बना रहे थे। इन चार फिल्मों ने समानांतर सिनेमा के दौर में एक भिन्न और मंद्र आलोड़न किया था। बल्कि पहली फिल्म ने ही। सामाजिक संवेदना, 1972 का दौर, श्वेत-श्याम प्रभावों में बनी एक सौ पच्चीस मिनट की इस मलयालम फिल्म ने अपने चरित्रों की नियति के स्वप्न माध्यम से सिने विषय, माध्यम और समय की नियति का संभवतः संकेत तय कर दिया था। फिल्म के दोनों केंद्रीय चरित्र विश्वम् और सीता प्रेम में अपना भविष्य स्वयं चुनने घर छोड़ देते हैं और अंतहीन दुर्गति की शृंखला आरंभ हो जाती है। विश्वम् फिल्म के आरंभ में दी गई स्थितियों में अपना उपन्यास प्रकाशित नहीं करा पाता। उपन्यासकार बनने का चुनाव उसे लकड़ी बेचने की दुकान तक पहुँचा देता है। उपन्यास लिखने की जगह वह लकड़ी बेचने लगता है। आर्थिक दुर्दशा में सीता अपने बच्चे के साथ अंततः उसे भी छोड़ देती है। मृत्यु से पहले की यह दुर्गति विश्वम् का 'स्वयंवरम्' है, जैसे सीता की अपनी दुर्गति उसका 'स्वयंवरम्'। व्यक्ति अपनी नियति, दुर्गति, या दुःख स्वयं चुनता है। व्यक्ति का वर्तमान उसी का 'स्वयंवरम्' है। पहली फिल्म ने बस इतना कहा था। श्वेत-श्याम रंग प्रभावों में।

भाषा की असुविधा के कारण या कहें, हिंदी ठीक से न जानने के कारण अदूर राष्ट्रीय नाट्य विद्यालय, दिल्ली नहीं जा सके थे। रंगकर्म उन्हें अत्यंत प्रिय था, थियेटर के लिए वे पागल थे। वे उन दिनों नैशनल सैंपूल सर्वे ऑफ इण्डिया के साथ काम कर रहे थे। एक दिन उन्होंने चेंगनूर बस अड्डे के एक रेस्तरां में अखबार में विज्ञापन देखा जिसमें पटकथा लेखन और निर्देशन पाठ्यक्रम का प्रस्ताव प्रकाशित था। स्कूल के दिनों से ही वे नाटक लिखा और निर्देशित किया करते थे। गांधीग्राम विश्वविद्यालय से स्नातक करने के दौरान वे नाट्यकार शंकर पिल्लई से मिले थे। स्नातक के उपरांत वे ऐसी किसी जगह जाने की तलाश में थे, जहाँ वे नाट्यालेख लेखन का प्रशिक्षण प्राप्त कर सकें। उस वक्त वे स्क्रिप्ट राइटिंग और स्वक्रीनप्ले राइटिंग का फर्क नहीं समझते थे। ''नौकरी छोड़ी और गलती से मैं रंगमंच की जगह सिनेमा में आ गया। स्क्रिप्ट लिखने निकला था, स्क्रीनप्ले लिखने लगा।''

'स्वयंवरम्' की कहानी अदूर ने स्वयं लिखी स्क्रिप्ट स्वयं तैयार की, निर्देशित की चरित्रों की नियति और दुर्गति। क्या यही उनकी पहली फिल्म की पिछली फिल्म है? पूछने पर वे कहते हैं—मैं अपनी पिछली फिल्म से आरंभ करता हूँ।

यह आरंभ आप कैसे करते हैं?

''सबसे पहले मैं एक लंबी स्क्रिप्ट लिखता हूँ। केंद्रीय विचार को स्क्रिप्ट में विस्तार से और बारीकी से ट्रीट करता हूँ। फिर इससे लोकेशन स्क्रिप्ट तैयार करता हूँ। इस पूरे दौरान मैं स्क्रिप्ट में प्रचुर स्पेस रखता हूँ ताकि इम्प्रोवाइजेशन (रंगतत्व 'प्रत्युत्पन्नमति') संभव हो सके। आरंभ इसके बाद होता है जब लिखी हुई कि तुलना में शूट की गई स्क्रिप्ट या फिल्म परिष्कृत लगने लगती है और तब दिखता है कि फिल्म आरंभ हुई है। हालांकि आरंभ तब भी नहीं हुआ होता क्योंकि अब मेरी आँखों और दृश्य के बची अभिनेता आ गए होते हैं। कैमरे को कोण बदलते हैं। पूर्व निर्धारित 50 मिमी के लेंस 25 से 40 मिमी में बदलने लगते हैं और स्थितियों में गति आ जाती है। लगता है आरंभ हुआ।''

और कहानी आरंभ होती है...स्क्रीन पर?

''नहीं, जहाँ पर पिछली फिल्म छोड़ी होती है, जिसे लोग अंत कहते हैं, वहाँ से आरंभ करने की शुरुआत करता हूँ। यह प्रस्थान बिंदु कहीं से भी हो सकता है, पिछली स्थितियों में कहीं से भी। मुझे यह तरीका श्रेष्ठ लगता है।''

'मुखामुखम्' का परिप्रेक्ष्य 1957 और 1964 के केरल की राजनीतिक परिस्थितियों से बना है। इसका परिप्रक्ष्य ही इसका प्रस्थान बिंदु है। नहीं?

''एक प्रकार से हाँ। 1957 में केरल में कम्युनिस्ट पार्टी सत्ता में आई। 1964 में पार्टी दो दलों में विभाजित हो गई। सी. पी. आई. और सी. पी. एम.। 'मुखामुखम्' का प्रथम अंश पचास के दशक को परिप्रेक्ष्य बनाता है जबकि द्वितीय अंश आरंभ होता है 1965 से। समर्पित क्रांतिकारी श्रीधरन फिल्म के प्रथम अंश में कारखाने में ट्रेड यूनियन करता दिखता है। फिर एक हत्या के संदर्भ में वह भूमिगत हो जाता है। बाद में उसकी वापसी श्रमिकों के लिए निराशानजक सिद्ध होती है। वह पहले की तरह 'नायक' नहीं रह जाता। और फिर एक दिन संदिग्ध परिस्थितियों में पिटाई के फलस्वरूप वह मर जाता है और दोबारा नायक बन जाता है। न चाहते हुए भी हम सभी को सता आकर्षित करती है। फिल्म के विषय में राजनीति है और इस विषय के बहाने

अंततः सामाजिक और मानवीय संदर्भ ही प्रमुख बनते हैं। विषय राजनीति है, किंतु फिल्म राजनीतिक नहीं है।''

पी. गंगा ने श्रीधरन का जो चरित्र 'मुखामुखम्' में जिया है, क्या उसके प्रस्थान बिंदु पिछली फिल्म 'एलिप्पथयम्' के मुख्य चरित्र उन्नी (अभिनेता करमना) की अंतिम स्थितियों में हैं?

'एलिप्पथयम्' की अंतिम स्थितियों में अपराधबोध और एकाकीपन से ग्रस्त उन्नी पैरानोइया की शरण में चला जाता है। श्रीधरन् का समर्पण क्या इसी कारण नहीं है, जिसे हम 'मुखामुखम्' के आरंभिक दृश्यों में देखते हैं।

इस दृष्टि से आपकी आठों फिल्म के केंद्रीय चरित्र या अकेला नायक स्थितियों में निरंतर ड्रिफ्ट करता, विच्युत होता नहीं है? 'मथिलुकल' का बशीर (अभिनेता ममूट्टी) जेल से रिहाई की सूचना पाने के बावजूद अंतिम दृश्य में जेल से बाहर नहीं आना चाहता। मुक्ति का अर्थ अब उसके लिए कुछ और हो गया है, जिसका संदर्भ उसके शून्य को भरते एक स्त्री स्वर में है। बशीर अपने ही अर्थ या अर्थों में क्रमशः विच्युत होता हुआ है, बीसवीं शती में विश्व भर में लिखी गई किसी भी साहित्यिक कृति के केंद्रीय चरित्र की तरह...

'' 'मथिलुकल' के केंद्रीय विचार के बारे में शिल्पमिति में कुछ और सोचा गया था। विचार था कि किस प्रकार एक संश्लिष्ट चरित्र को सिर्फ स्वर के माध्यम से आकार दिया जाए और सिर्फ एक दीवार के माध्यम से दो व्यक्तियों के बीच एक आवेगमय संबंध विकसित किया जाए। स्क्रिप्ट लिखते हुए शुरू में इस विचार ने मुझे आकृष्ट किया था। मैं प्रतिकृत था। फिल्म बनते हुए शिल्पमिति वहीं पहुँच गई, पिछली फिल्म में। इसीलिए मैंने कहा कि मैं हमेशा अपनी पिछली फिल्म से आरंभ करता हूँ। फिल्म दरअसल इसके साथ ही जीवन और मृत्यु के बारे में भी है। जीवन का प्रतिबंध और मृत्यु की मुक्ति। प्रतिबंधित जीवन का सरल प्रतीक जेल ही हो सकता है। कि हम कैसे दो सामासिक किंतु द्वैत स्थितियों में सामन्जस्य बिठा पाते हैं, एक योग युक्ति संभव कर पाते हैं। अनिश्चय से मुक्ति ही मृत्यु नहीं है? न्यूनतम और आभासी होने के बावजूद इसका मेटाफिजिकल स्तर अपने आप से ही विच्युत होता रहता हैं। क्षण-क्षण की निरंतर विच्युति, परिवर्तित स्थितियों में स्थाई प्रत्यय बन जाती है। व्यभिचारी या संचारी भावों में विच्युति ही संभवतः रस का कोई मेटाफिजिकल स्वरूप ग्रहण करता हो!''

प्रकृतस्थ भाव का यह स्वर आनुपूर्वी विन्यास में इसीलिए आपकी परवर्ती फिल्मों 'विधेयन' और 'कथापुरुषन्' में दिखता है...

वे उत्तर नहीं देते। उनकी सहमति उनका मौन नहीं है। उनका मौन उनकी अगली फिल्म है। उनकी 'पिछली फिल्म' की उत्तरवर्ती स्क्रिप्ट, जिसे वे एक शिष्य को बरतने की तरह तैयार करते हैं। जी. अरविंदन से वे इसी स्तर पर भिन्न है। इसी स्तर पर वे रे और घटक की फिल्म परंपरा को तोड़ते हैं। नागिसा ओशिमा की तरह। 'अनंतरम्' के एक दृश्य में एक बच्चे द्वारा घाट की सीढ़ियों में सम-विषम गिनने की तरह।

यह संवाद जनवरी 1996 में दिल्ली में हुआ था। एक बार फिर सिरीफोर्ट में। तब तक वे आठ फिल्में तैयार कर चुके थे। आरंभिक दोनों श्वेत-श्याम में और शेष रंगों में। इस फिल्म समारोह में वे अपनी नई फिल्म 'कथापुरुषन्' साथ ले आए थे। चूँकि फिल्म 1995 में फिल्म समारोह निदेशालय के अनुसार देर से बनी थी इसलिए भारतीय पैनोरमा में शामिल नहीं की जा सकी थी। समारोह के अंतिम दिनों में विम बेंडसे की एक फिल्म देखते हुए उन्होंने हॉल में ही बताया कि समारोह से अलग 20 जनवरी को हम यहाँ सिर्फ कुछ दोस्तों में 'कथापुरुषन्' दिखाने जा रहे हैं, आप भी आइए, अच्छा रहेगा, प्रिंट आज ही सुबह यहाँ पहुँची है। हम पहुँचे। शामलाल, पॉल कॉक्स, गिरीश कासरवल्ली, टी. वी. चंद्रन, संतोष शिवन, अर्पणा सेन, मोहन अगाशे, विजय टेंडुलकर और गिरीश कर्नाड भी थे। इस शो में पहली बार अदूर, स्वयं की भूमिका में नहीं थे। पहले वे अपने प्रीमियर में सबद की तरह रहते थे। इस बार वे साखी हो रहे थे। पिछली फिल्मों में विश्वम् या उन्नी की तरह कथा में शामिल होते थे। शब्द या विचार की तरह। इस बार वे शब्दों के साक्षी होते हुए शब्दों की कथा सुन रहे थे। फिल्म के मुख्य चरित्रों कुनजुन्नी और वासु की तरह। कथा का तनाव, माध्यम का तनाव अपनी जगह, साक्षी होने की विश्रांति अदूर के चेहरे पर अपनी जगह। विच्युति से विश्रांति तक की इस अवधूत यात्रा के बाद अदूर के चित्त और चेहरे पर क्रोध या विरक्ति के भाव क्रमशः कम होते गए हैं। जनवरी में तिरुवनंतपुरम् के कइरलि थियेटर में जहाँ एक ओर श्याम बेनेगल अपनी अद्यतन फिल्म 'मेकिंग ऑफ महात्मा' प्रस्तुत कर रहे थे, वहीं उसी समय उसी जगह दीपा मेहता 'फायर' प्रस्तुत कर रही थीं। शहर के आम नागरिक अपने घरेलू पारंपरिक वस्त्रों

में 'फायर' देखने हॉल के अंदर पहुँच चुके थे। दुनिया भर से आए डेलीगेट और समीक्षकों के लिए मुसीबत खड़ी हो गई थी। बिल्कुल अफरातफरी की स्थिति थी। फिलम चल रही थी शोरगुल में। अदूर को पता चला। मेकिंग ऑफ महात्मा से निकलकर वे उन सभी लुंगी पहने आम लोगों को मलयालम भाषा में समझाते हुए कइरलि से बाहर ले आए। मेकिंग की जरूरत नहीं थी। महात्मा इन शताधिक सामान्य लोगों को नियंत्रित कर रहे थे। चेहरे और हॉल, दोनों ही क्षेत्र में प्रदीर्घ प्रशांति छा गई थी। अदूर क्षेत्रज्ञ की भूमिका में थे। अविचलित अवधूत। वे हैं अपनी 'पिछली फिल्मों' के साथ।

अदूर गोपालकृष्णन् होने का यह विवर्तन उनकी फिल्मों में अभी जारी है।

अदूर की फिल्में

1. स्वयंवरम् (स्वयं का चयन)	1972	मलयालम भाषा में
2. कोडियेट्टम् (उत्थान)	1977	मलयालम भाषा में
3. एलिप्पथयम् (फाँद)	1981	मलयालम भाषा में
4. मुखामुखम् (आमने सामने)	1984	मलयालम भाषा में
5. अनंतरम् (एकालाप)	1987	मलयालम भाषा में
6. ममिलुकल् (दीवारें)	1990	मलयालम भाषा में
7. विधेयन् (मुखापेक्षी)	1993	मलयालम भाषा में
8. कथापुरुषन् (कथापुरुष)	1995	मलयालम भाषा में

तादेउष रूज़ेविच की बारह कविताएँ

मंगलेश डबराल

बची हुई अमरता

अक्सर कहा जाता है कि महाकवियों का समय बीत चुका है और हमारे इस विखंडित संसार में 'खद्योत सम जहँ-तहँ करत प्रकाश' क़िस्म के टुकड़े-टुकड़े कवि ही संभव हैं। लेकिन अपवाद अगर नियमों को सिद्ध करते हैं तो पोलैंड एक अपवाद की तरह है जहाँ लगभग एक ही दौर में कोई पाँच-छह महाकवि सक्रिय रहे हैं जिनकी कविता से हमारी कविता और हमारी दुनिया दोनों में एक बड़ी हद तक बदलाव आया है : वह ज़्यादा संवेदित और सुंदर, ज्यादा बेचैन और मानवीय हुई है। अन्ना स्विर, विस्तवांवा शिंवोर्स्का, ज़्बीग्नियेव हेर्बेत, तादेउष रूज़ेविच, चेस्वाव मिवोश, तिमोतिउष कार्पोविच और कुछ युवतर अदम जगयेव्स्की जैसे कवियों के नाम पिछली अर्धशती से विश्व में चर्चित रहे हैं और इनमें से कुछ कवियों को कई बार नोबेल पुरस्कार के विचारार्थ माना गया और पहले मिवोश और फिर शिंवोर्स्का ने यह सम्मान प्राप्त भी किया, हालाँकि उनकी जगह अगर हेर्बेत और रूज़ेविच का नाम रख दिया जाए तो इससे बहुत अंतर नहीं पड़ता और कविता की एक महान परंपरा फिर से रेखांकित होती।

महाकवि तादेउष रूज़ेविच सही अर्थों में द्वितीय विश्व-युद्धोत्तर पोलैंड के कवि हैं : सामूहिक संहार और मृत्यु के व्यूह से बच कर आए हुए, उत्तरजीवी और इस तरह मृतकों के बीच जीवित रह जाने के भीषण अकेलेपन और ग्लानि-बोध से भरे हुए संतापित कवि। 'सरवाइबल ऑफ द फ़िटेस्ट' का क्रूर व्यंग्य झेलता हुआ एक शरीर, जीवन और मृत्यु पर विचार करने को अभिशप्त एक मस्तिष्क और नष्ट किए जा चुके सब कुछ के बीच जीवित एक आत्मा, जो 'फ़िटेस्ट' न होने के बावजूद या इसी वजह से 'सरवाइव' करती है। बूढ़ी औरतों की अनश्वरता के बारे में रूज़ेविच की एक कविता प्रसिद्ध है जिसमें वे बूढ़ी और बुरी औरतों के प्रति इसलिए कृतज्ञता व्यक्त करते हैं कि वे सचमुच 'उत्तरजीवी' हैं, अजर-अमर हैं, वे मनुष्य और इतिहास के नष्ट हो जाने के बाद भी जीवित रहती हैं, जब इतिहास के स्वर्णाक्षरों में नायकों के नाम भी मिट जाते हैं तब भी वे जीवित रहते हैं। दोस्तोयेव्स्की के 'अपराध और दंड' का नायक रास्कोल्निकोव उन पर कुल्हाड़ी से प्रहार करता है, लेकिन वे जीवित रहती हैं, मृतकों को नहलाती हैं और बाज़ार से ब्रेड ख़रीदकर उसे मेज पर सजाती हैं। रूजेविच की कुछ उत्तरजीविता ख़ासी जटिल है और उसका गहरा ग्लानि-बोध कोरा पछतावा नहीं, बल्कि एक विचार है : ग़ालिब जैसा 'एक जो रखते थे हम हसरते तामीर सो है' का विचार। अपनी ग्लानि को एक सक्रिय विचार बना देने का यह सामर्थ्य एकाएक अंतोनियो ग्राम्शी की एक महान अवधारणा की याद दिलाता है कि 'ग्लानि एक क्रांतिकारी भावना है।' क्या बड़े परिवर्तनों के मूल में ग्लानि की ही

भावना नहीं काम करती रही है ?

इसीलिए रूज़ेविच की कविता यथास्थितिवाद के विरोध में एक गहरी परिवतनकारी आकांक्षा की बेचैन करती हुई कविता है। उसमें महास्वप्न और महाकरुणा नहीं, बल्कि ऐसा स्वप्न और ऐसी करुणा है जो मानवीय रूप में हर समय, यहाँ तक कि मृत्यु के बीच भी संभव है। पोलैंड में हिटलर के नात्सी जुल्मों के बीच, भीषण नरसंहार के रूबरू उनकी कविता एक चीख़ एक क्रंदन की तरह लगती है लेकिन वह एक सामान्य चीख़ नहीं है। कुछ वर्ष पहले अपने अंग्रेजी अनुवादक अदय चेर्नियाव्स्की से एक बातचीत में रूज़ेविच ने कहा था : 'लेकिन मेरी चीख़ नात्सी अत्याचारों के दौरान चेंस्तोग में मारे गए मेरे भाई की चीख़ से अलग थी। मेरी चीख़ में शब्द थे।' रूज़ेविच की कविता के शब्द एक बचे हुए मनुष्य की आवाज़ बन गए हैं जिसमें हम मारे हुओं की चीख़ सुन सकते हैं।

रूज़ेविच की कविता प्रायः सरल मानी जाती है, लेकिन वह साधारण नहीं है। वह एक पारदर्शी काव्य-व्यक्तित्व की सरलता है जो प्रकृति और जीवन के बुनियादी तत्वों से, उनकी जैविकता से निर्मित होती है। उसमें हवा, पानी, बादल, रेत, आकाश जैसी चीज़ें बार-बार लौटती हैं और उसका स्वभाव भी हवा-पानी-बादल सरीखा है। लेकिन ख़ास बात यह है कि रूज़ेविच प्रकृति के कवि नहीं हैं, बल्कि इस जैविकता की मार्फ़त ही अपना सामाजिक-राजनैतिक वक्तव्य तैयार करते हैं। यह एक अद्‌भुत विशेषता है जो शायद महाकवियों में ही मिलती है या उन्हें महाकवि बनाती है। इस कविता में प्रकृति की वस्तुएँ वे वस्तुएँ भी बनी रहती हैं और किन्हीं दूसरी चीज़ों किसी मनोभाव, किसी यातना और किसी अमूर्त्तन का रूपक भी बन जाती है। रूज़ेविच को पढ़ते हुए अकसर यह एहसास होता है कि उनकी संवेदना हमारे अपने यथार्थ के बहुत करीब है, जैसे उनके शब्दों में हमारा समकालीन संताप ही दर्ज हुआ हो। शायद इसीलिए उनकी कविता के हिंदी और दूसरी भाषाओं में खूब अनुवाद हुए हैं।

कविता ही समूचा जीवन है जैसा वाक्य अलग से कहने पर साधारण या घिसापिटा लग सकता है, लेकिन रूज़ेविच के संदर्भ में यह शायद बहुत सार्थक है। रूज़ेविच के लिए कविता जीवन की तरह है : वे उसके भीतर रहते हैं, वह उनकी साँस भी है और चीख़ भी, वही उनकी हवा और उनका पानी है; और इसके बावजूद शिल्प के स्तर पर वह लगभग आकारहीन है, उसका कोई निश्चित शिल्प और रूप नहीं है, वह किसी यातना और किसी चीख़ की तरह विन्यास-रहित है। शिल्प को इतना कम करते जाना कि एक कविता का अनुभव उसकी अंतर्वस्तु ही उसका आकार बन जाए, शायद यह एक ऐसा गुण है जो विरले कवियों में ही मिलता है। चीन की दीवार पर अपनी एक कविता 'धैर्य का पाठ' में रूज़ेविच चीन की दीवार के माध्यम से गुलामी के दौर के चीन को, बेड़ियों-हथकड़ियों और लोहे के जूतों और लेटे हुए बुद्ध की रीढ़ को याद करते हुए अंत में कहते हैं : 'दीवार उन लोगों के लिए एक विषय पाठ पेश करती है जो कल्पना के यथार्थ की कल्पना करने में असमर्थ हैं।'

करीब पाँच वर्ष पहले रूज़ेविच के ये अनुवाद मैंने वर्सावा विश्वविद्यालय में अध्यापन कर रही विदुषी और मित्र डॉ. दानूता स्ताशिक की सहायता से शुरू किए थे। योजना यह थी कि इन्हें एक संकलन का रूप दिया जाएगा और प्रक्रिया यह थी कि दानूता मूल पोल्स्की से हिंदी रूपांतर करेंगी और मैं उनके अंग्रेज़ी अनुवादों के सहारे उन्हें कुछ और व्यवस्थित रूप देने का प्रयास करूँगा। काम को टालने रहने के अपने स्वभाव के कारण यह काम बीच में ही अटक गया और कुछ ही कविताओं को लगभग अंतिम रूप दिया जा सका। इस बीच रूज़ेविच की कविताओं के दो अनूदित संकलन प्रकाशित हुए : एक विभिन्न कवियों के अनुवादों का महात्मा गाँधी हिंदी विश्वविद्यालय द्वारा प्रकाशित संकलन और दूसरा, विष्णु खरे के अनुवादों का संकलन। यह देखना सुखद है कि रूज़ेविच की रचना से हिंदी कवियों का अनुराग बढ़ता ही जाता है।

—मंगलेश डबराल

काव्य

काव्य हमेशा
कविता का रूप नहीं लेता

लिखने के पचास साल बाद
कवि के लिए
वह प्रकट होता है
पेड़ चिड़िया रोशनी के
आकार में

स्त्री का आकार ले लेता है
प्रकट होता है चुप्पी में

या कवि के भीतर जीता है
किसी भी रूप से रहित

प्रेम क्रोध कोमलता
का अहसास

अनुवाद : दानूता स्ताशिक और मंगलेश डबराल

यथार्थ

यथार्थ
उसे मैं देखता था
एक प्रतीक्षालय की
गन्दली खिड़की से

देखा
उसे आमने-सामने

अशक्त
मैंने मुँह फिरा लिया

अपनी दुर्बलता से

मैंने मुँह फिरा लिया
भ्रमों से

मेरे शब्दों की
रेत पर
किसी ने एक मछली की
आकृति बनाई
और चला गया

अनुवाद : दानूता स्ताशिक और मंगलेश डबराल

गवाह

तुम जानती हो मैं अन्दर हूँ
लेकिन अचानक मत आओ
मेरे कमरे में

मुमकिन है तुम मुझे चुपचाप
बैठा हुआ देखो
कोरे काग़ज़ के सामने
कोई क्या लिख सकता है
प्रेम के बारे में
क़त्ल किए गए और अपमानित लोगों की
चीख़ें सुनते हुए
कोई क्या लिख सकता है
मृत्यु के बारे में
बच्चों के नन्हे चेहरों को देखते हुए

अचानक मत आओ
मेरे कमरे में

तुम देखोगी गुमसुम
और जकड़ा हुआ
गवाह ऐसे प्रेम का
जिसे पछाड़ चुकी है मृत्यु

अनुवाद : दानूता स्ताशिक और मंगलेश डबराल

कितना अच्छा

कितना अच्छा मैं बीन सकता हूँ
जंगल में झड़बेरियाँ
मैं सोचता था
न जंगल हैं न झड़बेरियाँ

कितना अच्छा मैं लेट सकता हूँ
पेड़ की छाया में
मैं सोचता था
अब छाया नहीं देते पेड़

कितना अच्छा मैं हूँ तुम्हारे साथ
इतना धड़कता है मेरा हृदय
मैं सोचता था
हृदय ही नहीं है आदमी के

अनुवाद : दानूता स्ताशिक और मंगलेश डबराल

शुरुआत में

शुरुआत में
शब्द होता है
सृष्टि का आनन्द

कविता के अन्त के बाद
शुरू होती है
अनन्तता

ध्यान से सुनो

वह क्षमादान पाए लोगों के लिए
ईश्वर में
बदल जाती है

पर कवि के सामने
प्रपात खुल जाता है

वर्षों बाद
यह खोदा जाएगा
इस पर से उतारा जाएगा कीचड़
धरती की धूल

आसमान से गिरा पत्थर
आग से वंचित
उल्का

अनुवाद : दानूता स्ताशिक और मंगलेश डबराल

तस्वीर

कौन पहचानेगा उसे

माँ पिता भाई
और वह शायद एक औरत
जिसका चेहरा
एक धुँधले आईने में
बारिश की तरह बह रहा है

और तुम
तुम जब ख़ुद को देखते हो
तो क्या दिखाई देता है

मुझे दिखता है
ईश्वर की छवि में रचा गया एक आदमी
जो अब जा चुका है

अनुवाद : मंगलेश डबराल

मैं आरामकुर्सी पर बैठा था...

मैं आरामकुर्सी पर बैठा था
मैंने पढ़ना बन्द किया
सहसा सुना
मेरा हृदय धड़क रहा था
इस क़दर अप्रत्याशित
जैसे कोई अजनबी मेरे भीतर चला आया हो
और बन्द मुट्ठियों से चोट कर रहा हो
कोई अज्ञात जीव
मेरे भीतर बन्द था
इतने ऊलजलूल थे उसके प्रहार
कि उनका कोई मेल ही नहीं बैठता था
मुझसे
मेरे अमूर्त विचारों से

अनुवाद : मंगलेश डबराल

सफ़ेद रात

एक सफ़ेद रात
एक निर्जीव रोशनी
कपड़े पर बैठी है

एक सफ़ेद रात
रात का एक भूत

ऐसी रातों के दौरान
पेड़ों से फल
नहीं गिरते

कवि ने उधेड़ दी हैं
कविता की नसें

ऐसी रोशनी में
मेज़ें-कुर्सियाँ
एक ठण्डे नरक में खड़ी रहती हैं
धब्बे बढ़ते हैं
फ़र्श पर

एक सफ़ेद रात
एक मृत शरीर
मेज़ पर पड़ा है
रक्तविहीन पशु
चबूतरे पर

दीवार के पीछे
एक आदमी एक औरत
चादरों पर खून
प्रेम की एक अनुकृति।

अनुवाद : मंगलेश डबराल

हमें छोड़ दो

भूल जाओ हमें
भूल जाओ हमारी पीढ़ी को
मनुष्यों की तरह जियो
भूल जाओ हमें

हमने पौधों और
पत्थरों से ईर्ष्या की
हमने ईर्ष्या की कुत्तों से

मैं चूहा हो जाऊँगा
मैंने तब उससे कहा था

मैं हूँगी ही नहीं
मैं तो सो जाऊँगी
और युद्ध ख़त्म होने पर उठूँगी
उस कहा था आँखें बन्द किए हुए

भूल जाओ हमें
मत पूछो हमारी युवावस्था के बारे में
छोड़ दो हमें

अनुवाद : मंगलेश डबराल

दिल तक

मैंने देखा
एक पाक कला विशेषज्ञ को
वह श्वासनलिका में अपना हाथ
घुसाता
उसे आगे बढ़ाता
भेड़ के भीतर तक
और वहाँ फुर्ती से
दिल को पकड़ लेता
उसकी उँगलियाँ
दिल के इर्दगिर्द कसती हुई
खींच कर ले आतीं उसे
एक ही झटके में
हाँ
वह निश्चय ही एक विशेषज्ञ था।

अनुवाद : मंगलेश डबराल

मैं देखता हूँ पागलों को

मैं देखता हूँ पागलों को
जो समुद्र पर चले थे
अन्त तक आस्था रखते हुए
और अतल में चले गये

वे अब भी झकझोरते हैं
मेरी डगमगाती नाव को

बेरहमी से जीता हुआ मैं परे धकेलता हूँ
उनके कठोर हाथों को
मैं उन्हें धकेलता हूँ साल दर साल

अनुवाद : मंगलेश डबराल

मैं उस पर चिल्लाया...

मैं उस पर चिल्लाया
दस साल पहले

चमकीले काले काग़ज़ में
लिपटी हुई
वह चली गई

'कोई सफ़ाई मत दो'
—उसने कहा—
'उसकी ज़रूरत नहीं है'

मैं उस पर चिल्लाया
अस्पताल के एक ख़ाली
बरामदे में

जुलाई का महीना था लू थी
दीवारों से पपड़ियाँ
उतर रही थीं
शहर के पार्क में
कालिख से पुते लिंडन के पेड़
ख़ुशबू फैला रहे थे

ईश्वरविहीन
मैं उसके लिए रोना चाहता था
जब वह मरती और बेदम होती हुई
महज़ पल भर के लिए
ख़ाली और भयावह परलोकों को
परे धकेल रही थी
मैं उसके लिए
प्रार्थना करना चाहता था एक चरागाह की
एक पेड़
एक बादल एक चिड़िया की

मैं उसके नन्हे पैर देखता हूँ
बड़े काग़ज़ी ताबूत के
चप्पलों में

मेज़ और ताबूत के बीच
बैठा
ईश्वरविहीन मैं कोई चमत्कार चाहता था
बीसवीं सदी के उत्तरार्द्ध में
एक हाँफते हुए औद्योगिक शहर में

मुझमें से रोशनी में घसीटी गई
वह चीज़
रोती है।

अनुवाद : मंगलेश डबराल

चिर-कुमारी

कहानियाँ

ममता कालिया

छोटी स्टेबिलाइज़र के ऊपर पसरी हुई थी। गरमाहट में उसे चैन मिल रहा था। उसकी आँखें बार-बार मुँद रही थीं। दिशा ने एक बार उसे टहोका जैसे वह भाषा समझती हो। 'बाहर इतना बड़ा सूरज निकला हुआ है पर इसे यहीं सोना है।'

शायद छोटी बाहर के खतरे बेहतर समझती थी।

इस घर में दो बाहर थे। एक तो वह था जो सड़क से फाटक पार कर मोतिया की कतार से होता हुआ लकड़ी की जाफरी वाले दरवाज़े पर खत्म होता। दूसरा बाहर बरामदे के नीचे पक्का आँगन था जहाँ खूब गमले रखे हुए थे, एक तख्त और दो मूढ़े पड़े थे। बाएँ हाथ की सीढ़ियाँ पहली मंजिल पर जाती जिसके सभी कमरे उपेक्षित थे। सीढ़ियों में मोटा पसरा हुआ था—मटमैले पीले रंग का इतना मोटा बिल्ला की दूर से वह कुत्ता नज़र आता।

और न जाने कितनी चिड़ियाँ सवेरे से इस घर में चहचह करतीं। पहले दो चिड़ियाँ ऐसी आती जिनके सिर पर कलगी कत्थई रंग की थी और छाती पर मोरपंखी हरे रंग का चौड़ा चिह्न। उसके बाद ढेर सी गौरया आतीं। वे अमरूद के पेड़ पर अपना ऑरकेस्ट्रा बजाकर चल देतीं। दोपहर में कौवे आते। दिशा के घर में हर वक्त रौनक रहती। उसे बड़ी हैरानी होती जब आने वाले कहते, 'कैसे रह लेती हो अकेली, दिल नहीं घबराता तुम्हारा।'

शादीशुदा लोग समझाते, 'पैंतीस की उम्र इतनी ज्यादा भी नहीं होती। हम बताएँ कोई अच्छा सा लड़का।'

दिशा हँस देती, 'अच्छे लड़कों से तो जी अघाया हुआ है। कोई पाजी लड़का बताइए।'

इस पर पति ठहाका मारते, पत्नियों के मुँह बन जाते, वे कोहनी से ठेलती पति को दरवाज़े तक ले आतीं, 'चलिए न देर हो रही हैं।'

दिशा का मनोरंजन हो जाता। औरतों को नर्वस करने में उसे मजा आता।

हैरानी की बात यह कि पच्चीस तीस साल के विवाहित जीवन के बाद भी पत्नियों में असुरक्षा की भावना थी। दिशा को भी तकरीबन उतने ही साल हो गये शादीशुदा लोगों के रिश्ते परखते।

एक तो उसके माता-पिता ही थे। वे चार भाईबहन थे पर माँ ने बताया था कि उनके छह बच्चे हुए। दो बच्चे नहीं रहे। अपने होश में दिशा ने माता-पिता के बीच कोई प्रत्यक्ष संवाद नहीं देखा। वे हमेशा तृतीय पुरुष में बात करते। कभी बच्चों के माध्यम से द्वितीय पुरुष पर आ जाते 'तेरी माँ अन्दर बुला रही है, जा जल्दी।' 'अपनी माँ से कहना मैं रोटी नहीं खाऊँगा, मुझे आकर दूध दे जाय।' बड़ी होने पर दिशा सोचती कहीं हम सब नियोग से तो नहीं पैदा हुए।'

यूनिवर्सिटी में उसके सहयोगी विवाहित होते हुए भी अपनी तरह से एकाकी थे। पी. के. पॉल को पुराने सिक्के जमा करने का शौक था। विभाग में वे अक्सर अपना पिगी बैंक पलटकर सिक्के गिनते। फिर वे डब्बा यहीं लॉकर में बंद कर देते। उनका कहना था उनकी पत्नी को हर उस काम से चिढ़ है जो उन्हें प्रिय है। पीयूष देसाई अपनी बैंक पासबुक, चेकबुक, विभाग द्वारा दी गई अलमारी में बंद रखते। उनका कहना था कि उनकी पत्नी को शॉपिंग का रोग था। वह उनका पूरा वेतन एक सप्ताह से खत्म कर डालती थी।

ये उदाहरण परोक्ष शिक्षा का काम करते। दिशा सोचती कितनी मुश्किल से उसने यहाँ तक का सफ़र तय किया है। कई किस्म की ज़्यादतियों और कमियों का मुकाबला उसने अपनी शिक्षा और प्रखर चेतना से किया था। शादी के नाम पर वह अपनी आज़ादी और आत्मनिर्भरता दाँव पर नहीं लगाना चाहती थी।

यूनिवर्सिटी में वह जंतुविज्ञान की प्राध्यापक थी लेकिन उसकी रुचियों का क्षेत्र जीवजंतुओं के संसार से आगे था। इसीलिए अगर कोई छात्रा अपनी समस्या लेकर आती वह उसका हल ढूँढ़ने की कोशिश करती। उसकी कलीग कहतीं दिशा क्यों अपना दिमाग खराब करती हो। इन लड़कियों की हालत कभी नहीं सुधरेगी। आज इन्हें विश्वविद्यालय के परिसर की छेड़छाड़ से बचाओगी, कल ये किसी रिश्तेदार की छेड़छाड़ की शिकार बन जाएगी, परसों नौकरी में इनका बॉस इन पर हाथ मारेगा। तुम क्या एक्टिविस्ट हो जो जुटी रहती हो। दिशा का झगड़ा हो जाता, 'क्या एक्टिविस्ट हुए बिना आप अधिकारों की लड़ाई नहीं लड़ सकते। यह तो सच्चाई से बचने का बहाना है।'

प्रतीक्षा कहती 'पर लड़कियों की समस्याएँ असंख्य हैं। हम क्या कर सकते हैं?'

'इसका मतलब यह नहीं कि हम शुरुआत ही न करें।'

दिशा की इस बबरशेरनी छवि के कारण ही सभी प्रवक्ता उससे सँभलकर बात करते। सिवाय असलम अंसारी के।

असलम के पास कोई मुकम्मल नौकरी नहीं थी। वह 'रोजाना' का स्ट्रिंगर था और खबरों की तलाश में स्कूटर पर शहर नापता रहता। इसी सिलसिले में वह यूनिवर्सिटी पहुँचा।

एक दिन जब वह लड़कियों के मुँह के पास अपना जेबी टेपरिकॉर्डर ले जाकर पूछ रहा था कि उन्हें हॉस्टल में क्या-क्या दिक्कतें हैं, दिशा उस पर झुँझला पड़ी। उन दिनों वह विमेन्स हॉस्टल की वार्डन भी थी।

'हॉस्टल के पदाधिकारियों के ऊपर तोहमत लगाने से पहले आपको यह भी पता लगाना चाहिए कि होस्टल के रखरखाव के लिए युनिवर्सिटी कितना पैसा स्वीकृत करती है, कि मैस फीस पंद्रह बरस से पचहत्तर रुपए ही चली आ रही है और कितनी लड़कियाँ अवैध रूप से हॉस्टल के कमरों में बसी हुई हैं।'

'आप तो छात्राओं के खिलाफ बयान दे रही हैं।' असलम ने कहा।

दिशा आक्रोश में चिल्लाने लगी, 'आप अखबार नवीस है या खुमैनी जो फतवे दे रहे हैं। बी रियॉलिस्टिक।' छात्राओं की मध्यस्थता से विवाद निपटा था। प्रेम की तरह झगड़ों की भी एक अविस्मरणीयता होती है यह उन्हें तब पता चला जब दिशा को डॉक्रेट उपाधि मिलने पर मुबारकबाद देने वाले लोगों में असलम भी आया।

दिशा ने उकसे आगे बर्फी की प्लेट रखी तो वह बोला, 'आपने झींगा मछली पर रिसर्च की है, मैंने सोचा था आप कोई झींगा-व्यंजन खिलायेंगी।'

दिशा हँस दी, 'मैं तो शाकाहारी हूँ, आज तक मछली चखकर नहीं देखी।'

'वैसे मछली शाकाहार में आती है।'

दिशा ने कहा, 'यों तो मनुष्य भी शाकाहार में आता है। दंगों में बड़े-बड़े शाकाहारी ऐसी मारकाट मचाते हैं कि कितने मरे, कितने घायल हुए, यह सिर्फ अखबार से पता चलता है।'

मौजूदा सवालों पर वादविवाद ने संवाद की ज़मीन तैयार की और असलम बेतक्कलुफी से दिशा के यहाँ आने लगा।

आसपास के क्वार्टरों में थोड़ी चुहल हुई। दिशा के घर के गेट पर हरा स्कूटर देखते ही लोग कहते, 'लगता है दिशा मैडम को पाजी लड़का मिल गया है।'

लोकापवाद उन दोनों की चिंता का विषय नहीं था। इस पहचान को विशुद्ध प्रेम भी नहीं कहा जा सकता था। कभी पूरे हफ्ते मुलाकात न होती तो कभी वे सारा इतवार साथ बिताते। कई बार इकट्ठे बैठकर टी. वी. देखते रहते।

दिशा कहती, 'असलम प्लीज इस बार चाय तुम बना लाओ ना।'

असमल जानता था दिशा को कैसी चाय पसंद है, ग्रीन लेबल, चौथाई चम्मच चीनी, आधी चम्मच दूध।

घर के बिल्ले-बिल्ली तक असमल की आहट पहचानने लगे थे।

असलम कहता, 'क्या यह तुम्हारी पालतू है।'

'नहीं यह रिफ्यूजी है।'

'तुम्हें रिफ्यूजी बिल्लियाँ अच्छी लगती हैं जबकि मुझे जंगली।' असमल शरारत से हँस देता।

दिशा उसे कन्धे पर चपेड़ लगानी, 'तुम्हारी यह हिम्मत।'

दिशा ने किस्तों पर कार खरीदी। बचत के लिहाज से खुद गाड़ी चलाने का मन बनाया। सवाल यह था सिखाएगा कौन।

एजेंट ने कहा, 'इसे चलाना कोई मुश्किल काम नहीं है। बस चाबी घुमाइए और ले उड़िए। बचने वाले अपने आप बचेंगे।' असलम यहाँ भी काम आया। उसने कहा, 'मैं डाइविंग सिखा दूँगा, दस दिन में।'

सीखने के बाद भी आत्मविश्वास आने में कुछ और दिन लगे। असलम साथ बैठा होता तब वह ठीक चला लेती पर अकेले उसे सिर्फ घर से यूनिवर्सिटी का रास्ता ही सुरक्षित ड्राइव लगती।

इस इतवार को वे मैकफर्सन लेक इसीलिए चले कि दिशा को अनजान रास्तों पर ड्राइव करने का अभ्यास हो जाए।

मिलिटरी लाइंस पर कर वे नीवां गाँव की तरफ़ से उस ऊँचे-नीचे कच्चे टीले पर पहुँचे जहाँ से सामने झील बनाम गंगा की धारा दिखनी शुरू होती थी।

रेत की चाँदी सूर्यास्त की आभा में गुलाबी हो रही थी। कभी कोई आदमी डगमग करता साइकिल पर दूध के हंडे लटकाये निकल जाता। एक धोबी धुले कपड़े समेटने में लगा था। वहाँ से चार-पाँच छोटी लड़कियाँ गुज़रीं सभी के हाथ में लोटे थे। दिशा ने कहा, 'आज़ादी के पचास साल बाद भी लड़कियों के शौच जाने का कोई इंतजाम नहीं है। झुंड में निकली है, कोई सुनसान जगह देखकर बैठेंगी। फिर भी कोई गारंटी नहीं कि सही सलामत घर पहुँच जाएँगी।'

'क्यों?'

'क्यों क्या। कुछ भी हो सकता है। इनका अपहरण, बलात्कार कुछ भी असम्भव नहीं है।' दिशा ने कहा।

तभी साइकिल पर एक दूधवाला वहाँ आकर रुका। उसने सभी लड़कियों के लोटे में दूध नापा। लड़कियाँ वापस जाने को मुड़ गईं।

असलम हो हो कर हँस पड़ा, 'नारीवादियों कभी ज़मीन पर उतर कर भी देखा करो। हर बात उतनी संजीदा नहीं होती जितनी तुम लोग मानती हो।'

दिशा कुछ खिसिया गई। शायद अनुमान गलत हो जाने से।

'ये बच गईं पर आशंका खत्म नहीं होती। लड़कियों के साथ कभी भी कुछ हो सकता है।' दिशा ने कहा।

'सिर्फ लड़कियाँ क्यों, किसी भी इंसान के साथ कुछ भी हो सकता है। दिशा कभी तो नारीवादी की जगह सिर्फ नारी की तरह सोचो। इन खतरों की वजह से क्या लड़कियाँ बाहर निकलना, स्कूल जाना, हँसना-बोलना छोड़ दें।'

'मैं तो हमेशा से लड़कियों की आज़ादी की कायल रही हूँ, तुम कुछ गलत रंग दे रहे हो चीजों को।'

'नहीं, तुम्हारे अंदर नारीवाद को लेकर एक ऐसी कट्टरता पैदा हो चुकी है जिसमें वाद अहम है नारी दीगर।'

'मुझे नकारना तुम्हें अच्छा लगता है। सभी अखबारनवीस थोड़े झक्की शक्की होते हैं। हर जगह तुम्हें बू दिखाई देती हैं।'

असलम को अच्छा नहीं लगा। पेशे की बाबत छींटे कोई बरदाश्त नहीं कर सकता। वह तल्ख हो सकता था पर चुप रहा। अँधेरा होने जा रहा था।

'वापस चलें', उसने कहा।

दिशा का भी मूड उखड़ा हुआ था। उसने कार की चाबी चुपचाप असलम को थमा दी। ज़ाहिर था वह ड्राइव नहीं करेगी।

मिलिटरी लाइंस की सड़कें वीरान पड़ी थीं। इक्का-दुक्का 'शक्तिमान' गुज़रतें या कभी कौई तिपहिया फटफटाता निकल जाता। असलम पचास की रफ्तार पर था। सामने सड़क पर झुकती शाम के साये में, बीचोंबीच कुत्ते का एक पिल्ला पड़ा हुआ था।

अगल-बगल सेना ने पथ-रोक लगा रखे थे। जब तक असलम कुछ फैसला करे, गाड़ी पिल्ले के ऊपर से गुज़र चुकी थी।

दिशा ने तेज़ आवाज़ में कहा, 'गाड़ी रोको।'

गाड़ी रुकी।

'तुमने पिल्ले की जान ले ली 'दिशा कहते हुए बाहर लपकी।

असलम ने बैठे-बैठे ही मुड़कर देख लिया।

पिल्ला गर्दन उठाकर इधर-उधर देख रहा था। दिशा ने पिल्ले पर हाथ फिराया और उसे उठाकर सड़क के एक किनारे कर दिया।

असलम ने उसके आ जाने पर कहा, 'देखा मेरी ड्राइविंग का कमाल, वह पिल्ला साफ़ बच गया जबकि ड्राइविंग का पहला उसूल है नैवर सेव ए डॉग।'

दिशा ने कटखने अंदाज़ में कहा, 'इसमें तुम्हारी कोई तारीफ़ नहीं है। बेचारा पिल्ला अपनी किस्मत से बचा। तुमने तो उसके ऊपर से गाड़ी गुज़ार ही दी थी।'

'मैंने अंदाज़ा लगा लिया था कि यह आलसी नन्हा कुत्ता हरकत नहीं करेगा।'

''इससे तुम्हारा गुनाह कम नहीं हो जाता। यह बताओ अगर यह इंसान का बच्चा होता तब भी तुम ऐसा करते।'

'इंसान और जानवर में फर्क है दिशा।'

'दोनों में जान है। फिर बात तुम्हारे नज़रिये की हो रही है। तुमने कैसे गवारा किया यह। 'गाड़ी उसके ऊपर से गुजर जाने दी!'

जब वे घर पहुँचे असलम ने गाड़ी गैरेज में खड़ी कर लॉक की और हथेली पर चाबी रखकर कहा,

'मेमसाब चाबी ले लें, सलाम।'

दिशा को हँसी नहीं आई। उसने चुपचाप चाबी उठा ली।

असलम अपने स्कूटर की तरफ़ मुड़ा।

दिशा उसके जाने का इंतज़ार किए बिना घर में दाखिल हो गई।

छोटी इस वक्त भी स्टेबिलाइज़र के ऊपर बैठी थी। उसे देखकर वह उसके पैरों में लिपटकर दुम हिलाने लगी।

'भूख लगी है? रुक। अभी मैं अपने लिए चाय बनाऊँगी तब तुझे दूध मिलेगा।'

दिशा ने साड़ी उतारकर बिस्तर पर डाली, जूड़ा खोला और ड्रेसिंग गाउन लपेट लिया। उसने सोचा जानवरों के बारे में सबसे अच्छी बात यह होती है कि वे प्रतिवाद नहीं करते। वे मूक प्रेमी होते हैं।

असलम जा चुका था। फिर भी जैसे वह उससे अभी बहस कर रहा था, 'तुम तेज़ी से अधेड़ होती हुई एक सिरफिरी औरत हो, और कुछ नहीं।'

बिज़नेस एग्ज़िक्यूटिव

उदयन वाजपेयी

मैं जितना बन पड़े किसी के ऑफिस नहीं जाता। वहाँ अपना परिचित भी अजनबी लगता है। हो जाता है। पर उस दिन जाना ही पड़ा। महेंद्र ने ज़ोर देकर कहा था कि तुम ज़रूर वहीं आ जाना। मेरे यह कहने पर कि मैं तुमसे घर पर ही मिलूँगा, वह बोला, मैं ऑफिस से ही दिल्ली निकल जाऊँगा और दस दिनों तक लौटूँगा नहीं, तुम अगर इतने दिनों इंतज़ार कर सकते हो तो मत आओ। मैं नहीं कर सकता था। मन मारकर महेंद्र के ऑफिस रवाना हो गया।

मुझे पूरा विश्वास था कि ऑफिस का महेंद्र घर के महेंद्र से काफी अलग होगा और इस अलगाव की चोट मुझे सहन करना होगीं। लेकिन ऐसा था नहीं। उसने बहुत उत्साह से अपनी बहुत बड़ी मेज़ के पास वाले खूब चौड़े सोफ़े पर मुझे बिठाया और सारे काम बंद करके खुद भी वहाँ आकर बैठ गया। उसके चेहरे पर मेरे वहाँ होने की खुशी साफ़ दिख रही थी। महेंद्र कई बरसों बाद दिल्ली जा रहा था। वहाँ उसकी पढ़ाई पूरी हुई थी। वहीं उसके दादा अकेले रहा करते थे जो इन दिनों बीमार थे। महेंद्र की पत्नी सुवर्णाभा पास ही पहाड़ों में पर्वतरोहण का स्कूल चलाती थीं। हम सब कभी न कभी वहाँ होकर आए थे। पर्वतारोहण सीखने उतना नहीं जितना पहाड़ों की सैर करने। सुवर्णाभा के हज़ार कहने पर भी हमने पहाड़ पर चढ़ने के भारी जूते नहीं पहने थे। महेंद्र इस बार वहाँ भी जाने वाला था। उसी स्कूल से हाल में ही लौटा महेंद्र का कोई परिचित महेंद्र से मिलने वहीं उसी ऑफिस में आने वाला था।

मैंने महेंद्र को ज़रूरी क़ागज़ पकड़ाए और उठने लगा। महेंद्र ने ज़ोर देकर मुझे बैठा लिया। उसे डर था कि जो शख़्स उससे मिलने आने वाला है उसका सामना वह मेरे बगैर नहीं कर पाएगा। शायद यह मेरी खुशफ़हमी रही हो। मुझे फँसाकर रखने के लिए उसने अपने चपरासी को बुलाकर उससे दो गिलास बियर लाने को कहा।

ऑफिस में बीयर!

मेरे यह कहने पर वह हँसा और बोला,

'आजकल इसे ग़लत नहीं माना जाता। इन कंपनी वालों को इससे मतलब नहीं कि आप ऑफिस में क्या पीते हैं। आप चाहे जो पीजिए पर उनका काम बराबर करते रहिए।'

बीयर आने से पहले किशोरीलाल जी आ गए। आप कल ही पहाड़ी स्कूल से पर्वतारोहण की शिक्षा लेकर लौटे थे। उनके चेहरे पर वहाँ के मौसम की ललाई बिखरी हुई थीं। उन्होंने आकर तपाक से महेंद्र से हाथ मिलाया और उदासीन भाव से मुझे देखने लगे। महेंद्र के यह बताने पर कि मैं उसका दोस्त हूँ, किशोरीलाल जी ने मुझे भी अपना हाथ थमा दिया। इसमें उतनी गर्मजोशी नहीं थीं जितनी महेंद्र से हाथ मिलाते हुए थी। ज़ाहिर है, वे परिचय की प्रगाढ़ता के आधार पर हाथों में गर्मजोशी का निवेश करते थे। मुझे यह बाद में पता चला कि वे सचमुच निवेशक थे। महेंद्र की कंपनी में उन्होंने अच्छा-खासा निवेश कर रक्खा था।

महेंद्र बोला,

'किशोरीलाल जी, कैसी रहीं आपकी पहाड़ों की यात्रा?'

मुझे लगा महेंद्र के यह कहने के दो उद्देश्य थे। पहला मुझे किशोरीलाल जी का नाम अच्छी तरह से याद करा देना ताकि

मैं बातचीत में उनका नाम ग़लत बोलने की बेवकूफ़ी न कर बैठूँ और दूसरा तो स्पष्ट ही था। यह सुनते ही उनका चेहरा खिल गया जैसे महेंद्र ने उन्हें व्यापार में ढेर सारा मुनाफ़ा मिलने की सूचना दी हो। वे अपने खिले हुए चेहरे पर भारी-भारी पंखुड़ियों जैसे अपने होठों को हिलाते हुए बोले,

क्या बताएँ महेंद्र साहब, हमारी तो तबियत तर हो गई।'

यह बोलकर वे अपनी भारी पंखुड़ियों को उतनी ही मोटी जीभ से चाटने लगे।

'कितने दिनों रहना हुआ?'

'दिन किसने गिने महेंद्र साहब, हमारी तो तबियत तर हो गई।'

किशोरीलाल जी को अपना ही मुहावरा इतना भा गया था कि वे उसे छोड़ने तैयार नहीं थे। महेंद्र को किशोरीलाल जी के रंग-ढंग से लग गया कि मेरा वहाँ बैठे रहना ठीक नहीं है। उसने 'अब तुम जाओ' वाली नज़र से मेरी ओर देखा ही था कि उसका व्यवहार कुशल चपरासी दो नहीं, तीन बड़े-बड़े गिलास भरकर बीयर ले आया। महेंद्र और मैं मजबूर हो गए। किशोरीलाल ज़ी की आँखें इस गर्म मौसम में बीयर देखते ही चमक उठीं। उन्होंने यह भूलकर कि हम भी वहाँ बैठे हैं, लपक कर गिलास उठा लिया और एक ही घूँट में लगभग आधा गिलास खाली कर दिया। महेंद्र ने कनखियों से मुझे देखा और धीरे से बोला,

'तुम भी लो न।'

'नहीं महेंद्र, मैं चलता हूँ,' मैं बोला।

'अरे परसी हुई बीयर का अपमान मत कीजिए, पी लीजिए, फिर जाइए।'

किशोरीलाल जी के भारी पंखुड़ियों जैसे होंठ फिर हिलने लगे थे। मैंने बेमन से गिलास उठा लिया। महेंद्र ने भी यंत्रवत गिलास उठाया। किशोरीलाल जी हमें यह करते देखते रहे फिर अपने आधे खाली गिलास को आगे बढ़ाकर बोले,

'चियर्स।'

हमने भी हाथ बढ़ाकर मरे गले से 'चियर्स' किया और सीधे होकर अपनी अपनी जगहों पर बैठ गए। मुझे वह बीयर से भरा गिलास खारे पानी से भरा कुँआ जान पड़ रहा था जिसे खाली करने की सामर्थ्य अपने भीतर ढूँढे नहीं मिल रही थी। मैं कुएँ के किनारे निराश बैठा रहा। महेंद्र चुपचाप बीयर का छोटा-छोटा घूँट भरता रहा। ऑफिस का एयर कण्डीशनर पुराना पड़ चुका था, उसके चलने से आवाज आ रही थीं। हम चुपचाप बैठे उसे ही सुनते रहे। लेकिन कुछ ही देर बाद वह वातानुकूलित चुप्पी सभी को, कम-से-कम महेंद्र को, असह्य लगने लगी। उसे डर था कि किशोरीलाल जी इसे अपनी अवमानना न मान बैठें। वह बोला,

'हाँ, किशोरीलाल जी आप कह रहे थे आपकी यात्रा बढ़िया रही...'

वे तैयार बैठे थे। तुरंत वही बोले,

'तबियत तर हो गई।'

फिर थोड़ा-सा रुककर यह जोड़ दिया,

'मिसेस महेंद्र के तो कहने ही क्या!'

महेंद्र ने दोबारा अपनी घबरायी कनखियाँ मेरी ओर मोड़ी। मेरे भरे कुएँ को देखकर उसकी निराशा बढ़ गयी। वह अच्छी तरह भाँप गया था कि ऐसा कुछ होने वला है जो मेरे वहाँ होने से ज़्यादा कष्टकर हो जाएगा। उसने किशोरीलाल जी के गिलास में थोड़ी और बीयर डाली और मेरे लगभग भरे गिलास को देखते हुए चौंकने का स्वांग करते हुए बोला,

'अरे तुम पी नहीं रहे, इतनी गर्मी है, पी जाओ गटागट।'

मुझे लगा वो कह रहा है कि पी जाओ गटागट और यहाँ से दफ़ा हो जाओ। मैं उसका इशारा भरपूर समझ गया था लेकिन मुझमें तो जैसे कुछ भी करने की शक्ति जाती रही थी। मैं अब भी गिलास को खारे पानी का कुआँ जान रहा था। इस सब ऊहापोह के बीच किशोरीलाल जी का कण्ठ बीयर में भीगकर अतिमुक्त अवस्था को प्राप्त हो चुका था।

'महेंद्र बाबू मिससे महेंद्र के तो कहने ही क्या? बड़ी चुलबुली हैं, यहाँ से वहाँ खरगोश जैसी भागा करती हैं।'

हम सन्न रह गए। महेंद्र को काटो तो खून नहीं। और ज़ाहिर है उसे काटने का काम वहाँ मेरी बेवजह उपस्थिति कर रही थी। लेकिन उसे कुछ तो कहना ही था अपने सम्मान की रक्षार्थ। वह बोला,

'किशोरीलाल जी मैं समझा नहीं?'

इस पर किशोरीलाल जी पूरी तरह शीरे में डूबे गुलाब-जामुन की तरह होकर बोले,

'क्या नहीं समझे महेंद्र बाबू। मैं कह रहा हूँ कि मिसेस महेंद्र बड़ी चुलबुली है।'

'हाँ वहीं तो, मैं कह...

'इसमें आपको क्या कहना है। मैं कह तो रहा हूँ कि वे बड़ी

चुलबुली हैं। यहाँ से वहाँ भागा करती हैं, काहे की तरह...'

वे रुके। मेरी इच्छा हुई कि कह दूँ 'खरगोश की तरह' पर मुझे साँप सूँघ चुका था। मेरी सारी कर्मेंद्रियों पर फालिज मार गया था लेकिन बदकिस्मती से ज्ञानेंद्रियाँ कुछ ज़्यादा ही जाग्रत हो गई थीं इसलिए मुझे किशोरीलाल जी का एक एक अश्रव्य शब्द साफ सुनाई दे रहा था।

'भई, उन्हें वहाँ पहाड़ों पर क्यों डाल रक्खा है, उन्हें यहाँ बुला लो।'

वे फिर थम गये। महेंद्र को दोबारा मौका मिला, बात को कहीं और ले जाने का। वह उसे स्त्री स्वातंत्र्य की ओर ले जाएगा, शायद यह सोचकर वह बोला,

'यह उनकी इच्छा है कि वे वहाँ रहें। अगर वे स्त्री हैं तो क्या उनकी इच्छा की कोई अहमियत नहीं। क्या स्त्री की इच्छा की कोई अहमियत नहीं।'

महेंद्र को अपनी बात से थोड़ा संतोष हुआ लेकिन तब भी उसका चेहरा कड़ा होने शुरू हो गया। लेकिन किशोरीलाल जी जहाँ थे वहीं डटे रहे।

'मैं यह सब जानता हूँ। पर मेरा कहना यह है कि ऐरे चुलबुले व्यक्तित्व का पर्वतारोहण से क्या ताल्लुख। ऐसा व्यक्तित्व वहाँ घिसकर खत्म हो जाएगा।'

किशोरीलाल जी ने अचानक 'चुलबुली' नामक स्त्रीलिंग को 'चुलबुला व्यक्तित्व' नामक पुर्ल्लिग में तब्दील कर एक किस्म की परदेदारी कर ली। यह महेंद्र के स्वर और चेहरे के किंचित कड़े होने का परिणाम रहा हो। मेरा वहाँ होना न सिर्फ़ महेंद्र को, खुद मुझे गड़ने लगा था। मेरी वहाँ उपस्थिति हर सूरत में विचित्र हो चुकी थी। मैं असली मायनों में ब्रेश्त के पाँचवे पहिया में बदल चुका था जो उस कमरे से हर लिहाज़ से गैरज़रूरी था। इस बीच पुर्ल्लिग की आड़ ज़्यादा देर तक नहीं रह पाई। महेंद्र के चेहरे के ज़रा-सा ढीला पड़ते ही किशोरीलाल बोले,

'भाई कुछ भी कहिए, ऐसी चुलबुली नारी को उन बर्फीले पहाड़ों पर डाले रखने का कोई मतलब नहीं। है। उन्हें यहाँ ले जाइए, फिर देखिए वे यहाँ क्या गुल खिलाती है। मैं आपसे फिर कहता हूँ ऐसा चुलबुलापन किस्मत वालों को ही नसीब होता है।' यह तो हद हो गई। मुझे लगा अब महेंद्र उठकर किशोरीलाल का कॉलर पकड़ लेगा और उन्हें मारता बाहर छोड़ आएगा। तब हम चैन से अपनी बीयर खत्म कर सकेंगे। मैंने पहली बार बीयर के गिलास को खारे नहीं, मीठे पानी के कुएँ की तरह देखा। इस संभावना को ध्यान में रखकर मैंने महेंद्र को देखा। उसका चेहरा कड़ा होकर पत्थर का हो चुका था। वह अपनी ही मूर्ति में तब्दील हो चुका था। मुझे उम्मीद थी कि यह मूर्ति अब आग उगलेगी और किशोरीलाल जलकर भस्म हो जाएगा। महेंद्र की तेज़ आवाज़ सुनायी दीं,

'तुम कब तक बैठे रहोगे?...'

मैं किशोरीलाल को देख रहा था। किशोरीलाल मुझे। तभी मुझे पता चला कि वह फटकार किशोरीलाल से नहीं, मुझसे मुखातिब थी। मैं चौंक गया।

'...क्या तुम ज़रा-सी बीयर पीने में साल भर लगा दोगे?.

उसका तेज़ स्वर चीख में बदल रहा था।

'...तुम बीयर पी रहे हो या पहाड़ काट रहे हो?'

उसकी चीख मेरे चकित कानों के आर-पार आने-जाने लगी। कर्मेंद्रियों के साथ-साथ क्षण भर को मेरी ज्ञानेंद्रियाँ भी सुन्न पड़ गयी। तभी किशोरीलाल मेरी ओर देखकर पूरी सहानुभूति दर्शाते हुए बोला,

'भई जल्दी से पी क्यों नहीं जाते, महेंद्र बाबू को बीयर का भरा गिलास देखना जमता नहीं।'

मैं पागल हो उठा। यह क्या हो रहा है। मेरी कर्मेंद्रियाँ और ज्ञानेंद्रियाँ एक झटके में दोबारा क्रियाशील हो गयीं। मैं उठकर खड़ा हो गया। मुझे पता था, महेंद्र मुझ पर क्यों चिल्ला रहा है। व्यापार कुशल महेंद्र उसी पर चिल्ला रहा था, जिस पर चिल्ला सकता था। मुझे उस पर दया आयी। अपने मानस पटल पर क्रोध के पहले दया का यह प्रवेश मुझे थोड़ा खला। पर यह नैसर्गिक बात थीं,

इस मेरा वश नहीं था। मैं चुपचाप दरवाज़े की ओर बढ़ गया। जैसे ही बाहर निकलने मैंने दरवाज़ा खोला, मुझे अपने पीछे सुनाई दिया,

'गुस्सा छोड़िए महेंद्र बाबू, मेरी बात मानिए, मैं यह कर रहा हूँ कि मिसेस महेंद्र बहुत चुल...'

बंद होते दरवाज़े ने किशोरीलाल की आवाज़ को कैंची की तरह काट दिया।

बाबू देवीदीन सहाय की नई दुनिया

सारा राय

वाक़ई वह खूसट इंसान थे—एकदम रुखे। बातों का ले देकर बस वही एक मजमून—अपनी तबियत का हाल और दुनिया जहान के मर्ज़ों से लकड़े हुए अपने जिस्म का कभी न खत्म होने वाला क़िस्सा। कहीं भूले भटके आप उनके घर चले गए तो वही सब से पहले मिल जाते थे, सामने वाली बैठक में, जिसे उन्होंने अपने बैठने, सोने, खाने, फालतू वक़्त बिताने वग़ैरह के मसरफ़ से अपना लिया था। आप दाख़िल हुए नहीं कि वह सामने दिख जाते, आराम कुर्सी पर पड़े हुए हड्डियों के ढेर की तरह जिसे बढ़ई ने जल्दी से ठोक ठाक कर इंसानी सूरत दे दी हो।

दुआ सलाम हुई और कहीं शामत की मार आप पूछ बैठे कि "क्या हाल है, देवी बाबू?" तो सिलसिला वहीं से शुरू हो जाता था।

अरे हाल क्या बताएँ...कल रात तो बिल्कुल सो ही नहीं पाया. ..दाँत में जो शदीद दर्द उठा...भला बताओ, बस दो रोटियाँ इस्तेमाल करता हूँ, अब और कितना कम..." बग़ैरह बग़ैरह।

हाँ, उनका एक और इश्क़ भी था—शेयर बाज़ार और उसकी अठखेलियों से उनकी निजी लागतों को लगा धक्का। इसके ज़िक्र से उनकी ज़बान थकती नहीं थी और यही बात वह हर दम छेड़ देते, जैसे वह किसी बनिया की बोसीदा बही के पन्ने बार-बार उलट रहे हों। फिर आसान नहीं था, उनके चंगुल से निकल पाना। आराम कुर्सी पर अधलेटे हुए, अपनी पीली तिरछी आँखें किसी ग़मज़दा गिद्ध की तरह वह आपके चेहरे पर चिपका देते, इतनी मज़बूती से कि आपको यकीन हो जाता कि जब वह नजर हटेगी तो आपके शरीर का कोई ज़रूरी हिस्सा—खाल या नाक या माँस—साथ चीरती हुई ले जाएगी।

सामने वाले मकान नंबर 206/A के हरिराम सिंह सुबह की सैर से लौटते में देवी बाबू के घर रुक जाने के अपने इरादे पर पछता रहे थे। अब तो वह फँस गए थे; एक डेढ़ घंटे से पहले कहाँ इस बोर से निजात मिलेगी। उस पीली निगाह से बचने के लिए उन्होंने कमरे के चारों तरफ़ नज़र दौड़ाई और उसमें रखे सामान की एक दिमाग़ी फ़ेहरिस्ता बनाई पायों के नीचे लगी ईंटों से ऊँचा किया गया तख्त, तख्त पर मटमैले गौतकिए, जो कभी सफ़ेद रहे होंगे पर अब यह रुतबा खो चुके थे, तेल के धब्बों से मैली चादर, तख़्त के बग़ल में रखा पीतल का उगालदान जिसकी नक्काशी में लताओ के गुत्थम गुत्थे के बीच अनगिनत नाज़ुक फूल खिले हुए थे जिनपर तिलिस्मी पंखों वाली तितलियाँ मँडरा रही थीं। उनकी नजर दीवार से लगी हुई भारी भरकम आदमक़द आलमारी पर ठहर गई जिसके ऊपर दवा की शीशियों का एक जंगल लहरा रहा था। इस जंगल में अपने ठिकाने से लंबी नाक वाला काठ का उल्लू अपने आसपास के परिवेश का जायज़ा ले रहा था। दवा की शीशियों के लहराते जंगल में किसी दवा की अल्युनियम पैकिंग एकदम से कमरे की मंद रोशनी में जुगनू की तरह चमक उठती। आलमारी से सटी हुई मेज़ पर देवीबाबू की शेयर बाज़ार की फाइलों की पीली होती हुई चट्टान खड़ी थी।

हरिराम सिंह की नाक में हल्की सी गुदगुदी हुई। कमरे की हवा में कई चीज़ों की बू थी। विक्स और तारपीन के तेल की वज़नी सी महक के अंदर किसी और चीज़ की बू वाबस्ता थी। चादरों की इस्तेमालशुदा गंध, खर और काफूर की गंध, इनके

ऊपर एक महीन तार की तरह खिंची टाइगर बाम की बू और इन सभी को एक माँ की तरह आगोश में लेती हुई, पूरे कमरे में बसी भाप और सीलन की बू। हरिराम सिंह को इसी कमरे में जाड़े की एक शाम याद आई जब खिड़की के उस पार धुँधलका छा गया था और कमरे के अन्दर की नीली रोशनी में लकड़ी के धुएँ की महक देवीबाबू के लिए जलाई गई कुर्सी से उठ रही थी।

कमरे में फैली तमाम तरह की बूओं को बारीकी से महसूस करते हुए हरिराम सिंह ने ग़ौर किया कि कमरे का लगभग सभी सामान यह साबित कर देता था कि उसमें रहने वाले शख्य की पूरी तवज्जों अपने जिस्म पर ही है। रबर की गर्म पानी की बोतलें सफेद दीवार पर मुँह खोले औंधी लटकी थीं जैसे बहुत बड़े से श्वेत समुद्र में लाल चिपटी मछलियाँ तैरने की क्रिया में निश्चल हो गई हों। पीठ के दर्द में बाँधी जाने वाली पेटी कुर्सी पर टँगी थी और भपारे का यंत्र ज़रूरत पर काम आने के लिए अपनी जगह पर तैनात था। सभी सामान ऐसा जो कि एक नश्वर ताने बाने के बेहद बारीक और रहस्यमय जादू को बरक़रार रख सके।

"जबसे उठा हूँ, सिर में दर्द ऐसा है जैसे उसमें एक बोरा भर पत्थर भरे हो," देवी बाबू ने कहा। वह बाएँ गाल में एक लौंग दबाए हुए थे, शायद दाँत के दर्द की वजह से और इससे उनके सपाट चेहरे में एक तरफ हल्का सा उभार आ गया था वह बात कर रहे थे, और हरिराम सिंह की नाक में लौंग का तेज़ भभका आ रहा था। तभी घड़ी ने आठ का घंटा बजाना शुरू किया। हरिराम सिंह को वहाँ से खिसक लेने का मौका दिखाई दिया और वह जल्दी से बहाना बुदबुदाकर रफू चक्कर हो गए। घड़ी का घंटा उनके जाने के बाद एकदम से आए सन्नाटे को भरता रहा।

वह बहुत पुरानी घड़ी थी, दीवार पर, कमरे के एक कोने में टँगी हुई। आठ कोनों वाले लकड़ी के फ्रेम के अंदर, सुनहरे हाशिये के पीछे मटमैले से गोल डायल पर चाय का दाग़ किसी प्राचीन चाँद के चेहरे पर धब्बे की तरह था। डायल पर लिखे रोमन में काले अंक और तीन सुइयाँ दृढ़ निश्चय के साथ आगे बढ़ती हुई। डायल के नीचे, घड़ी के तिकोने पेट में पेंडुलम बरसों से एक कभी न ख़त्म होने वाले सफ़र में गतिमान था—आगे, फिर पीछे, फिर आगे, फिर पीछे। हर घंटे पर वह बजती थी और उसकी बुजुर्ग, खिसखिसी, आवाज़ में झुर्रियाँ थीं। वह किसी दूसरे समय की, पीली दुपहरों और श्यामल साँझों से आती आवाज़ थी। यह कहना मुश्किल था कि वह कितनी पुरानी है।

बाबू देवीदीन सहाय के सुदूर धुँधले से बचपन में वह बाबूजी की बैठक में टँगी रहा करती थी। बाबूजी कहते थे उनके फुफा दिल्ली के चाँदनी चौक की किसी दुकान से उसे लाए थे। पर फुफा को मरे भी अर्सा हो गया और अब तो बाबूजी खुद भी नहीं थे कि उसकी उम्र का अंदाज़ा लगाते। इतना समय अपने अन्दर संजोए, एक पूरे काल की दानिशवरी लिए, यह घड़ी अपने अनवरत काम में मुबतिला थी। कमरे की छत पर, और छत की ओलतियों पर मकड़ी के जाले कोमल नर्म दाढ़ियों की तरह हवा में झूलते थे और कभी पंखा तेज़ चल रहा हो तो ज़मीन पर गिरकर एक लंगड़ी सी दौड़ लगाते थे मगर घड़ी पर कोई जाले नहीं थे। उसकी पीठ पर भी नहीं, जो कि आँखों को नज़र नहीं आती थी। उसका चेहरा हमेशा चमकता रहता था।

इसकी वजह थी मालती की उस घड़ी के लिए सनक। उसे घड़ी बहुत पसंद थी। उसका गोल डायल और चाकता हुआ पेंडुलम, उसकी चिकनी घिसे हुए पत्थर सी आवाज़ और डायल के आगे लगे गोल काँच के दरवाज़े पर वह फ़िदा थी। फिर घड़ी की उम्र और उसके इतिहास के बारे में सोचकर वह रोमांचित हो उठती थी। हर सोमवार जब वह उसमें चाबी भरती थी, तब उसे अपने अंदर एक तरह की ताक़त महसूस होती थी, जैसे कि समय को जारी रखने की, उसको आगे बढ़ाने की ज़िम्मेदारी उसी की हो। जैसे कि घड़ी के ज़रिए उसने समय और समय से जुड़े भाग्य पर क़ाबू पा लिया हो।

इस वक़्त वह देवीबाबू के कमरे में दाख़िल हुई और उनके तख़्त के नीचे रखी हत्थे वाली हरे रंग की तिपाई को तीखी सी आवाज़ के साथ घसीटकर बाहर निकाला और खींचती हुई घड़ी वाली दीवार के पास ले गई। फिर उसने अपनी छींटदार सफेद और बैंगनी साड़ी जिस वह अमूमन घर पर पहने रहती थी, का पल्ला कमर में कसके खोंसा और बाटा की हवाई चप्पलों को फट फट करते हुए उतारकर तिपाई पर चढ़ गई। एक गीले चिथड़े से उसने घड़ी के फ्रेम को बड़ी मुस्तैदी के साथ घिसना शुरू किया। यह घिसाई उसका रोज़ का नियम था। वह उसको रगड़ती जाती और घड़ी का बूढ़ा चेहरा बराबर नई होती हुई ज़िंदगी से दीप्तिमान हो उठता। उसने आहिस्ता से, बड़े एहतियात के साथ डायल के सामने लगे काँच के दरवाज़े को खोला और 'किर किर' की आवाज़

के साथ उसमें चाबी भरना शुरू किया।

देवीबाबू ने हरिराम सिंह के जाने के बाद अख़बार उठा लिया था और आर्थिक पन्ने को खोले, उनके चमड़े के बटुए जैसे चेहरे पर उत्तेजना की थिरकन दिखना शुरू हो रही थी। घड़ी की आवाज़ सुनकर उन्होंने अख़बार को बेसब्री के साथ खड़खड़ाया और एक पल पन्ने पर से नज़र हटाकर मालती की तरफ़ देखा। मालती से कोई प्रतिक्रिया न मिली तो एक बार खँखारकर उन्होंने इस बात का एलान किया कि उन्होंने ग़ौर कर लिया है कि मालती उनसे ज़्यादा घड़ी पर ध्यान देती है। फिर एक खिसियायी सी आवाज़ में उन्होंने पूछा—"क्या पीछे हो गई थी?"

मालती ने जैसे किसी और सवाल का जवाब दिया—"आज सोमवार है!" इस तिरछे से जवाब में देवीबाबू ने मालती के शोर मचाने की जायज़ वजह ढूँढ़ ली और वह एक घायल सी ख़ामोशी में लुढ़क गए। उनके अंदर "कल रात मैं बिल्कुल नहीं सो पाया" का जमला, जो मालती के आगे निकलने को मचल रहा था, इस खामोशी में धँस गया, जैसे वह पोली मिट्टी हो।

मालती देवीबाबू की दूसरी पत्नी थी और उम्र में उनसे काफ़ी छोटी थी। मालती का क़द कम था और मिज़ाज में शोख़ी ज़्यादा। उसके गालों पर दोनों तरफ़, होंठ जहाँ ख़त्म होते थे; ज़्यादा हँसने की वजह से लकीरें पड़ गई थीं जो किसी चिड़िया के फैले हुए पंखों की याद दिलाती थीं। देवीबाबू जब मालती का चेहरा देखते तो उनकी नज़र इस पक्षी की अनंत उड़ान पर अटक जाती, जैसे पिंजरे में बंद एक चिड़िया आसमान में आज़ादी से उड़ती दूसरी चिड़िया को रश्क के साथ देखती हो।

मनचली मालती के साथ कुछ पता नहीं चल पाता था कि वह किस बात पर एकदम से खुश या ख़फ़ा हो जाएगी। जब वह गुस्सा होती थी तो उसके माथे पर त्योरी एक काली लट की तरह चिपक जाती थी और ऐसे मौक़ों पर उसका पैर पटकने का एक अंदाज़ था जिससे देवीबाबू थर्राते थे। वह एकदम से तेज़ तेज़ चलने लगती थी और चारों तरफ़ के माहौल में जैसे बिजली की लहर दौड़ जाती थी। उसके चलने, कंधे उचकाने और हाथ मटकाने में मायने का एक समस्त भूगोल था जिसे समझने की क्रिया देवीबाबू को चक्कर में डाल देती थी। पुराने दिनों में वह उसे कोई किस्सा सुनाकर हँसा दिया करते थे पर अब तो वे चुपचाप ही बैठे रहते थे—देवीबाबू अपनी आराम कुर्सी पर अधलेटे हुए, और वह अपने सफ़ेद हाथ गोद में संभालकर रखे, जैसे कि वे दो चंचल खरगोश हों जिन्हें शांत रखने का जिम्मा उसे ही सौंपा गया हो।

शादी इतनी पुरानी हो जाने के बाद, जब देवीबाबू रिटायर हो चुके थे, और बच्चे बड़े होकर अपने अपने ठिकाने जा लगे थे, तो कुछ कहते रहना ज़रूरी तो था नहीं। पर देवीबाबू को मालती के इस चुपचाप बैठने में, इस मालती के चुपचाप बैठने में, जो अमूमन अपने चारों तरफ़ शोर का एक दायरा खींचे रहती थी, प्रेम का एक तरह का इज़हार मालूम देता था—एक तरह का। मगर हाल में देवीबाबू ने बढ़ते विस्मय के साथ ग़ौर किया था कि यह ख़ामोशी उनके बीच एक गहन सन्नाटे में बदलती जा रही है।

इसकी वजह थी। बढ़ती उम्र के साथ देवीबाबू अपने शरीर की क्रियाओं में और उसके तेज़ी से तबदील होते हुए जुग़्राफ़िये में हद से ज़्यादा मुबतिला रहने लगे थे। रहस्यमयी ढंग से उनके शरीर ने एक पिंजरे की सूरत इख़्तियार कर ली थी जिसमें से निकल पाने का कोई हीला उनके सामने नहीं आता था। किसी दिन कमर में, किसी दिन कूल्हे में दर्द बड़े इत्मीनान से नीचे उतरता, दोनों रानों से होता हुआ, घुटनों की पहाड़ी तय करके, पिंडलियों पर आसानी से फिसलकर, टख़नों के मुक़ाम पर जाकर घर कर लेता था, जैसे कि कोई मोटरकार किसी पहाड़ी रास्ते से ख़रामा ख़रामा घाटी में उतर आई हो।

दर्द न होता तो खाँसी एकबएक आने लगती; मालूम होता कि किसी ने उनको कस के झिंझोड़ दिया है और दम लेने की मोहलत न मिलती। सीने के खोखल में से, दूर कहीं से अजीबों ग़रीब आवाज़ें आतीं, जैसे किसी दूर देश में कोई विचित्र ज़बान बोली जा रही हो जिसे समझने में वह नाकामयाब थे और जो उन्हें हैरान और बौखलाया हुआ छोड़ देती थी। कभी सिर के किसी कोने में दर्द एक धुँधली सी याद की तरह उभरता और जब तक वह 'सूमो' टैबलेट खाकर, माथे पर 'टाइगर बाम' मलकर लेट नहीं जाते, उन्हें राहत न मिलती। ब्लड प्रेशर अलग अर्श-ए-मुअल्ला पर पहुँचा हुआ था, जिसे नपवाने हर दूसरे दिन उन्हें डॉ. अग्रवाल के यहाँ जाना पड़ता था और जिसकी वजह से टहलना लाज़मी हो गया था। अगर पैरों का दर्द टहलने दे तो।

इस जिस्मानी उतार चढ़ाव की वजह से ज़हनी तवाज़ुन भी कभी ऊपर कभी नीचे होने लगा था वह अपने को तरह तरह के डर और शक शुबहों कि गिरफ़्त में पाते थे। कभी तो यह

शक जायज़ होते थे, पर हाल में देवीबाबू ने अपने को अपनी भयंकर कल्पनाओं के हवाले छोड़ दिया था। ज़ाहिर है इसका असर यह भी हुआ था कि ज़िंदगी के दूसरे पहलुओं में उनकी दिलचस्पी कम होती गई थी। हाँ, शेयर बाज़ार के साथ वह मुसलसल उलझे रहते थे। अजीब ही था एक बीमार आदमी का माया की ओर इस तरह का खिंचाव। वह रोज अख़बार अपनी लागतों की ताज़ा जानकारी लेने के लिए निहारा करते और फिर मेज़ पर से अपनी फाइलें उठाकर देर तक उनका अध्ययन करते, जिनकी धूल से उन्हें खाँसी का दौरा आ जाता। फिर मालती को इन लागतों के बारे में वह बड़े जोश के साथ समझाते। इतने दूर दराज़ शहर में रहते हुए भी, ग्यारह सितंबर को हुए अमरीका पर आतंकवादी हमले ने उन्हें हिला दिया था।

"अब देखो, यह वर्ल्ड ट्रेड सेंटर पर हमले और अमरीकी शेयर बाज़ार में हलचल का अपने ऊपर क्या असर होता है..." देवीबाबू ने कहा। पर अफ़सोस कि मालती को शेयर बाज़ार के उतार-चढ़ाव में रत्ती भर दिलचस्पी न थी। और देवीबाबू के अपने शरीर के लंबे चौड़े बयानों से भी वह बेहद बोर हो गई थी। वह अभी बूढ़ी होने को तैयार नहीं थी। उसे लगता था उसने अभी अभी सुनहरे प्रकाश में छलाँग लगाई थी और वह एकदम हल्की, हवा में तैर रही थी। सैंतालीस साल की उम्र में वह अपने उरूज़ पर भी। जिज्ञासा उसमें देर से जागी थी पर जगने के बाद वह हर स्वाद का मज़ा लेना चाहती थी। हर चीज़ के बारे में जानना चाहती थी। काश, वह समय को रोक पाती, पर समय का तो काम था गुज़रना।

घड़ी में एक आख़री बार चाबी घुमाकर, उसने चाबी निकालकर पेंडुलम वाले ख़ाने में रख दी और शीशे का दरवाज़ा बंद करके वह हिफ़ाज़त से तिपाई पर से उतरी। बाहर अचानक मौसम बदल गया था और बूँदें पड़ने लगी थीं। वह जल्दी से आँगन में गई और अलगनी पर से कपड़े, जो उसने अभी अभी डाले थे, एक एक करके उतारकर आँगन से लगे छोटे से बरामदे में तार पर डाल दिए। आँख के एक कोने से उसने देखा एक नेवला अपने पीछे कई छोटे नेवलों की फ़ौज लेकर नाली पर जड़े पत्थर के पीछे ग़ायब हो गया। आँगन के कोने में, काई और चूने से बराबर की मिक़दार में पुती दीवार के पास धूल से लदा एक पुराना रामबाँस का पेड़ था। उसकी माँसल हरी-सुरमई सी पत्तियों की किसी ख़तरनाक हथियार से मिलती-जुलती नोकें पेड़ के इर्द-गिर्द एक नुकीला दायरा खींचे थीं और इस घेरे के बीच से उठता लंबा सुडौल बाँस जिसकी वजह से पेड़ को यह नाम मिला था। यह पेड़, किसी माली ने उसे बताया था, तीस सालों में एक बार फूलता है। वह बरामदे में खड़ी होकर कुछ देर इस पेड़ को देखती रही। उसने ग़ौर किया कि बाँस की फुनगी पर बिल्कुल महीन, छोटी छोटी सुनहरी कलियाँ आ रही हैं। अचानक दिखने वाला यह नज़ारा उसको एक उपलब्धि की तरह जान पड़ा। बग़ैर ध्यान दिए, वह गुनगुनाने लगी और देवीबाबू के कमरे में दोबारा दाख़िल हुई कि उनसे पूछे वह चाय तो नहीं पिएँगे। उसने देखा देवीबाबू कमरे में नहीं हैं।

"ओह! तो जहाँपना सिंहासन पर हैं!" वह बोली और एक अदम्य खिलखिलाहट उसके अंदर से बुलबुले की तरह उठती हुई मालूम हुई और वह हँस दी। उसने इधर-उधर देखा, हालाँकि वहाँ कोई भी नहीं था। काठ का उल्लू आलमारी पर बैठा अपने बड़े-बड़े कान से सुन रहा था। उसने उल्लू को एक बहशी निगाह से देखा और मुँह चिढ़ाती हुई बाहर आ गई।

'सिंहासन' पर, अपनी मुकर्रर जगह पर बैठे, बाबू देवीदीन ने गहरी साँस ली जो कि बहुत दूर अंदर फैले सर्द बियाबान से उठती हुई मालूम हुई और उन्होंने सोचा कि आज सुबह का क़िस्सा उन्हें यहीं तमाम कर देना चाहिए। उनको यहाँ बैठे तक़रीबन चालीस मिनट हो गए, आख़िर क़यामत तक तो बैठे नहीं रह सकते। दर्द और खाँसी तो वह फिर भी बर्दाश्त कर लेते थे। उनकी असली जंग तो क़ब्ज़ के साथ थी, जिस जंग में बड़ी जद्दोजहद के बाद ही उन्हें फ़तेह मिलती थी। मगर ऐसी फ़तेह भी क्या फ़तेह थी। घंटों वह बैठे रहते और इंसानी तक़दीर की पेंचीदगी पर ग़ौर फ़रमाते हुए हज़ार कोशिशें करते, मगर पेशी न होती। शुरू में, क़ब्ज़ के बचपन के दिनों में, वह अखबार लेकर अंदर जाया करते थे और पढ़ते पढ़ते अपने ज़िस्म के फ़लसफ़े को समझने की कोशिश किया करते थे, मगर जल्दी ही उन्होंने पाया कि फ़लसफ़ा तो अपनी जगह है, पर असली काम से तो उनका ध्यान ही हट गया है। फिर वह दिन आए जब कोई भी आवाज़ उनके भयंकर ध्यान में ख़लल डालने लगी, ख़ासकर उन मोटरकारों के हार्न की आवाज़ जो कि हर दस पंद्रह मिनट पर आया ही करती थी, क्योंकि उनके घर के चारों तरफ़ नई आबादी हो गई थी।

शहर का यह कोना भी फैलकर अब बसीह हो गया था।

जहाँ पहले धूल भरी सड़क और एकाध इमली और नीम के दरख़्त दिखते थे वहाँ एक नई बस्ती जैसे रातोंरात उग आई थी। खटिक पानवाले, ग्वाले, छोटे-मोटे ठेकेदार—जिन्हें देवी बाबू अपने मन में 'छोटे लोग' कहा करते थे—यानी ऐसा तबक़ा जिसके पास हाल में पैसा आ गया था, ने बिना किसी तरह की नागरिक समझदारी को इस्तेमाल किए हुए, बड़ी बड़ी इमारतें पास पास बनवा ली थीं इन इमारतों के बीच संकरी सड़कों पर, नगर निगम ने, सामूहिक सफ़ाई को ध्यान में रखते हुए, लोहे के डिब्बेनुमा कूड़ेदान लगा दिए थे, जिनका पेट बढ़ती हुई आबादी के बढ़ते उपभोग के सुबूत से भरा रहता था। जो कूड़ा उसमें नहीं समा पाता था, वह कूड़ेदान के बाहर ही, कभी छोटे, कभी बड़े पहाड़ों की शक्ल में पड़ा रहता था। 'अंकल चिप्स' और 'लहर- नमकीन' की मजबूत पन्नियाँ, आलू, प्याज़, केले और मूली के छिलके सड़ने की अलग अलग अवस्था में संघर्ष करते रहते, बच्चों की कॉपियों के फटे पन्नों में गणित के सवाल गणित के ही अनबूझ सवाल की तरह सड़ांध की नशीली हवा में फड़फड़ाते और राजश्री गुटखे और कॉलगेट टूथपेस्ट और लाइफ़बॉय साबुन के खाली डिब्बे कूड़ेदान में छलांग लगाने की क्रिया में पस्त बाहर पड़े रहते। मक्खियों का हुजूम इन सब पर भिनकता और निराश आँखों वाली डाँगर गऊमातायें अपने कोमल नथुने इनपर झुकातीं। इन्हीं संकरी सड़कों पर अकसर कोई 'मारुति' या 'सैन्ट्रो' ज़ोर से फिल्मी गाने बजाती या हार्न की तुर्श आवाज़ से कान बींधती हुई निकल जाती।

दिन भर यही सिलसिला रहता था। देवीबाबू के घर के बाहर एक नई दुनिया रची जा रही थी। चीजों के टूटने और बनने की आवाज़ें लगातार आती थीं। लोहा पिटता था, टीन की चादरें पटकी जाती थीं, कीलों के सिर हथौड़े से पच्ची किए जाते थे, लकड़ी का सीना आरी से चाक किया जाता था और छेनी और धुरमुस और कुदालों की अलग अलग ज़बानों से यह नई दुनिया गूँज उठती थी।

बाबू देवीदीन ने उठने की तैयारी में सोया हुआ पैर हिलाया तो झुनझुनी किसी ख्वाब की तरह उसमें जाग गई और थोड़ी देर तक पैर को पैर की शक्ल में नमूदार होने का बह इंतज़ार करते रहे। उनकी नज़र तंग से बाथरूम की दीवारों पर सीलन के निशान पर मकड़ी के जालों से होती हुई, नहाने की जगह रखे अधगले लकड़ी के पटरे, नीले प्लास्टिक के मग और बाल्टी, प्लास्टिक की ही साबुनदानी में रखे गुलाबी रंग के लक्स साबुन पर ज़रा देर ठहर कर गोद में रखे अपने हाथ पर लौट आई। उनके हाथ पर महीन नसों का सिलसिला क़ायम था, जैसे किसी खेत को सींचने के लिए ढेरों नहरें बनाई गई हों। इस खेत की दोनों हदों पर, जिसके पीछे हथेली का मैदान शुरू होता था, अधपके बालों के छोटे छोटे झुरमुट थे। हाथों को देखते हुए उनके अंदर एक पुरानी सी आह उठी और वह एकदम से बोले—

"हाय, यह खंडहर भी कभी मज़बूत किला था!"

उन्होंने अपनी एक्यूप्रेशर वाली भारी और बड़ी-बड़ी चप्पलों में पैर डाले, उनकी चप्पलें जिन्हें देखकर उन्हें हमेशा बड़े-बड़े हवाई जहाज़ याद आ जाते थे, जब कि चप्पलों की हवाई जहाज़ से कोई मुशाबिहत नहीं थी। वॉशबेसिन के ऊपर टंगा धूलदार आइना उनका मज़ाक उड़ा रहा था। न चाहते हुए भी उनकी नज़र आइने पर चली गई—चमड़े के बटुए की सी ढीली ज़र्द खाल, पीली आँखों पर झुकी भारी भौंहें और गिद्ध के बच्चे की चोंच जैसी लंबी बीच से कुछ झुकी हुई नाक। अंदर उभरती ग्लानि से बचने के लिए वह वहाँ से हट गए और अपनी बैठक में आकर खिड़की के सामने खड़े हो गए।

बाहर नई इमारतों की टेढ़ी क़तार थी। लंबी और पतली बदशक्ल इमारतें। उन्होंने खिड़की से पूरा सिर बाहर निकालकर ऊपर आसमान को देखा तो आसमान बहुत दूर और बहुत गहरा दिखाई दिया। जैसे किसी कूएँ के अंदर नीला रूमाल पड़ा हो। उनके घर के ठीक सामने वाली इमारत में एक राजेश ने प्लास्टिक की पन्नी बनाने की मशीन लगा ली थी जिसकी वजह से देवीबाबू के नीले रूमाल पर चोरी से लगाए गए बिजली के तारों की काली धारियाँ पड़ गई थीं। दिन भर ऊपर की मंज़िल से नीली पीली पन्नियाँ हवा में तैरती नाचती बैलरीनाओं की तरह सड़क पर और कभी देवीबाबू के आँगन में उतरती थीं इस हमेशा बनती और नई होती हुई दुनिया को देवीबाबू हैरान आँखों से देखते रहे। यह नई, हमेशा सक्रिय दुनिया उनकी अपनी ज़ाती ख़ामोश और एक जगह रुकी हुई दुनिया से कितनी फ़र्क थी। एक पीली बैलरीना उनकी आँखों के सामने से तैरती हुई खिड़की के सामने आकर उतरी।

देवीबाबू ने बैलरीना के अवरोहण को अन्यमनस्क भाव से नोट किया। उनकी नज़र खिड़की के पास, दीवार के कोने पर ठहरी हुई थी। वहाँ एक मकड़ी ने बड़ी होशियारी से जाला बनाया था। जहाँ कमरे की दो दीवारें मिलती थीं, वहीं कोने में वह जाला था—कितना ही महीन तारों से रचा हुआ एक करिश्मा। इतने

करीब से देखने पर वह देवीबाबू को एक जादुई करश्मा ही लगा। शेयर बाज़ार और अपनी जहनी पशोपे में उलझे हुए देवीबाबू का कभी मकड़ी के जाले को इतने करीब से देखने का इत्तफ़ाक़ नहीं हुआ था। ज़िंदगी में पहली बार वह उसको पास से देख रहे थे, जैसे वह कोई अजूबा हो। बारीक से बारीक बाल से भी ज़्यादा विरल था वह कितना सरल और कितना जटिल सपने की तरह पल भर में ओझल हो जाने वाला। देवीबाबू ताज्जुब में पड़ गए कि इतनी मामूली सी मकड़ी में इतना सुंदर स्वप्न बुनने की क़ाबलियत है।

देवीबाबू को लगा वह जाला चमक रहा है; उसमें एक तरह की आभा थी। क्या वह सुनहरे सूत से बुना हुआ था? खिड़की से दाख़िल होती हुई सूरज की एक किरण उस पर पड़ रही थी। बेहद नाज़ुक तारो से रची यह अलौकिक दुनिया हल्के से काँप उठी। देवीबाबू की साँस पल भर के लिए रुक गई। अपने जीवन के इस लंबे दौर में उन्हें कभी यह ख़्याल नहीं आया था कि कहीं उनके अंदर भी तमाम परतों के पीछे, एक कविनुमा इंसान छुपा हुआ हो सकता है। सूरज की किरण जाले पर जिस तरह चमक रही थीं, शायद इसलिए, या हो सकता है इतने महीन तारों की बेमिसाल बुनावट की वजह से, देवीबाबू की कल्पना के तार अचानक झनझना उठे थे। उनका ध्यान अपने अस्तित्व पर से हटकर इस वक़्त किसी और जगत् में पहुँचा हुआ था और वह अपने को फूल की तरह हल्का महसूस कर रहे थे। उनको अपने इर्दगिर्द एक गहरी शांति का अहसास हुआ। उनके अंदर दूर कहीं, बहुत दूर उसी सीने में जहाँ वह विचित्र ज़बान बोली जाती थी, कोई परछाईं सिहरने लगी, वह हौले से हिली और किसी सोते हुए जीव ने अँगड़ाई ली। उन्होंने अपने को एक निर्मल, रौशन से अहसास के आगोश में लिपट जाने दिया।

मालती हाथ में चाय का प्याला लिए आँगन पार कर रही थी तो उसने देखा रामबाँस की कलियाँ पूरी तरह खिल उठी हैं। दिल में बढ़ते हुए हर्ष के साथ वह देवीबाबू के कमरे में दाख़िल हुई। देवीबाबू शेयर बाज़ार की फाइलों वाली मेज़ के सामने कुर्सी खींचकर बैठे हुए थे। उनके हाथ में क़लम था और एक फ़ाइल की पीछे वाली दफ़्ती पर वह बड़े ध्यान से पारे खींच रहे थे। मालती ने पास जाकर देखा तो यह पारे घरों में तबदील हो गए। एक अनाड़ी के हाथ से बनाए गए ऊबड़-खाबड़ घर। पर देवीबाबू यह घर बनाने में ऐसे लीन थे, इतना ध्यान उनमें लगाए थे जैसे वह कोई बहुत बड़े कलाकार हों। जब मालती ने चाय का प्याला उनके सामने रखा तब भी उन्होंने ऊपर नहीं देखा।

उनका क़लम काँपता हुआ सा काग़ज़ पर बढ़ रहा था। मालती के देखते देखते उन्होंने घर की छत पर एक आदमी खड़ा कर दिया। आदमी के हाथ में डोर थी और वह गर्दन घुमाए ऊपर को देख रहा था। वहाँ, जहाँ घरों के ऊपर फैले बड़े से ख़ाली आसमान में एक पतंग तरंगें भर-भरकर उड़ रही थी, जैसे वह डोर से छूटकर दूर अनंत में लुप्त हो जाना चाहती हो।

एक नीरस कहानी

जयशंकर

"It is life that has happened and I am old."

—Aragon

वे टॉयलेट से लौट रहे थे। वहाँ से उनके कमरे तक के बीच छोटा-सा गलियारा था। उन्होंने खिड़की से अपनी पत्नी के कमरे में झाँका। वह जागी नहीं थी। फ्रीज के पास आकर उनकी निगाहें रसोई पर ठहर गई। उन्हें लगा कि वे गैस के सामने खड़े हुए दूध गरम कर रहे हैं। वे सुबह की सैर से लौटते वक्त मदर डेयरी से दूध का पैकेट लाते और घर आते ही उसे गरम करने के लिए किचन में जाते। उनके बीमार पड़ जाने के दिन तक यही होता रहा था। वहीं खड़े हुए उन्हें मदर डेयरी की याद आई, उसके करीब के ओल्ड पार्क की और उन लोगों की भी जिनको कभी-कभार वे पार्क की घास पर बैठकर सुना करते थे।

एक लंबा अरसा बीत गया और वे अपने घर से कहीं भी अकेले नहीं गए हैं, पैदल नहीं गए हैं। वे अपने बिस्तर पर लौट आए। उनके बाएँ तरफ के कमरे में उनका बेटा और बहू सोये हुए थे और सामने के कमरे में उनकी नातिन और नाती। इसी कमरे में कभी वे अपने छात्रों को पढ़ाया करते थे। वहीं कभी स्कूली डेस्क रखे हुए होते थे और उनकी पढ़ने-लिखने की मेज के किनारे उनका अपना छोटा-सा और पुरान दीवान। वे अपने दीवान पर लेटे रहते और खिड़की से उन्हें नागचंपा का पेड़ नजर आता रहता। वह नागचंपा का ही पेड़ था, जिसके नीचे खड़े हुए अलीबाग में उन्होंने पुराने जजीरे को देखा था। अलीबाग के उन दिनों को बीते हुए सैंतीस साल से भी ज्यादा वक्त हो गया। उन्हें लगा कि उनके देखते-देखते उनके अपने घर में, उनके अपने जीवन में कितना कुछ बदल गया है। धीरे-धीरे वे कितने ज्यादा निकम्मे, फालतू, अकेले और बूढ़े होते चले गए हैं।

यह और यही तो सबके साथ होता है। एक वक्त आता है जब अचानक एक दिन आप पाते हैं कि आपका जमाना बीत गया है। आप एक कोने में पड़े हुए अपने आसपास को देखते रहते हैं और आपका आसपास बिना आपकी भागीदारी के चलता रहता है, बढ़ता रहता है। घर में दूध आता रहता है। वहीं से आता रहता है। उसे गरम किया जाता है लेकिन इन सबमें आप कहीं नहीं होते हैं। सब कुछ आपके बिना भी पहले की तरह ही चलता रहता है।

घर के किसी भी काम के बारे में आपसे कुछ भी पूछा नहीं जाता है। आप खुद भी किसी से कुछ भी पूछने का साहस नहीं बटोर पाते। घर के लोग आपकी सुनना नहीं चाहते और बाहर के लोगों की आपमें दिलचस्पी खत्म हो जाती है। फिर आपकी देखभाल के लिए किसी को रख दिया जाता है लेकिन वह भी आपकी उतनी नहीं उस व्यक्ति की बात सुनता है जिससे उसे अपनी तनख्वाह मिलती है। यह सब और ऐसा ही सब कुछ वे ओल्ड पार्क में सैर के लिए आते बूढ़ों से सुना करते थे। उस वक्त उन्हें उन बूढ़ों की शिकायतें बेमानी महसूस होती थी। अब वे अपने बुढ़ापे को जी रहे हैं।

ओल्ड पार्क के उन बूढ़ों को सुनते वक्त वे सोचा करते थे कि उन पर ऐसा कोई वक्त नहीं आना चाहिए जब दूसरे उनके साथ किसी लाचार, दयनीय और कमजोर आदमी की तरह व्यवहार

करने लगे। वे अपनी आखिरी साँस तक अपने स्वाभिमान के साथ जीना चाहते थे। पर यह न हो सका। रिटायर होने के दूसरे साल में ही उनको दिल का जबरदस्त दौरा पड़ा। यही कम नहीं था और आँखों में मोतियाबिंद उतर आया। दोनों आँखों का ऑपरेशन करवाया गया लेकिन आँखों में पुराने दिनों की रौशनी नहीं लौट पाई। अब एक कमरा है, या सिर्फ एक दीवान जिस पर उनका ज्यादातर वक्त बीतता है। वक्त क्या बीतता है, वे बीतते जा रहे हैं।

कभी-कभार अपने मकान के पड़ोस के पुल से गुजरती ट्रेन की आवाजें से उनके भीतर यह सवाल उतर आता है कि उन्हें भी ट्रेन में बैठकर कहीं के लिए निकल जाना चाहिए। कभी उनके साथ यह भी हुआ करता था। वे चौबीस पच्चीस के रहे होंगे। पोस्टग्रेजुएट के जाने के बाद वे बेरोजगार थे। उनका जीवन कहीं से और किसी से भी बँधा नहीं था। ऐसे दिनों में वे कभी-कभी ट्रेन की आवाजें सुनते, नानी से कुछ रुपए माँगते और पूना के आसपास के किसी इलाके में कुछ दिनों के लिए चले जाते। उनके पास पैसे थोड़े होते थे और वक्त ज्यादा। इसीलिए वे पैसेंजर ट्रेन में यात्राएँ किया करते थे। नानी को उनकी कुछ दिनों की सनक, उब और उत्सुकता का हल्का सा अनुमान रहने लगा था और वे उनके घर से निकलते वक्त पैसों के साथ-साथ उन्हें वह डिब्बा भी पकड़ा देतीं जिसमें चिवड़ा होता या शकरपारे, जो यात्रा के वक्त बहुत काम आया करते थे। इसी तरह की सनक उन्हें उन दिनों में अलीबाग तक ले गई थी। वे सर्दियों की शुरुआत के दिन थे और वे बंबई से अलीबाग तक स्टीमर से गए थे।

बंबई के समुद्र से स्टीमर छूट रहा था और वे छूटते हुए शहर को स्टीमर में रखी ताजी मछलियों की टोकरियों पर झपटते हुए पक्षियों को, उनको हाथों और आवाजों से भगाती कोंकणी औरतों को, अखबार पढ़ती हुई एक युवा लड़की को देखते रहे थे। तब कितनी छोटी-छोटी चीजें कितना ज्यादा प्रभावित किया करती थी। तब जीने की निष्ठा अपनी ऊँचाइयों पर होती थी और मन बहुत कम समय तक और कभी-कभार ही मनहूस बना रहता था और अब उनका मन हमेशा ही मृत-सा पड़ा रहता है। मनहूस-सा बना रहता है। मरने की तरफ देखता हुआ मन। जीने को जंजाल समझता और उससे जी चुराता हुआ मन। इस कमरे की खिड़की सड़क पर नहीं सकरी, पुरानी और अंधेरी गली में खुलती है। गली अक्सर सूनी पड़ी रहती है। उन्हें रसोई से जुड़े हुए कमरे में रखा गया है ताकि रसोई में काम करते-करते भी उनकी ज़रूरतों को देखा जा सके। सुना जा सके। इस तरह उनकी तकलीफों को बराबर और ठीक तरह से जाना जा सकता है। पर जानना दूसरी बात है और समझना एकदम दूसरी बात। कुछ लोग जानते ही नहीं। कुछ लोग जानते हैं लेकिन समझते नहीं है और ऐसे लोगों में उनका बेटा आता है, उनकी पत्नी और बहू भी।

अब उनकी जरूरतों को ही उनका ही परिवार कितना कम समझ पाता है। उनके लिए ताजे और तरह-तरह के फल आते हैं, एक डॉक्टर बराबर उन्हें देखता रहता है, अब भी उनके कपड़े लाँड्री में धुलकर आते हैं, उनके सामने रंगीन टेलिविजन रखा गया है। एक नर्स उनकी ही देखभाल के लिए कुछ घंटों के लिए रोज आती है, उनकी पत्नी पूजा करने के बाद सबसे पहले उन्हें ही प्रसाद देती है। उनके लिए इतना कुछ और इतनी अच्छी तरह किया जाना उन्हें अच्छा भी लगता है लेकिन इन सबके बावजूद यह चीज़ उन्हें अखरती है कि घर का एक भी आदमी उनके पास जरा-सी देर के लिए भी नहीं बैठता है। सब अपने कामों में व्यस्त रहते हैं और सिर्फ वे ही निकम्मे बने रहते हैं। अपना इस तरह से निष्क्रिय, फालतू और अकेले बेबस और बूढ़े होना, उन्हें दुख देता है, आत्मदया में डुबाता है।

एक बरस भी नहीं हुआ जब रिटायर्ड होने के बाद भी वे छात्रों को पढ़ाते थे। खुद पढ़ते थे। अब न पढ़ना होता और न पढ़ाना। बीच-बीच में उनकी बिटिया आती है और वही उन्हें थोड़ा-बहुत पढ़कर सुनाती है। यही लड़की अब भी इस बात का जिक्र करती है कि कभी वे शेक्सपियर को कितना ज्यादा पढ़ा करते थे और कितना अधिक पसंद किया करते थे। वह आती है तब उनकी किताबों की आलमारी खुलती है। आलमारी की ज्यादातर किताबों को उन्होंने अपने मुश्किल दिनों में खरीदा था और अपने बेहतर दिनों में पढ़ा था। इनमें ज्यादातर किताबें पूना के सेकंड हैंड किताबों की दुकानों में देर-देर तक भटकते हुए, बरसों पहले खरीदी गई थी।

जब वे पंद्रह के रहे होंगे तब उनकी माँ भी नहीं रही। पिता उनके बचपन में ही नहीं रहे थे। पंद्रह की उम्र के बाद उनका जीवन अपने नाना-नानी के यहाँ एक दूसरे शहर में शुरू हुआ। नाना-नानी के रहते उनकी पच्चीस बरस तक की जिंदगी ठीकठाक रही, वे लगातार पढ़ते रहे। यात्राएँ करते रहे, नाना-नानी की देखभाल करते रहे, लेकिन उन लोगों की मौत के बाद बहुत कुछ

बदलने लगा। अपनी जीविका चलाने के लिए वे अंग्रेजी के एक दैनिक अखबार में पार्ट-टाइम रिपोर्टर हो गए। उन्हें शहर में हो रहे खेलों की रिपोर्टिंग का काम सौंपा गया। उन्हीं दिनों में फुटबाल के विश्वस्तर के मैचों की रिपोर्टिंग करने के लिए उन्हें कलकत्ता जाना पड़ा था और वहीं की खाली दुकानों में, किसी पब्लिक लाइब्रेरी के भीतर अपना समय गुजारते हुए उन्होंने अध्यापक बनने का फैसला किया था।

अंततः वे अध्यापक बने और बेहतर अध्यापक साबित हुए। गणित के बहुत बढ़िया टीचर की हैसियत से उनकी ख्याति फैलती ही गई। उसने इलाके की शारदा लाइब्रेरी को बनाने और बढ़ाते चले जाने के लिए वे निरंतर प्रयत्न करते रहे थे। वे जब तक सक्रिय रहे, लाइब्रेरी में अलग-अलग विषयों के विद्वानों के व्याख्यान होते रहे, लाइब्रेरी की छत पर संगीत-सभाएँ और नाटक होते रहे और गर्मियों में बच्चों के लिए उनकी ही कोशिशों से तरह-तरह के वर्कशॉपों का आयोजन होता रहा था।

कभी लाइब्रेरी के लिए ही धन इकट्ठा करने के लिए वे शेक्सपियर के नाटक 'मैकबेथ' को तैयार कर रहे थे। उसी नाटक में लेडी मैकबेथ की भूमिका निभाने के लिए उन्होंने अपनी एक पुरानी छात्रा को चुना था। नाटक की रिहर्सल के दिनों में ही उस लड़की की एक दुर्घटना में मौत हो गई। उस लड़की की मार्मिक मृत्यु ने उन्हें कुछ महीनों तक मर्मांतक पीड़ा में डुबाए रखा था। वे उसे अपनी लड़की की तरह चाहने लगे थे और कभी उसे शेक्सपियर की 'ओफेलिया' के रोल में देखने की उनकी तमन्ना रिहर्सल के दिनों में बनती गई थी।

'मैकबेथ' की रिहर्सल के दिनों में मरी उस लड़की के लिए उनके इतने ज्यादा और इस तरह के अनुराग के पीछे एक और कहानी भी थी। अपने युवा दिनों में वे एक बार स्टीमर से अलीबाग गए थे। उसी स्टीमर में उनकी मुलाकात एक लड़की से हुई थी और तीन-चार दिनों के अपने प्रवास में वे उस लड़की को चाहने लगे थे। बाद में वे दोनों एक-दूसरे को चिट्ठियाँ लिखते रहे। चिट्ठियों का यह सिलसिला तीन-चार बरसों तक चलता रहा। फिर उस लड़की की कहीं और शादी हो गई और इन्होंने भी किसी और लड़की से विवाह कर लिया। पर स्टीमर में मिली उस गुजराती लड़की के साथ अलीबाग में बीती शामें, उनके जीवन की असाधारण और अविस्मरणीय शामें बनी रही और उस लड़की के पत्रों को वे अपनी शादी के कुछ बरसों के बाद तक संभाले रहे, बीच-बीच में पढ़ते भी रहे। फिर किसी दिन उनमें से कुछ चिट्ठियों को उनकी पत्नी ने पढ़ लिया और सर्दियों की एक सुबह में उन्होंने तेलखेड़ी गार्डन के सामने की झाड़ियों के पास उन सब चिट्ठियों को पत्तियों और टहनियों से बनी आग में झोंक दिया था।

एक-एक चिट्ठी जलती रही थी जलाने के पहले वे उस चिट्ठी को आखिरी बार पढ़ते रहे थे और उस लड़की के बारे में सोचते रहे थे। इस बात को बीते हुए भी न जाने कितने बरस हो गए। एक आदमी की जिंदगी में कितना कुछ आता है और कितना कुछ चला भी जाता है। इतना कुछ कहाँ-कहाँ से आता है और न जाने कहाँ-कहाँ चला जाता है। कहीं कोई आदमी किसी लड़की की लिखी गई चिट्ठियों को जलाता है और कहीं कोई औरत अपने घर की छत पर खड़े होकर जलती चिट्ठियों से उठती आग और धुएँ को देखती रहती है। इस तरह पुराने प्रेम की पीड़ा, परछाइयाँ और पछतावे बीच-बीच में लोगों को छेड़ते रहते हैं, घेरते रहते हैं।

अब भी कभी-कभी वे अलीबाग के समुद्र को याद करते हैं, उस पर खड़े जहाजों को और इन सबके बीच उनके साथ समुद्र के किनारे टहलती हुई या बैठी हुई उस लड़की को जो साँवली थी, दो चोटियाँ डाला करती थी गाल पर तिल थमा रहता था। और माथे पर छोटी-सी काली बिंदी चढ़ी रहती थी।

कभी-कभार उनके मन में आया भी है कि अलीबाग के अपने प्रेम के छोटे से इतिहास के बारे में अपनी लड़की को बताए लेकिन एक तरह का संकोच उन्हें रोक रहा। अलीबाग की शामों का वह प्रेम, उनकी बासठ बरस की जिंदगी का पहला और आखिरी प्रेम था और उसके साथ भी यह विडंबना जुड़ी रही कि सिवाय उनके उस प्रेम की गहराई और सच्चाई के बारे में कोई भी नहीं जानता था। फिर एक दिन उन्हें पता चला कि उनकी लड़की ने कॉलेज के किसी ऐसे लड़के की बहुत शिकायतें और बेइज्जती की जिसने उसे कॉलेज के रास्ते में गुलाब का फूल देना चाहा था, तो उनका मन यह सोचकर डूब गया कि उनकी लड़की शायद भावुकता को बेवकूफी समझती होगी।

अपने बारे में उन्हें लगता रहा कि वे बहुत पहले से बेहद भावुक रहते आए हैं। बचपन में ही अनाथ हो जाना इसके पीछे रहा होगा। माँ और पिता के बिना पराए शहर में नाना-नानी के घर में बीते, जीवन के बरस। धीरे-धीरे ऐसी किताबें भी उनकी आत्मा का अंश बनती गई जिनमें गहरी भावनाएँ थीं। टामस मान

की कुछ कहानियों में रची-बसी उदास और विराट भावनाओं को जब कभी वे छूते थे तो सोचा करते थे कि ऐसी कहानियों को लिखते हुए, टामस मान ने खुद कितना सहा होगा, कितनी व्याकुलता और विषाद के बीच कहानियों को लिखने के क्षण में रहे होंगे। उन्हें यह भी लगता रहा कि उनकी भावनाएँ ही है, जो उन्हें अपने भरपूरे परिवार के बीच भी अलग-थलग बनाए रहती है। आखिर उनके लड़के ने क्या नहीं किया है? कितना सारा रुपया उनके इलाज और उनकी देखभाल के लिए खर्च हो रहा है। कौन करता है आजकल इतना सब। उनके पास इतना रुपया भी नहीं है कि कोई उन रुपयों की लालच में इतना सब करे। उनके लिए इतना सब किए जाने को लेकर उनकी विधवा बहन ही उनसे इर्ष्या करती है जो थोड़े-बहुत रुपयों के लिए तरसती रहती है। पर एक दिन नहीं जाता जब उन्हें यह ख्याल नहीं आता है कि घर का कोई भी आदमी पाँच मिनिट के लिए भी उनके पास नहीं बैठता उनका लड़का भी यह जानना नहीं चाहता कि उनके साथ क्या हो रहा है?

उनकी लड़की आती है, उनसे बातें करती है, उन्हें कुछ-कुछ पढ़कर सुनाती है, उन्हें गली में आरामकुर्सी पर बिठाकर उनकी पसंद का कोई कैसेट टेप पर लगाती है और ऐसे दिन उनके लिए थोड़े-बहुत सहनीय हो जाते हैं। तब उनके मन में आता है कि उन्हें अपने बाकी बचे बरसों के लिए अपनी लड़की के पास रहने के लिए चले जाना चाहिए। लड़की चली जाती है और उसके साथ-साथ यह ख्याल भी। इस ख्याल की जगह यह सवाल ले लेता है कि अगर उन्होंने ऐसा किया तो उनके लड़के की कितनी बदनामी होगी। समाज के लोग क्या-क्या नहीं सोचेंगे। फिर से उन्हें इस बात पर गहरा संदेह होता है कि इस घर के अलावा, किसी भी घर में वे एक दिन भी रह सकेंगे।

बीमारी और बोरियत के इन दिनों में उन्होंने जाना है कि अकेलापन क्या होता है। बुड़ापे का बोझ किसे कहते हैं। आदमी से बात करने का सुख क्या होता है और क्या होता है स्वस्थ होना। किसी की भी मदद के बिना जीवन बिताना। बिस्तर पर लेटे रहते हैं, सोचते रहते हैं चिंताओं से घिरते चले जाते हैं और उनकी पत्नी घर के काम करती रहती है। गमलों में पानी डालती है। तारों पर सूखने के लिए गीले कपड़े डालती है सामने आए लोगों से सब्जियाँ, मछलियाँ और मिर्च-मसाले खरीदती रहती है और तब उन्हें अपना बिस्तर पर होना अखरता है, अपनी पत्नी का बीमार न होना अखरता है। वह अब भी लाइब्रेरी जाती है। मंदिर के लिए निकलती है, घर की हर बात का फैसला लेती है और वे घर के एक कोने में ऐसे पड़े रहते हैं जैसे वे जीवित नहीं हैं। जैसे उन्होंने इस घर के लिए कुछ किया ही नहीं है।

इस तरह जब वे बुढ़ापे और बीमारी और बोरियत की अपनी विराट विवशता के बीच होते हैं तब कभी-कभी उन्हें अपनी नानी की याद आती है। तब नाना भी नहीं रहे थे। वे बिस्तर पर चुपचाप लेटी रहती थी और वे उनको अकेले छोड़कर बाहर घूमते रहते थे। उन दिनों क्षण भर के लिए भी उनके मन में यह नहीं आता था कि एक दिन ऐसा भी आएगा जब वे उन सब बातों को सहेंगे जिन्हें उस वक्त नानी सह रही थी और वे जरा-सा भी समझ नहीं रहे थे। बुढ़ापे की लाचारी का अहसास बूढ़े होने पर ही पता चलता है। अब उन्हें अपनी नानी की व्यथा समझ में आती है, समझ में आता है नानी की उन सूनी-सूनी आँखों का अर्थ, जो छत पर टिकी रहती थीं। अब नानी के बारे में सोचते हुए उन्हें पीड़ा मिलती है और पछतावा भी।

कितना अजीब है कि जब जीवन का थोड़ा-बहुत अर्थ खुलने लगता है, जब जीने की थोड़ी-सी तमीज और समझ आती है, तब तक अच्छी तरह से जीने के लिए अपनी भूलों को सुधारने के लिए जीवन ही नहीं रह जाता। आप अपने समझे हुए को जी नहीं पाते हैं और आप किसी को यह बताने के काबिल नहीं रह पाते कि आपने अपने जीवन को गलत ढंग से जिया है, आपने खुद अपने जीवन को नष्ट किया है, अपने जीने का नर्क खड़ा किया है। और अगर आप बताने के काबिल भी रहे तो किसी के भी पास आपको सुनने के लिए फुरसत नहीं रहती, किसी की भी आपकी जिंदगी में जरा-सी भी दिलचस्पी नहीं रहती।

इन सब अहसासों और अनुभवों के बीच वे ऐसा भी सोचते रहते हैं, कि बुढ़ापे में यह सब सिर्फ उनके साथ ही नहीं हो रहा है। पहली बार नहीं हो रहा है। सदियों से इस संसार में बुढ़ापा विवश विकराल और विषादमय ही रहता आया है। यह सब बड़ी हुई उमर का तकाजा है। थकी हुई देह की नैसर्गिक नियति। सब इन तकलीफों से गुजरते हैं, इन तनावों को सहते हैं, प्रकृति की इस लीला को समझते है।, ईश्वर के इन इरादों को जीते हैं।

इस तरह का सोचना उन्हें तसल्ली देता है। कभी-कभी यह सब सोचते हुए बरबस ही वे बिस्तर से उठते हैं और अपनी पुस्तकों में से एक पुरानी-सी पुस्तक निकालते हैं। कवितायों की इस किताब

को कभी उन्होंने पूना की किसी दुकान से खरीदा था। इस किताब में ही टेनिसन की एक कविता 'क्रॉसिंग द बार' शीर्षक से है, जिसे पढ़ना और पढ़ते रहना पिछले एक बरस में, उन्हें गहरी तसल्ली देता रहा है। गहरा सुख देता रहा है।

वे वहीं आलमारी के पास खड़े हुए, खिड़की से आती हुई रौशनी में अपनी कमजोर आँखों से उस कविता को पढ़ते रहते हैं और खिड़की के करीब खड़ा हुआ तुलसी का पुराना पौधा उन्हें देखता रहता है, उनके आनंद से ईर्ष्या करता रहता है। अक्सर यह दुपहर का कोई क्षण रहता है। हमेशा यह तसल्ली का क्षण होता है।

गली घूम गई

नासिरा शर्मा

रात ढल रही थी। छत से तैरती आती हवा कमरे के रेशमी महीन पर्दों से टकराकर उनको इधर-उधर उड़ा रही थी। मिनी के खुले बाल भी कभी उसके चेहरे को ढँक लेते कभी पीछे पीठ की तरफ़ जा हवा के संग उड़ने को बेकरार हो उठते। दीवार से पीठ लगाए बैठी मिनी आँखें बंद किए यादों की घाटियों में तैर रही थी। उसका दिल अनमना-सा था। पैरों के पास चटाई पर कुछ खुली और कुछ बंद किताबें बिखरी हुई थीं। पैड पर लगे पन्ने हवा से फड़फड़ा रहे थे। कई रंग के पेन बिखरे थे।

मिनी के साथ यह अक्सर होता है। एक-दो महीने बाद वह इसी तरह गहरी उदासी में डूब जाती है। नींद आँखों से रूठ जाती है और वह गुज़रे दिनों को जीती हुई इस तरह बैठ जाती है जैसे पर्दे पर फ़िल्म देख रही हो। उसकी इस हालत का पता माँ को है और छोटे भाई-बहनों को भी है मगर कोई कुछ नहीं कर सकता है। जो घटना था वह घट गया। इसका सबको अफ़सोस था। इस हादसे में किसी का हाथ नहीं था। जो होना था होकर रहा। जब कभी मिनी माँ से लड़ते हुए कहती, "आपने मेरा जीवन, मेरा कैरियर चौपट कर दिया है और मुझे एक-दो नहीं पूरे दस साल पीछे फेंक दिया है।"

"मैंने जान-बूझकर तो नहीं किया न" माँ सिर झुकाकर जवाब देतीं मगर मन ही मन कहतीं कि अगर वह हो जाता तो आज ऋतु मुझको खलवातें सुनाती कि माँ आपने मेरा जीवन बर्बाद कर दिया। मुझे तो दोनों में से किसी एक की बात को सुनना ही था। गलती न होने पर भी मैं ज़िम्मेदार ठहरा दी गई। यह भी अजीब संयोग है।

जब-जब ऋतु का ख़त आता है मिनी के तेवर खिंच जाते हैं। जब कभी मायके आती है तो मिनी सहज नहीं रह पाती हैं। किसी छोटी-सी बात पर तुनक जाना, बेमतलब गुस्सा हो जाना, ऋतु से लड़ जाना और फिर शिकायतों का ढेर लगा गहरी उदासी में डूब जाना। ऐसा नहीं है कि ऋतु को अपनी इस हरकत से दुख नहीं होता या अपनी हरकतों पर हुआ पछतावा उसको लज्जित नहीं करता है। तो भी वह अपने ऊपर प्रतिबंध नहीं लगा पाती है। अपने को कोसने, बुरा-भला कहने से भी नहीं चूकती है मगर यह सब एक झोंके में होता है जैसे तूफ़ान आया, झंझावात ने सब कुछ तहस-नहस कर दिया, फिर शांत उजला आसमान, अपनी नर्म धूप के साथ दूसरे दिन इस तरह निश्छल, मासूम चेहरे के साथ आता जैसे उसने कुछ देखा ही न हो।

सुबह उगने लगी थी। मटमैला अँधेरा दूधिया रंग में घुलने लगा। मिनी ने अपने भारी पपोटे खोले और छत पर फैली रोशनी को ताका। उसका बदन थकन से चूर था। लग रहा था जैसे शरीर पर कोई भारी चीज़, जिसने उसको जकड़ रखा था, अब धीरे-धीरे कर उसके बदन से दूर हो रही है। बिस्तर से तकिया खींचकर वह वहीं चटाई पर लेट गई। जलती आँखें बंद हुईं और वह गहरी नींद में डूब गई। कुछ पल बाद ही उषा की लालिमा में सराबोर उसका शरीर किसी पेंटिंग की तरह रहस्यमयी हो उठा। चिड़ियों की चहचहाहट गूँज उठी और हवा की ठंड ने गर्म धूप का दोशाला अपने कंधों पर डाला मगर मिनी को इसकी ख़बर न लगी कि सूरज की नर्म किरणें उसके बालों में उलझी सीधे उसके मुँह पर पड़ रही हैं।

"यह लड़की भी...' माँ चाय का प्याला लेकर आई थीं। इतना कहकर उन्होंने पर्दा खींचा और वापस चली गई। उन्हें कमरे की हालत ने और मिनी के लेटने के अंदाज़ ने सब कुछ बता दिया था। उनका मन उदास हो गया।

घर में सुबह की चहल-पहल मौजूद थी। माँ जब भरी प्याली लेकर उतरीं तो रूमा समझ गई कि दीदी आज ग्यारह बजे से पहले नहीं उठने वाली हैं इसलिए उनका कढ़ाई के काम वाला दुपट्टा मारा जा सकता है। नहाकर निकली थी। ट्रे से प्याला उठाकर होंठों से लगाया और माँ को हँसकर देखा। माँ छोटी बेटी के हँसमुख चेहरे को देखकर हल्की हुईं और बड़े मन से कद्दू की सब्जी छोंकने लगीं। परांठे का आटा गूँथकर महाराजिन ऊपर झाड़ू लगाने सीढ़ी चढ़ने लगी तभी रूमा ने उसको मना करते धीरे से कहा, "दीदी सो रही हैं।"

महाराजिन साड़ी बटोरकर कमरे की तरफ़ बढ़ी और रूमा खाली प्याली जूठे बर्तन के बीच रख तेज़ी से ऊपर भागी। हर पत्तियों और गुलाबी, ऊदे, पीले फूलों वाला वह सफेद आरकंडी का दुपट्टा आज सफेद सूट पर पहनकर कॉलेज जाएगी। ऊपर पहुँची तो उसका दिल डोल गया। दारज़ से मोती की माला और बालियाँ भी उसने निकालीं और अलमारी खोल दुपट्टा उठा वह मुड़ी और मिनी पर एक नज़र डालती हुई बाहर निकली। सीढ़ियाँ उतरते हुए उसका खुशी के मारे बुरा हाल था। कब से ओढ़नी कंधे पर डालने का उसका सपना आज पूरा हुआ था। महाराजिन ने बर्तन माँजते हुए रूमा को तेज़ी से उतरते देखा तो बोल उठी, "बिटिया संभलकर!"

राजेश तैयार होकर नाश्ते की मेज़ पर बैठा गर्म-गर्म परांठे कद्दू की सब्ज़ी के साथ मज़े ले-लेकर खा रहा था। उसका पहला पीरियड आज दस बजे था। घड़ी में अभी सिर्फ नौ बजे थे। दीदी सो रही थीं इसलिए आज वह उनका स्कूटर लेकर जा सकता है। यही बात उसको मगन बना रही थी। माँ का भी बेटे का इस तरह चाव से खाना बहुत भा रहा था। रूमा जब तैयार होकर बाहर निकली तो माँ ने उसको जाते हुए रोका, "रूमा, नाश्ता तो करती जाओ।"

"देर हो रही है माँ।"

"बैठो आराम से नाश्ता करो मैं स्कूटर से तुम्हें रास्ते में छोड़ दूँगा।"

"ओह! रियली?" रूमा चहकी!

"रियली" राजेश हँसा!

रूमा लौटी और बरामदे में रखी खाने की मेज़ के एक तरफ़ बैठ गई। उसको डर था कि दीदी कहीं जाग न जाएँ मगर साथ ही एक लापरवाह बहादुरी भी थी कि अब तो चुन्नी ओढ़ ली है दीदी उतरवा थोड़ी लेंगी। नाश्ता ख़त्म कर दोनों माँ से विदा ले बाहर निकले। रूमा बी. ए. पार्ट वन में है राजेश ने कम्प्यूटर ज्वाइन कर रखा है साथ ही इंगलिश में एम. ए. भी कर रहा है। दोनों बहन-भाई जल्द से जल्द नौकरी में लगना चाह रहे हैं ताकि घर के वातावरण को बदल डालें। मिनी के सपने जब से बिखरे हैं तब से उसका पी-एच. डी. का काम ख़त्म ही नहीं हो रहा है, उसी में उलझी डूबती-उतराती रहती है। उससे सब निराश हो चुके हैं। ऋतु तो पहले ही ब्याह दी गई। सो उससे आशा करना कि वह घर के लिए कुछ करे बेकार है।

यह घर दो साल पहले खुशहाल घर का एक नमूना था। आसपास वाले उदाहरण देते थे मगर कुमार साहब को जाने क्या हुआ जो अधेड़ उम्र में दूसरी शादी कर बैठे। दो घरों के बीच शुरू-शुरू में बड़ी कटाछनी मची। दुश्मनी निभाई गई। जब कोसने सुनते-सुनते कुमार साहब के कान पक गए तो वह चंद कपड़े अटैची में डाल नई ब्याहता के घर रहने चले गए। वह तो चाहती थीं कि ऐसा हो, और अब बिना किसी कोशिश के कुमार साहब पके आम की तरह उनके क़दमों पर आन गिरे थे। उनका कर्तव्य था कि वह पतिदेव को माथे पर सुहाग की बिंदी की तरह सजाएँ। आवभगत, सेवा-सत्कार ऐसी हुई कि कुछ दिनों बाद कुमार साहब ने खर्च भी पहली घरवाली को देना बंद कर दिया। कुछ रिश्तेदार बीच में पड़े सुलह-सफ़ाई करवानी चाही, ख़र्चा-पानी बँधवाने की बातचीत की मगर कुमार साहब ने जो मुँह मोड़ा तो फिर पुराने घर की तरफ मुड़कर नहीं देखा। उनकी इस तोताचश्मी पर उनको सबने बुरा-भला कहा मगर वह नए पैदा हुए बच्चे को पराम में घुमाते रहे। उनका यह बदला रूप देखकर पत्नी ने दिल पर पत्थर रख सिलाई करना शुरू कर दिया। ऋतु का ब्याह जब तय हुआ तो कन्यादान के लिए कुमार साहब कपड़ा-लत्ता लेकर पहुँचे थे। शादी खूब अच्छी तरह से हो गई। पत्नी ने सोने का सेट और तीन साड़ियाँ जो वे बेटी के लिए लाए थे उनको लौटाते हुए कहा :

"घर से जाते हुए आप जिन बच्चों को छोड़कर गए थे उनकी ज़िम्मेदारी मैं उठा रही हूँ। आप आ गए बहुत-बहुत धन्यवाद वरना यह काम भी मैं अपने बलबूते पर पूरा कर लेती। यह साड़ियाँ

और सेट वापस ले जाएँ मुझे भौतिक चीज़ों की आपसे पाने की कोई तमन्ना अब शेष नहीं है।''

कुमार साहब का खिला चेहरा मुरझा गया मगर वह कुछ बोले नहीं चुपचाप बण्डल उठाकर घर से बाहर चले गए। मिनी, रूमा, राजेश तीनों ने एक-दूसरे को देखा और चुपचाप खड़े रहे, कोई भी पिता को छोड़ने दरवाज़े तक नहीं गया। किसके दिल में क्या टूटा? कौन-सा क्रोध किसको पगला गया? यह सारी बातें आपस में एक-दूसरे से किसी ने नहीं कि कीं बस सिर झुकाए कुछ देर अगूठे या उँगली से खेलते रहे फिर एक लंबी साँस खींचकर अपने-अपने काम में लग गए। बाहर शहर से आए मेहमान धीरे-धीरे करके जा रहे थे। गाँव वाले तो हफ्ता भर टिककर जाएँगे। माँ सबको जोड़ा, मिठाई, नेग, नाश्ता देने में व्यस्त हो गईं।

दोपहर के समय जब बरसाती तपकर भट्टी बन गई तब मिनी की आँखें खुलीं। कुछ देर वह यूँ ही पड़ी रही फिर चटाई से उठकर उसने चेहरे पर आया पसीना पोंछा और खुले बालों को समेटकर उनका जूड़ा बाँधा! पूरा कमरा धूप से भर गया था। उसने खिड़की बंद कर पर्दे खींचे और अलमारी खोलकर कपड़े निकाले ताकि जी भरकर नहा सके। कपड़े तौलिया लेकर वह नीचे उतरी। माँ पलंग पर बैठी चावल बीन रही थीं। उनके माथे पर सोच की लकीरें थीं। मिनी माँ से कुछ बोली नहीं चुपचाप आँगन पार कर गुस्लखाने में घुस गई। माँ ने उठकर चाय का पानी चढ़ाया और चावल धोने में लग गईं। मिनी नहाकर निकल आई थी। अब गीले बाल उलटे कर कमर झुका तौलिया से उन्हें झटक रही थी। माँ ने चाय छानी और वहीं आँगन में पड़ी तिपाई पर रखने वाली ही थीं कि मिनी ने हाथ बढ़ाकर प्याली उनके हाथ से ले ली और बाएँ हाथ का घेरा माँ की गर्दन में डाल माँ के गालों का चुंबन लेकर हँस पड़ी।

''धूप न आती सिर पर तो तू शाम तक सोती रहती क्यों?'' माँ ने बेटी के गाल थपके।

''अरे माँ, तुम जगाओ या सूरज एक ही बात है।''

''एक बात कैसे हुई भला? सूरज नहीं माँ सुबह चाय लेकर जाती है तुम्हें जगाने।''

''मेरी माँ तो चंदा है...चाँद की तरह सुंदर, ठंडी और लुभावनी।'' मिनी हँस पड़ी।

''नाश्ता दूँ या सीधे खाना खाएगी?''

''एक प्याली चाय और दे दो माँ। फिर होश में आऊँगी. ..बारह बज रहे हैं अब नाश्ता क्या करना सीधे खाना खाऊँगी।'' इतना कहकर मिनी ने जूठी प्याली रखी और ज़ोरदार अँगडाई ली। उसका रोम-रोम दुख रहा था। महसूस हो रहा था कि जैसे किसी ने ओखली में रखकर उसको खूब कूटा हो। वह आँगन में बिछे पलंग पर सीधी लेट गई और उजले नीले आसमान पर चिड़ियों को उड़ता देखती रही। उसका मन भी उनके साथ उड़ान भर रहा था। लंबे बाल पलंग से लटककर नीचे झूल गये थे जिनसे पानी टपककर सीमेंट के फर्श पर फैल रहा था। आंगन छोटा था। चारों तरफ से घिरा था। इसलिए धूप सुबह-शाम ऊपर छत से आँगन में झाँककर भाग जाती थी। जाड़े में यह आँगन ठंडा बर्फ रहता है। सारी दोपहर माँ धूप के चलते ऊपर रहती हैं वरना गलन से उनके हाथ-पैर शल होने लगते हैं।

''लो चाय पियो'' माँ इतना कह सिलाई की मशीन पर बैठ गई।

मिनी उनकी मशीन पर कपड़े को भागता देखती रही और सोचती रही कि माँ हठ न करती और मुझे मुकाबले में बैठने देती तो आज मैं इस घर की हालत ही बदल डालती मगर...अब मन मर गया है कुछ करना ही नहीं चाहता है। बहुत चाहती हूँ कि काम्पीटीशन की तैयारी करूँ। पी-एच. डी. पूरी कर डालूँ मगर कुछ नहीं हो पाता बस एक ही चीज़ सालती रहती है कि मेरे साथ ऐसा क्यों हुआ? जब मैं ज़िंदगी की दौड़ में तेज़ी से भाग रही थी तब मुझे अकस्मात रोक क्यों लिया गया। जब चारों खाने चित गिरी तो मेरे घाव पर किसी ने नज़र नहीं डाली कि मुझ पर क्या गुज़र रही है बस उपदेश, पुरसा दुख और न समाप्त होने वाली बतकही। मानती हूँ कि ऋतु की इसमें कोई गलती नहीं है मगर जब मैं वह सारे कपड़े उसको पहने देखती हूँ तो मुझे कुछ होने लगता है। आख़िर वह मैंने अपनी पसंद से ख़रीदे थे? कैसे सब कुछ भूल जाऊँ? कैसे...कैसे?

माँ की मशीन के दाँत जिस तरह सूई के साथ कपड़ों को आपस में जोड़ रहे थे उसी तरह मिनी ज़िंदगी के बिखरे टुकड़ों को जोड़ रही थी। अगर उसकी ज़िंदगी का एक कोना दरका होता तो वह सब्र कर लेती मगर उसके पास तो कुछ भी नहीं बचा, सब कुछ छिन गया। इसको माँ नहीं समझ पाती हैं। वह यह मान लेती हैं कि मैं अपना क्रोध हरदम उन पर व्यक्त करती रहती हूँ मगर उन्हें मैं कैसे बताऊँ कि माँ, मेरे पास ऐसा कुछ

नहीं बचा है जिसके सहारे मैं दोबारा खड़ी हो सकूँ। मेरी स्थिति तो उस इंसान की है जिसको धनवान बनाने की कोशिश में इस तरह लूटा गया है कि उसकी आत्मा पर ढेरों जख्म लगा दिए गए हों। उनको भरना तो अकेले मुझे ही है।

''खाना लगाती हूँ।'' कहकर माँ रसोई में चली गईं।

मिनी ने जूठी प्याली चौके के पास वाले नल के सामने रखी और मेज़ पर प्लेटें लगाने लगी। उसको भूख लग रही थी। माँ चावल, सब्जी, दाल का डोंगा उठाए रसोई से निकलीं तभी दरवाज़े पर डाक आकर गिरी। मिनी ने जाकर उठाई। ऋतु का पत्र था। उसने लिफाफा माँ की तरफ़ बढ़ा दिया और खुद डाक से आई मैगज़ीन के पन्ने पलटने लगी। माँ खाना छोड़कर पत्र पढ़ने में व्यस्त हो गईं। उनकी आँखें उदास देखकर मिनी चौंकी।

''क्या हुआ माँ? सब ठीक तो है न?''

''नहीं मिनी...ऋतु परेशान है। विजय की बीमारी के बारे में लिखा है।'' माँ फफककर रो पड़ीं।

''ख़त दो मुझे'' कहकर मिनी ने पत्र पढ़ना शुरू किया। उसका मन भी उदास हो गया। विजय को आँतों के कैंसर की शुरुआत है, डॉक्टर ने ऐसा डाइगनोज़ किया है।

''हे भगवान! एक के बाद एक दुख'' माँ ने साड़ी का पल्लू आँखों से लगाया।

''सब ठीक हो जाएगा माँ! तुम परेशान मत हो।'' मिनी की आँखें भी भर आई थीं।

''इलाज कहाँ से कराएगी ऋतु?'' माँ को चिंता खाए जा रही थी।

मिनी की भूख उड़ गई थी। वह ख़त को दोबारा पढ़ने लगी। उसका दिल बहन के लिए बेचैन हो उठा। उसी बहन के लिए जिसका विवाह उसके लिए अभिशाप बन गया था। उसकी हर इच्छाओं को रौंदता चला गया था। आज उसका सुहाग दाँव पर लगा है। मौत और ज़िंदगी के बीच झूला झूल रहा है।

कुछ देर बाद रूमा और राजेश भी लौट आए और वह भी ख़बर सुनकर खाना नहीं खा पाये। पूरा घर सन्नाटे में आ गया था!

रात को माँ ऋतु से बात करने पी. सी. ओ. गईं। बात करने के बाद वह थोड़ा खुश दिखीं। घर आकर खाना गर्म किया। सबने खाया। परेशानी के बावजूद सब जल्दी सो गए। मिनी भी थकी हुई थी। कमरे में जाते ही उसको नींद ने घेर लिया। सोते में उसने सपना देखा कि ऋतु सफेद साड़ी पहनकर आई है। उसकी माँग में सिंदूर नहीं है और न ही माथे पर बिंदिया, वह रो रही है।

''क्यों मिनी अब तुम खुश हो ना...वह मर गया। तुम्हारी जलन ही उसको खा गई!''

''नहीं, नहीं'' मिनी की आँखें खुल गईं। घबराकर वह उठ बैठी और छत पर निकल आई। ठंडी हवा ने उसके पसीने से भीगे बदन को सुखाया। उसको हवा का ठंडा स्पर्श अच्छा लगा मगर जो दिमाग़ में सुलग रहा है उसको कैसे ठंडा किया जाए, आख़िर कैसे?

दो साल पहले मिनी की मुलाकात रोहित से हुई थी। वह मुलाक़ात दोस्ती में बदली फिर प्यार में। इसी बीच पापा घर छोड़कर चले गए। एक रिश्ता जो ऋतु के लिए आया था वह लौट गया मगर यह संदेशा भिजवाया कि यदि चाहें तो छोटी से विवाह हम कर सकते हैं। माँ पर सबने दबाव डाला और वह रिश्ता मंजूर कर लिया गया। मुझे बड़ा बुरा लगा था। रोई थी लड़ी थी चीखी थी कि जिसने दीदी का अपमान किया हो उसको मैं पति रूप में स्वीकार नहीं कर सकती हूँ। दीदी चुप थीं। उदास थीं। मुझे यह सब इसलिए भी बुरा लग रहा था कि मैं रोहित को प्यार करती थी! मेरी पढ़ाई-लिखाई बंद करवा दी गई और मुझ पर दबाव डाला जाने लगा कि मैं इस क़िस्म की हरकत न करूँ जिससे घर की परेशानियाँ और बढ़ें। मैं थक गई। हार गई।

घर में ख़रीदारी शुरू हो गई। सारा सामान ख़रीद लिया गया तब एकाएक उधर से इंकार आ गया। मैं तो गुस्से से बौरा-सी गई और माँ का रो-रोकर बुरा हाल था। अब सारे रिश्तेदार दूसरी बोली बोलने लगे थे कि आख़िर माँ की ग़लती थी जो बड़ी लड़की के रहते छोटी लड़की को ब्याहने चली थीं। वह यदि अच्छे लोग होते तो बड़ी को छोड़कर छोटी को पसंद करते? आख़िर आए तो वह बड़ी के लिए थे न? इस बीच जब मैं अपमानित हो रही थी, टूट रही थी तब दीदी ने मुझे सहारा नहीं दिया। वह मेरे पास भी नहीं फटकती थीं। मुझे इस बात से गहरा धक्का लगा था। मेरे विवाह का सुनकर रोहित ने शहर बदल लिया। उसका पता ऐसा गुम हुआ कि मैं उसको फिर न ढूँढ़ सकी।

साल भर बाद दीदी का विवाह तय हुआ। घर में गाना-बजाना, खुशी, न्यौता, मिठाई सब कुछ माँ ने बड़े दिल से किया। मैं और रूमा दीदी के आगे-पीछे रहते मगर मैंने महसूस किया कि दीदी

मुझे बड़े तिरस्कार से देखती हैं जैसे कह रही हों, "रह गई तू पीछे? मैं बड़ी हूँ मुझे ही पहले मिलना है वह सब जो मेरा हिस्सा है!"

मैं आँखों की ज़बान और चेहरे की अभिव्यक्ति से बहुत कुछ समझ गई थी मगर मैंने मुँह नहीं खोला। दीदी चली गईं। जब पति के साथ आईं तो एक खास घमंड से भरकर मुझे देखतीं। रूमा को उपहार देतीं। अपने ससुराल के बारे में बतातीं और मुझे काट देती थीं। इससे मेरे दिल को बहुत धक्का लगता था। चुप रहती। सोचती कि मैंने तो कभी दीदी का बुरा नहीं चाहा था फिर दीदी मुझसे ऐसा व्यवहार क्यों कर रही हैं? जैसे-जैसे मैं पिछड़ती गई मेरा आक्रोश माँ पर बढ़ता गया। दीदी माँ का साथ लेकर खूब कटाक्ष करतीं मुझ पर। मैं भी कब तक सहती? आख़िर मुझे उनसे चिढ़ होने लगी। जब आतीं तो अपनी बात, ससुराल की चर्चा, पति की प्रशंसा करती थीं। जब चली जाती थीं तो उनकी चर्चा माँ बराबर करती रहती थीं जिससे मुझे ऊब होने लगी थी। हम तीनों अक्सर सोचते कि आख़िर माँ या हमारे बारे में दीदी अब क्यों नहीं जानना-पूछना चाहती हैं? क्या हमारी समस्याएँ ख़त्म हो गई हैं या फिर हमारे बीच ऐसा कुछ नहीं बचा है जो बाँटा जाए?

रूमा और राजेश मेरी पीड़ा समझते थे। वह यह भी समझते थे कि इन कारणों से मैं अब पढ़ने-लिखने में रुचि खो चुकी हूँ मगर माँ मेरी हालत नहीं समझती थीं। वह नहीं जानती थीं कि मैंने दीदी की लड़ाई लड़ी थी मगर दीदी ने उलटा मुझसे लड़ाई शुरू कर दी थी। शीतयुद्ध ने मुझे कितना तोड़ा यह तो मैं ही जानती हूँ और आज वही दीदी एक बार फिर माँ की चिंता का विषय बन गई हैं कि उनके पति का इलाज कैसे होगा? मुझे दीदी से हमदर्दी है। मेरे पास है क्या जो मैं उन्हें दे सकूँ सिवा सेवा और मनौती के जिससे उनका सुहाग सुरक्षित रहे।

आँखों से नींद उड़ गई। पहले दीदी की शादी याद आई फिर पापा का घर छोड़कर जाना याद आया। माँ का दुख और ख़र्चे की तंगी याद आई। याद करने को तो ढेरों ऐसे प्रसंग थे जिनका सिलसिला एक बार शुरू होता तो ख़त्म होने का नाम नहीं लेता। मिनी ने गहरी साँस भरी फिर एकाएक उसको अपना सपना याद आ गया। 'यह सब कह सकती हैं दीदी, मैं शब्दों का सहारा लेती हूँ और वह भाव का, इसलिए बिना कहे आँखों और चेहरे से वह ऐसी भाषा बोल जाती हैं कि आदमी अंदर ही अंदर लितमिला जाए। मैं अंदर कुछ नहीं रखती बस गुस्सा उगल देती हूँ वही मेरी ग़लती है और इसीलिए सब मुझे उग्र स्वभाव का मानते हैं मगर..."

मिनी अपने से बात करती हुई नीचे आई। देखा माँ जाग रही थीं। सड़क के लैंप पोस्ट की रोशनी बरामदे में आड़ी होकर पड़ रही थी। तख़्त पर लेटी माँ का चेहरा इस रोशनी में साफ़ नज़र आ रहा था। उनकी आँखें खुली थीं। नज़रें छत पर टिकी दूर कुछ देख रही थीं। आँखों के कोनों से आँसू बहकर तकिए में जज्ब हो रहे थे। मिनी खंभे से लगी माँ को कई पल निहारती रही।

शायद माँ अपने अकेलेपन से डरकर ऋतु के भविष्य के लिए चिंतित हैं कि कहीं वह भी बिना पति के इस संग्राम में अकेली न पड़ जाए जिसको जीवन कहते हैं।

मिनी माँ को ग़ौर से देखती रही फिर जाने क्या सोचकर वापस सीढ़ियाँ चढ़ती हुई ऊपर चली गई। पूर्णिमा का चाँद अब खुली छत के ठीक ऊपर जगमगा रहा था। उसकी दूधिया चाँदनी काई लगी टूटी-फूटी छत पर इस तरह बिखर रही थी जैसे चाँद स्वयं अपना चेहरा आईने में देख रहा हो। धब्बेदार, पीला मगर रोशनी से भरा हुआ। छत का चाँद रोशन नहीं है उसमें जगमगाहट की जगह चाँद की दी हुई फीकी रोशनी भर है जिसमें छत का उबड़-खाबड़ होना बदसूरत तो नहीं लग रहा है मगर एक रहस्य रच रहा है कि इस छत ने कितने वर्ष धूप, बारिश, जाड़े का मुकाबला किया है! उसका साक्षी कौन है? इस घर के रहने वाले या वह समय जो इस इमारत को छूता हुआ बिना आवाज़ बीत रहा है!

"समय के समंदर में रोहित भी कहीं गुम हो गया है। उसको ढूँढ़ना कितना मुश्किल है?" मिनी ने गहरी साँस लेकर चारों तरफ़ देखा फिर दिल की आवाज़ उभरी जो खामोश रात में सबने सुनी; पेड़, आसमान, दीवारें, सड़क, नदी, पहाड़, हवा ने...

"रोहित तुम जहाँ भी हो एक बार, सिर्फ एक बार आकर मिल जाओ।"

पेड़, आसमान, दीवारें, सड़क, नदी, पहाड़, हवा ने यह पुकार अपने-अपने सीने पर दर्ज़ कर ली और गूँगे बने चुपचाप वैसे ही खड़े रहे जैसे थे मगर उनके कानों ने अहसास की आँखों से संवेदना से निकले शब्दों को अमृत बूँदों की तरह टपकते देखा था। क्योंकि उनकी आँखें खुली थीं। जिससे वह इंसानों को रोज़ देखते थे

जो उनको आकार देते थे मगर खुद को समझ नहीं पाते थे। पहाड़ों का सीना काट सड़क बनाने वाले, पेड़ों को धराशायी कर फर्नीचर में ढालने वाले, आँधी, बारिश, धूप को रोकने के लिए मकान बनाने वालों में इतनी शक्ति नहीं बच पाती कि वह अपनी भावनात्मक गुत्थियों को सुलझा दिल से ऊपर उठ सकें।

मिनी कमरे में आई। उसने बिस्तर ठीक किया। किताबें सलीके से लगाई और थीसिस की फाइल खोलकर बैठ गई। पाँचों लिखे चैप्टर सरसरी नज़र से देखती हुई आगे बढ़ने लगी। छटे चैप्टर पर जाकर उसको पता चल गया कि अधूरा काम कहाँ पर छूटा था। यह एक अहम बात थी जो थोड़ी-सी मेहनत के बाद अंजाम पा गई थी। वह बिस्तर पर लेट गई। छठे अध्याय की रूपरेखा बनाती हुई कि उसका फोकस किस-किस पाइंट को पकड़ेगा। दिमाग़ गंभीरता से जूझ रहा था। इसलिए पलकें भी मूँदने लगी थीं। थोड़ी देर बाद मिनी गहरी नींद में इस प्रण के साथ सोई कि कल उसका नया दिन होगा।

मिनी को सुबह नहाकर जो तैयार देखा सबने तो उन्हें हैरत हुई। खामोशी से उसने नाश्ता किया और झोला उठाकर उसने खूँटी से स्कूटर की चाबी उठाई और जाते-जाते माँ से कहा, "मैं अपने गाइड से मिलने जा रही हूँ दोपहर तक लौट आऊँगी।"

माँ ने दाल चढ़ाते हुए उसको घूमकर देखा फिर प्रेशर कूकर वैसा ही छोड़ वह बेटी को दरवाज़े तक छोड़ने आईं। जब तक मिनी गली से गुज़र सड़क पर बाएँ हाथ मुड़ नहीं गई माँ उसको चौखट पर खड़ी-खड़ी देखती रहीं!

"क्या बात है माँ आज दीदी को हुआ क्या है?" राजेश ने शेव बनाते हुए बरामदे में से पूछा।

"सचमुच! आज दीदी पहले वाली दीदी लगी" रूमा ने शलवार पर इस्त्री करते हुए कहा।

"क्या बताऊँ मैं? सब देख रही हूँ" माँ ने सीधा सपाट-सा जवाब बिना किसी टिप्पणी के दिया और रसोई में जाकर कूकर को बंद करने लगीं। आज उनको डॉक्टर के पास जाना है इसलिए खाना पकाकर निकलेंगी ताकि आते-आते देर हो तो बच्चों को भूखा न बैठना पड़े।

"माँ, तुम्हारा ब्लडप्रेशर बढ़ा लगता है।" रूमा ने माँ की फूली आँखों को देखकर कहा।

"तुम दवा तो लेती हो न रोज़ सुबह?" राजेश ने ग़ौर से माँ को देखा।

"हाँ, आज तबीयत कुछ सुस्त-सी है।"

"तुम्हें ऋतु दीदी की चिंता खाए जा रही होगी। अगर ऐसा है तो चलो मैं तुम्हें लेकर बरेली चलता हूँ, खुद जीजा को देख लेना दीदी से मिल लेना, सारी चिंता ग़ायब!" राजेश बोला।

"सही! बिल्कुल सही कहा तुमने भैया!" रूमा ने इस्त्री का प्लग ऑफ करते हुए कहा।

"देखती हूँ।" इतना कहकर माँ चुपचाप सामने दीवार को ताकने लगीं जैसे वहाँ ऋतु का भविष्य लिखा हो।

रूमा और राजेश के जाने के बाद माँ तख़्त पर लेट गईं। आज महाराजिन नहीं आई थी। सारा घर बासी पड़ा था। उनमें हिम्मत नहीं थी कि वह झाड़ू देतीं या जूठे बर्तन बैठकर मलतीं। उनका दिल भरा-भरा था। अकेला घर पाकर आँसुओं ने मौका पा लिया। वह जब जी भरकर रो लीं तो उनका जी हल्का हो ग्रया। सुबह से दिल पर जो भारीपन था वह भी हट गया। उठकर उन्होंने चाय बनाई और घूँट-घूँट पीने लगीं। अब उनके मन में उत्साह था। कठिनाई से निकलने पर उनका भरोसा बन गया था। यह भी ख्याल गुज़रा कि हो सकता है इलाज से वह बिल्कुल भला-चंगा हो जाए। आजकल हर रोग की दवा है फिर भगवान पर भरोसा रखे इंसान तो चमत्कार होने में कितनी देर लगती है। इस विचार ने माँ का हौसला बढ़ाया।

लगभग ग्यारह बजे जब वह आराम कर तख़्त से उठने लगीं कि चलो धीरे-धीरे करके घर समेट लें तो एकाएक महाराजिन आ गई और आते ही उसने झटपट बर्तन धोना शुरू कर दिया। यह देख वह कुछ बोली नहीं और दोबारा तख़्त पर लेट गईं। जब वह बर्तन धो चुकी तो माँ उठीं और रसोई में जाकर दो प्याली चाय का पानी गैस पर चढ़ा दिया। महाराजिन चेहरे से परेशान और थकी हुई लग रही थी। जब उसने झाड़ू उठाई तो माँ ने चाय छानते हुए कहा, "गीता, यह चाय लो!"

माँ की इस पुकार में क्या था जो गीता भरे बादलों की तरह फफक पड़ी। माँ चौंक गईं फिर दोनों प्याली उठाए रसोई से निकलीं। उन्हें पता था कि गीता की सास बीमार है, मियाँ शराबी है और बच्चो की एक ऐसी फ़ौज है जो पेट खोले उसका इंतज़ार करती है कि वह रोटियाँ उन्हें दे। ऐसे हालात में गीता कई बार टूट जाती है। आज भी कुछ ऐसा ही हुआ होगा।

"अब चुप हो जा गीता! चल चाय पी! जी हल्का कर!" माँ ने उसको प्याली थमाते हुए उसका कंधा थपका।

"हा, बीबीजी, रोने से भाग्य नहीं बदलता है तभी..." बाकी बात गला भरने से अधूरी रह गई।

"चाय पियो, हिम्मत से काम लो" माँ ने गहरी साँस ली फिर चाय का गर्म घूँट भरा। गीता भी चाय पीते सहज हो उठी। शायद उसने सुबह से कुछ खाया-पिया नहीं था।

"तू सफ़ाई कर तब तक मैं नहा लेती हूँ।" इतना कहकर माँ बाथरूम की तरफ़ कपड़े उठाकर चली गईं।

जब वह नहाकर निकलीं तो चेहरे पर निखार-सा था कुछ मन बदलने के कारण और कुछ गीता को सहारा देने से। वैसे भी अभी माँ की उम्र क्या थी सिर्फ़ पैंतालीस वर्ष, कुमार साहब उनसे कुल पाँच साल ही तो बड़े थे। शादी को पूरे पच्चीस साल हुए हैं। ऋतु अभी चौबीस की भी तो पूरी नहीं हुई है! मिनी का तेईसवाँ चल रहा है। शादी जल्दी हुई। उसी हिसाब से बच्चे भी जल्दी हुए। घर पर मास्टर से पढ़ाकर सीधे सबका नाम पहली में लिखवाया था। पास में नया स्कूल खुला था आराम से दाखिला हो जाता था। इसीलिए सब बच्चे अपने उम्र वालों से आगे चल रहे हैं।

"अच्छा, मैं चलती हूँ" गीता कहकर चलने को हुई तभी मिनी का स्कूटर दरवाज़े पर आकर रुका।

"लल्ली आ गई।" गीता इतना कहती हुई आँगन पार कर दरवाज़े से बाहर निकली। माँ ने फिंचे कपड़े अलगनी पर फैलाए।

मिनी उत्साह से भरी स्कूटर लेकर अंदर आई और उसको आंगन के एक तरफ़ खड़ा करके वह आँगन में बिछे पलंग पर थैला लेकर बैठ गई और फ़ाइल निकालकर कुछ पढ़ने लगी। माँ ने बेटी को चेहरा देखा पढ़ने की कोशिश की फिर रसोई में जाकर खाना गर्म करने लगीं। उनके मन में यह विचार बार-बार कौंध रहा था कि मिनी एक ही रात में कैसे बदल गई?

"खाना खा लो मिनी।"

"आई माँ!" कहती हुई मिनी फ़ौरन उठी और बरामदे में लगे सिंक पर उसने मुँह-हाथ धोए फिर प्लेट में खाना निकालने लगी।

"वाह माँ, दाल तो ग़ज़ब की टेस्टी बनाई है।"

"अच्छा? करेले की सब्ज़ी ठीक नहीं बनी क्या?"

"उसमें तो तुम एक्सपर्ट हो; बंडरफुल!"

मिनी ने अरसे बाद मन लगाकर खाना खाया और तख़्त पर लेट गई। जब तक माँ बर्तन समेटतीं मिनी नींद में डूब चुकी थी। माँ ने मिनी को हैरत से देखा। पल भर खड़ी रहीं फिर सोचने लगीं कि आज कौन-सी लगन है जो सारे नक्षत्र हमारे पक्ष में आन जुटे हैं जो सुबह से सब कुछ अच्छा-अच्छा हो रहा है? शायद समय बदलने वाला है। ज़रूर राहू केतु ने घर बदला है या फिर शनि की दशा सुधर गई है। माँ का मन संतोष से भर उठा। अरसे से मिनी की बेचैनी से बेचैन थीं। वह जले तवे पर चलती तो उसको देखकर माँ के पैरों में फफोले हो जाते थे। माँ और बच्चे का संबंध भी एक तार से बँधा होता है तभी दोनों एक-दूसरे की बेचैनी से अपने आप व्याकुल हो उठते हैं। काम ख़त्म कर माँ भी मिनी के पास आकर लेट गईं। अरसे बाद उनका दिल व दिमाग़ अपनी उदासी, किसी किस्म का उलझाव नहीं था। सब कुछ साफ़ दिख रहा था। मिनी ने करवट बदली और माँ के बदन पर अपना पैर रख उनसे लिपटकर सो गई। दोनों माँ-बेटी सोती ही रहतीं अगर राजेश दरवाज़े की घंटी न बजाता। दूसरी घंटी पर मिनी ने उठकर दरवाज़ा खोला।

"दीदी आप?" राजेश चौंक गया। सोचने लगा कि आज सुबह से यह सब कुछ उलटा क्यों घट रहा है?

"क्यों मैं दरवाज़ा नहीं खोल सकती हूँ क्या?" मिनी झटके से बोली और आकर तख़्त पर बैठ गई। राजेश को दूसरा झटका तब लगा जब माँ को सोता देखा।

"माँ की तबीयत तो ठीक है न?"

"माँ बिल्कुल ठीक हैं तुम अब आ गए हो तो 'ईवनिंग टी' सर्व करो।" मिनी ने जम्हाई ली।

"ओके बॉस!" कहता राजेश किचन में गया।

मिनी ने तख़्त से उठकर अपनी फ़ाइल थैले में रखी और डाइनिंग टेबिल के सामने कुर्सी खींचकर बैठ गई। राजेश ने तीन मग भाप उड़ती चाय के मेज़ पर रखे और माँ को जाकर जगाया। ऐसी मीठी नींद अरसे बाद उन्हें आई थी कि उनका दिल ज़रा भी उठने को नहीं चाह रहा था तो भी मुस्कराती हुई उठीं और राजेश की दी चाय के घूँट भरने लगीं! दोनों बहन-भाई चाय पीते हुए किसी बहस में उलझ गए। बात अंग्रेज़ी में हो रही थी। इसलिए माँ की समझ में नहीं आया कि बहस का विषय क्या है तो भी उन्हें चहकता घर अच्छा लगा। इसी बीच रूमा भी आ गई और वह भी चलती बहस में कूद पड़ी। माँ ने चाय ख़त्म कर मुँह पर हाथ फेरा, जूड़ा फिर से बाँधा और तख़्त से नीचे उतर पैरों में स्लीपर डालीं। शाम घिर आई थी। उन्होंने जूठे मग जमा किए

और रसोई की तरफ़ बढ़ गई।

जब माँ चाय दोबारा बनाकर लाईं तो लाईं और गूँगफली के दाने भी भूनकर लाई थीं! बहस ख़त्म हो गई थी। तीनों बड़ी गंभीरता से ऋतु के बारे में बात कर रहे थे। माँ भी वहीं बैठ गईं। राजेश ने माँ से पूछा, ''तो आप बरेली चलने का मन बना रही हैं या नहीं?''

''सोचती हूँ कुछ दिन ठहर के जाऊँ।'' माँ सोचती हुई आवाज़ में बोली।

''नहीं जाएँगी तो परेशान रहेंगी, अकेले में छुप-छुपकर रोएँगी।'' रूमा ने तेज़ी से कहा।

''नहीं, अब नहीं रोऊँगी, मुझे पूरा यकीन है कि कठिनाई टल जाएगी। अभी तो टैस्ट जारी हैं और एक डॉक्टर ने शक ज़ाहिर किया है।''

''बात तो सही है। मेडिकल डॉक्टरों के किसी नतीजे पर पहुँचने से पहले हमको बेकार का टेंशन नहीं मोल लेना चाहिए फिर दीदी ने तो डॉक्टर का संदेह लिखा था। सारे टैस्ट की रिपोर्टें तो तब बाकी थीं आनी। इसलिए हमको वेट करना चाहिए कि दीदी अगले ख़त में क्या लिखती हैं!'' मिनी ने कहा और थैला उठाकर सीढ़ी की तरफ़ बढ़ी।

''मुझे आज रात एक पेपर पूरा करना है कल मेरा टिटोरियल है। दो दिन से मूड ही नहीं बन पा रहा था।'' रूमा ने भी मेज़ से उठते हुए कहा।

''माँ, बाज़ार से कुछ मँगवाना तो नहीं है?'' राजेश ने उठते हुए कहा। वह रोज छः-सात बजे चौराहे वाले बाज़ार में कैसिट स्टोर पर जाकर कुछ ग़ज़लें सुनता था फिर आधे एक घंटे बाद मोहल्ले के लड़कों से गप-शप करके लौट आता था।

''देखती हूँ...हाँ लौटते हुए हरे धनिया की दो गड्डियाँ लेते आना आज चटनी बनाऊँगी।'' माँ ने फ्रिज का दरवाज़ा बंद करते हुए कहा।

ऊपर पहुँचकर मिनी ने कपड़े बदले और फाइल सामने फैलाकर बैठ गई। कई घंटे गुज़र गए। बीच-बीच में माँ पुकारकर खाने पर बुलातीं, हर बार वह जवाब देती कि आ रही हूँ। अंत में माँ ने रूमा के हाथ थाली सजाकर भेज दी जो रूमा ने ढँककर बिस्तर के एक कोने पर अख़बार बिछाकर रख दी और बिना कुछ कहे नीचे उतर आई।

घर में खामोशी के साथ बत्ती भी बुझ गई थी। सब सो गए थे। मिनी ने घड़ी देखी पूरे दो बज रहे थे। क़लम बंद कर उसने काग़ज़ समेटे और फ़ाइल में लगा दिए। छत पर आकर एक ज़ोरदार अँगडाई ली। फिर कमरे में जाकर थाली उठाई और छत की मुंडेर पर रखकर खाना खाने लगी! नीचे गली में कुत्ते भौंक रहे थे सड़क पर सिपाही डंडा मारता आगे बढ़ रहा था। चौकीदार की सीटी रह-रहकर गूँज रही थी। मिनी ने खाना ख़त्म कर बर्तन एक कोने में नीचे सरका दिए फिर पानी पीकर छत पर टहलती रही। फिर पलंग पर जाकर लेट गई। उसकी पलकें झपक रही थीं मगर दिमाग़ जाग रहा था! किसी करवट उसको आराम नहीं मिल रहा था। नींद और दिमाग़ का तालमेल कैसे बिठाए वह समझ नहीं पा रही थी। अपने से लड़ते-लड़ते वह आख़िर नींद में डूब गई।

पंद्रह दिनों की रात-दिन की मेहनत रंग लाई और मिनी की थीसिस टाइप होने चली गई। राजेश का कोर्स ख़त्म हो गया था उसको उसी इंस्टीट्यूशन में पार्ट टाइम नौकरी मिल गई। घर में एक आमदनी तनख्वाह के रूप में आने वाली थी। इस ख्याल से सबके चेहरे खिल उठे थे। शाम को जब सब जमा हुए तो राजेश ने माँ का कंधा दबाते हुए कहा, ''माँ अब इस शरीर को आराम की ज़रूरत है। पिछले तीन वर्षों से मशीन चलाते-चलाते तुम्हारे हाथ थक गए होंगे!''

''अभी नहीं राजू, अभी इन दोनों की ज़िम्मेदारी जब तक सिर से नहीं उतरती तब तक यह शरीर आराम नहीं कर पाएगा। अभी तो बहुत दूर जाना है। तब जाकर आराम करूँगी जब तेरी बहू घर ले आऊँगी।'' माँ के इस तरह कहने पर सब हँस पड़े।

''मेरी शादी कोई प्राब्लम नहीं है।''

''क्यों दीदी?''

''क्योंकि मैं शादी नहीं करने वाली हूँ'' मिनी ने फ़ैसला सुनाया।

''चलो मान लेते हैं।'' राजेश हँसा।

''तो फिर मैं क्यों करूँ?'' रूमा चहकी।

''ठीक है माँ! जब यह दोनों मुक्त हो गई हैं बंधन में बंधने से तो मैं बली का बकरा बनने को तैयार हूँ, आख़िर आपके स्वास्थ्य की चिंता मुझसे ज़्यादा किसको होगी।''

''भैया! लड़की देख रखी है क्या?'' रूमा चहकी।

''हाँ, बाहर निकलता हूँ तो आँख बंद करके थोड़ी चलता हूँ!''

''कहाँ है?''

"माँ पूछेंगी तो बताऊँगा!"

"अरे यह मज़ाक कर रहा है।" हँसते हुए माँ बोलीं।

"सच कह रहा हूँ माँ" झेंपे हुए अंदाज़ में राजेश बोला।

"ठीक! कल तुम चाय पर ले आना।" मिनी बोली।

बात हँसी-मज़ाक में टल गई मगर दूसरे दिन जब राजेश शाम को सचमुच एक लड़की को साथ ले आया तो सबके चेहरों से हँसी ग़ायब हो गई। माँ ने घूरती आँखों से लड़की को घूरा तो उसने झुककर माँ के पैर छुए। राजेश ने सुनंदा से सबको मिलवाया। देखने में वह प्यारी-सी सीधी-सादी लगती थी। भैया के साथ एम. ए. फाइनल कर रही थी। रहने वाली इसी शहर की थी। उसके पिता इंजीनियर थे। दो भाई थे जो दुबई में थे। माँ के चढ़े तेवर धीरे-धीरे करके गिरने लगे। चाय-नाश्ते के बाद जब सुनंदा जाने लगी तो माँ ने उसके माथे पर प्यार किया जिसका मतलब था कि माँ को लड़की पसंद आ गई है।

"कब से चल रहा था यह सब?" मिनी ने रात के खाने पर राजेश से पूछा।

"इंटर से" राजेश हँसा।

"बचपन की मोहब्बत को..." रूमा हँसी।

"लड़की ठीक है। घराना भी कायदे का होना चाहिए।"

"चलकर खुद ही देख लो न माँ।" राजेश ने कहा।

"ठीक है तेरे एम. ए. के इम्तहान गुज़र जाएँ तक जाऊँगी!"

"जैसी तुम्हारी मर्जी" राजेश ने कहा।

घर में किसी को यह उम्मीद नहीं थी कि राजेश को नौकरी भी मिल जाएगी और पत्नी भी। अकस्मात आई इस खुशी से पूरा घर बदल गया था। कुछ करने से पहले राजेश का ब्याह मुँह से निकलता। माँ ने चूनेकारी रुकवा दी। सबके नए कपड़े बनवाने टाल दिए। इसी तरह के कई छोटे-मोटे काम यह कहकर टाल दिए गए कि इकट्ठा खर्चा किया जाएगा। राजेश को तनख्वाह अच्छी मिली जिसको उसने माँ के हाथ में लाकर रख दिया। इतना ज़्यादा रुपया माँ ने इकट्ठा देखा नहीं था। दस-दस हज़ार की दो गड्डियाँ जब खुलीं तो नोट ही नोट भर गए। हर माह यह रुपए उनको तनाव मुक्त करते चले गए। इस बीच वह ऋतु को भी देख आई थीं। डॉक्टरों ने उसके पति को बिल्कुल ठीक करने का वचन और दिलासा दिया था। माँ वहाँ से संतोष से भरी लौटीं और राजेश के ब्याह के इंतज़ाम में लग गईं। उनको परिवार अच्छा लगा था। राजेश की परीक्षा समाप्त हो गई थी। उधर मिनी की थीसिस जमा हो गया था। सारी बिखरी चीज़ें इस तरह सुव्यवस्थित हो रही थीं कि सबको ताज्जुब होता कि एक दौर वह था जब सब चीज़ें हाथ से छूट रही थीं और अब बिना प्रयत्न के छप्पर फाड़कर गिर रही हैं।

जिस दिन ऐसी बातें खाने पर होतीं मिनी ऊपर आकर तन्हाई में सोचती 'काश! रोहित भी इसी तरह चलते-चलते आ टकराए तो ज़िंदगी का अर्थ ही बदल जाएगा!"

मन ही मन सोचती हुई मिनी सपनों का ताजमहल बना डालती। उसको महसूस होता कि उसकी इच्छा की तेज़ तरंगें कभी न कभी रोहित को उसके सामने लाकर खड़ा कर देंगी। उस समय उसकी साधना और आराधना सफल होगी। तब उसका एक सुंदर घर होगा जिसको वह बहुत जतन से सजाएगी। इस सोच ने उसके चेहरे पर एक आभा-सी छिटका दी थी। थीसिस को समाप्त कर सकी इस संतोष ने उसकी आँखों में चमक ला दी थी। सच है आदमी की सोच बदलती है तो सारा जहाँ बदल जाता है।

घर में शादी की तैयारियाँ ज़ोरों पर चल रही थीं। बेटे की शादी की बात सुनकर कुमार साहब अपने छोटे बेटे को लेकर एक दिन पत्नी से मिलने आए थे। बेटे का रंग-रूप बाप पर गया था। माँ ने बिना किसी तिलमिलाहट के उसको प्यार से बिठाया और खिलाया-पिलाया, जैसे औपचारिकता में होता है। उनके चेहरे पर न कोई भाव विशेष आए न पहले की तरह आँखों में घृणा लहराई बस सब कुछ वैसा ही सत्कार में हुआ जैसे दूसरे लोगों के साथ होता था जो विवाह की बधाई देने माँ के पास आते थे। माँ की इस आवभगत में राजेश, मिनी, रूमा शमिल नहीं हुई थीं। वह तनी-तनी रहीं। उस छोटे लड़के के प्रति भी उदासीन और न माँ ने उनसे किसी क़िस्म का व्यवहार करने का संकेत किया। पिता जैसे आए थे वैसे ही चले गए। उनके जाते ही माँ उसी सहजता से काम में लग गईं।

ऋतु का ख़त आया था कि वह दोनों शादी से सप्ताह भर पहले पहुँच रहे हैं। माँ ने मिनी से कह दिया था कि वह ऊपर वला कमरा बहन-बहनोई के लिए ठीक कर दे। राजेश शादी के बाद वहीं रहेगा इसलिए पुताई और सफ़ाई उस कमरे की ज़रूरी है। पहले मिनी और ऋतु इस कमरे में रहती थीं। पिता का यह कमरा उनके जाने के बाद काफ़ी दिन बंद रहा क्योंकि माँ ने अपना आसन तख़्त पर जमा लिया था। यहाँ राजेश सोता था। यह देख ऋतु और मिनी ऊपर चली गईं और राजेश उनके कमरे

में रूमा के साथ रहने लगा। अब मिनी फिर से अपने कमरे में लौट आई थी। घर छोटा था मगर खुली जगह काफ़ी थी इसलिए दो कमरे के इस मकान में परिवार बड़ा होने पर भी भीड़ का आभास नहीं होता था।

राजेश का ब्याह बड़ी धूमधाम से माँ ने किया और सुनंदा के आने से घर में एक अलग तरह की खुशी तैर गई थी। ऋतु गर्भवती थी इसीलिए माँ ने उसको रोक लिया था। सुनंदा और ऋतु सारे दिन गप्पें मारती रहती थीं। माँ को मशीन चलाने से फुर्सत मिल गई थी। आराम और आमदनी ने उनकी सेहत अच्छी कर दी थी। अब वह शाम को आस-पड़ोस में मिलने-मिलाने भी जाने लगी थीं। इस शांतिमय वातावरण में लहर पैदा करने के लिए सबको मिनी के विवाह का प्रश्न बड़ा लगने लगा था। माँ को भी चिंता थी मगर इतनी नहीं जितना हर शाम चाय पर सब मिलकर उस बात को समस्या की तरह लेते थे। एक दिन आख़िर मिनी ने कह ही दिया :

''माँ आपको मेरे विवाह की चिंता करने की ज़रूरत नहीं है मुझे लीव विकेन्सी पर एक वर्ष की लेक्चररशिप मिल गई है! मैं अपना ख़र्च उठा सकती हूँ। मुझे शादी नहीं करनी है।''

''यह कोई बोलने का अंदाज़ हुआ मिनी तुम्हारा?'' ऋतु ने सुनंदा के चेहरे पर आए भाव को ताड़ते हुए कहा।

''शादी क्यों नहीं करेगी?''

''बस नहीं करनी है मुझे।''

''तेरे कारण रूमा बैठी रहेगी!''

''उसकी कर दो न उसी रमेश, सुरेश, महेश से जिनकी चर्चा हर रोज़ मुझे लेकर तुम सब करती थीं!'' मिनी ने कटाक्ष भरे स्वर में कहा।

''इसमें बुरा लगने की क्या बात है?'' ऋतु ने धीरे से पूछा।

''तो, इसमें अच्छा लगने की क्या बात है?'' मिनी ने हाज़िर जवाबी दिखाई।

''शादी हर लड़की की होती है इसलिए तेरी भी होगी, इसमें बिगड़ने वाली क्या बात है?'' ऋतु ने टटोलती नज़रों से मिनी को घूरा।

''देखो दीदी! मैं हर लड़की नहीं हूँ। इसलिए मेरी शादी नहीं होगी। रही बिगड़ने वाली बात सुन लो, शादी मुझे करनी है सारी दुनिया को नहीं जो सब टाँग अड़ाते रहते हैं।''

''कैसी बदज़बान हो गई है यह माँ'' ऋतु धीरे से बुदबुदाई।

''क्या बदज़बानी की है मैंने? सुनंदा भाभी ने अपनी मर्ज़ी से शादी नहीं की क्या? पूछो इनसे?'' मिनी ने तीखे स्वर में कहा।

''चुप'' माँ ने धीमी आवाज़ में झिड़क।

''चुप क्यों रहूँ? राजेश भैया को छूट थी अपनी पसंद की पत्नी लाने के लिए मगर वह छूट मिनी को क्यों नहीं?'' बहस पर उतर आई मिनी और सबके चेहरे फक़ हो गए।

''मिनी ठीक कह रही है माँ!'' सुनंदा एकाएक बोल पड़ी। सबने सुनंदा की तरफ़ चौंक के देखा। बहू के बोलने से माँ सकुचा भी गईं और राहत की छाया भी चेहरे पर से गुज़री। ऋतु अलबत्ता अकबका-सी गई।

''देखा माँ?...'' मिनी हँसी फिरी बोली, ''ऋतु दीदी चाहती हैं कि मैं उनकी तरह गर्दन कटवा लूँ और भेड़चाल में शामिल हो जाऊँ। यह मिनी से अब नहीं होगा।'' कड़वे स्वर में मिनी ने कहा और हँसती आँखों से सुनंदा को देखा।

''तू बहुत बोलने लगी है मिनी।'' ऋतु खिसिया गई।

''हालात इंसान को बदल डालते हैं दीदी! आप नहीं मानतीं कि ज़ख्मों को भरना भी चाहिए और पीड़ा को पीने का फल भी उस व्यक्ति को चखना चाहिए जिसने धैर्य का धर्म निभाया हो?'' मिनी बड़ी सहजता से बोली जैसे यह शब्द उसके अंतर से बिलो के निकले हो।

ऋतु के साथ सभी ने चौंककर मिनी को देखा। उसके चेहरे पर फैली गंभीरता को देखकर एकाएक सब कुछ न कुछ सोचने पर मजबूर हो गए। माँ ने ठंडी साँस भरी। मन ही मन कहा यह लड़की ज़रा भी नहीं बदली इसका क्या होगा? ऋतु को पहली बार लगा कि वह अपनी ही बहन को समझ नहीं पाई या समझने की कोशिश नहीं की, शायद इस कारण था कि उसके और मिनी के संबंध कभी दोस्ताना बन नहीं पाए जो वह उसके मन में झाँक पाती? रूमा अलबत्ता इस बहस में अपनी स्वतंत्रता का सपना देख रही थी। सुनंदा इस बहस की पर्तदार बुनावट का इतिहास जानने के लिए तड़प उठी! राजेश था नहीं इसलिए वह अपने वाक्य द्वारा सुनंदा को तहखाने में उतरने का मार्ग भी नहीं दिखा पाया।

रात के खाने तक घर का वातावरण पहले की तरह सहज हो उठा। राजेश आया तो उसको शाम की गर्मागर्म बहस का कोई संकेत नहीं मिला। हँसी-मज़ाक के साथ सब सोने अपनें-अपने कोनों में पहुँच गए। ऋतु अलबत्ता मिनी से बात करने के लिए

बेचैन थी मगर कैसे करती अंदर तो रूमा भी है कमरे में? बाहर जा नहीं सकती रात के दस बजे, ऊपर राजेश और सुनंदा हैं फिर? वह कुछ सोचकर तख़्त से उठी और रूमा से बोली कि मैं आज यहाँ सोऊँगी तुम जाकर माँ के साथ तख़्त पर सो जाना।

"नहीं दीदी मुझे पढ़ना है" रूमा किताब पर झुके-झुके बोली।

"उठ न, एक दिन नहीं पढ़ेगी तो क्या फेल हो जाएगी?"

"ज़िद मत करो दीदी" रूमा बोली।

"तुझे स्किन क्रीम चाहिए या नहीं" ऋतु ने रिश्वत दी।

"पहले मुझे दो।" रूमा मुस्कुराई।

"ठीक है लाती हूँ।" कहकर ऋतु बाहर निकली और रूमा ने अपनी बिखरी किताबें समेटीं।

"ले" ऋतु ने भरी शीशी रूमा के हाथ में थमाई।

"थैंक्यू दीदी" रूमा क्रीम की शीशी ले मगन हो कमरे से बाहर निकल गई।

मिनी बिस्तर पर लेटी-लेटी सब कुछ सुन रही थी। मगर बोली कुछ नहीं पहले की तरह ही वह मैगज़ीन पढ़ती रही। ऋतु पास वाले पलंग पर आकर चुपचाप लेट गई। रूमा लैंप जलता छोड़ गई थी, ऋतु ने उसको बुझाया और आँख बंद करके बिस्तर पर सीधी लेट गई। मिनी उसी तरह खामोशी से पत्रिका के पन्ने पर पन्ने पलटती गई। जब ग्यारह बजे तो मिनी ने एक नज़र बहन पर डाली और कुछ सोचते हुए पत्रिका बंद कर सिरहाने रखी और लाइट बंद कर दी। मिनी भी आँख बंद कर सोच में डूब गई। पाँच मिनट ही गुज़रे थे कि एकाएक ऋतु ने पूछा "मिनी सो गई क्या?"

"नहीं।"

"एक बात पूछूँ?"

"पूछो।"

"तेरे अंदर इतना आक्रोश किस बात को लेकर है?"

"तुम नहीं जानती हो क्या दीदी?"

"जानती हूँ और यह भी जानती हूँ कि कुछ वैसा ही आक्रोश मेरे अंदर भी था मगर मैंने कभी शब्दों के तीर नहीं चलाए!"

"तीर तो किसी भी माध्यम से चलाए जा सकते हैं!"

"क्या मतलब?"

"दीदी! तुमने कुछ खोकर बहुत कुछ पा लिया है मगर मैंने जो खोया है वह..."

"क्यों, तुमने नहीं पाया? मैं तो केवल बी. ए. हूँ और तुम पी-एच. डी. ऊपर से नौकरी और आगे चलकर शादी...तुम्हारे पास वह सब है जो मुझे अब कभी नहीं मिल सकता है।"

"यह उपलब्धियाँ मेरे जीवन का लक्ष्य नहीं थीं। भटकते हुए मेरे पड़ाव हैं मगर जो मेरा जीवन था वह किसी और की तलाश में था। वह मुझे नहीं मिला।"

"किसकी? वह कौन था?"

"छोड़ो दीदी!"

"देख मिनी अब हम बच्चे नहीं रहे जो आपस में लड़े और एक-दूसरे को नीचा दिखाएँ क्योंकि अब हम प्रतियोगिता मंच पर नहीं खड़े हैं बल्कि ज़िंदगी में हम गहरे धँस चुके हैं। एक-दूसरे के विचार, भाव, आशा-अभिलाषा, दुख, सुख को बाँट न सकें तो क्या, सुन और समझ तो सकते हैं न?"

"क्यों नहीं।"

"फिर अपनी चुभन तो बता मुझे?"

"जब कुछ हो तो बताऊँ?"

"झूठ बोल रही है...मुझसे क्या छुपाना?"

"अब सो जाओ दीदी" कहकर मिनी ने बेदिली से करवट बदली।

"ठीक है मत बता आख़िर मैं होती भी तेरी क्या हूँ?" ऋतु ने लंबी साँस खींचकर कहा।

मिनी ने कोई जवाब नहीं दिया। उसी तरह करवट बदले लेटी रही। कमरे में ख़ामोशी छाई रही। अँधेरा हल्का हो गया था। आँखें कमरे में डूबी चीज़ों की शिनाख़्त कर सकती थीं। दोनों बहनें पास लेटी अपना-अपना स्वेटर उधेड़ और बुन रही थीं। माँ के खर्राटों की गूँज बरामदे से दबे पाँव कमरे में दाख़िल हो रही थी। ऋतु बेचैन थी। एकाएक उठ गई और तकिया दीवार से लगा पीठ के सहारे बैठ गई।

"नींद नहीं आ रही है क्या?"

"हाँ।"

"जीजाजी याद आ रहे हैं?" मिनी हँसी।

"हाँ, मगर तुम्हें कौन याद आ रहा है जो तुम जाग रही हो?" ऋतु हँसी।

खामोशी!

"क्यों, मेरे सवाल का हाँ या ना क्या किसी रूप में जवाब नहीं बनता?"

ख़ामोशी!

"कुछ तो बोल मिनी?"

"बनता है दीदी।"

"तो फिर बता न?"

"मैं रोहित से विवाह करना चाहती थी।"

"चाहती थी...तो अब कर न। जो गुज़र गया उसको भूल जा।"

"अब नहीं कर सकती।"

"क्यों? माँ राज़ी है नहीं हैं राजेश?"

"जब कोई हो तभी तो शादी होगी!"

"मतलब, रोहित कहाँ है?"

"हम दोनों तभी से अलग हो गए थे जब मेरी शादी तय हुई थी।"

"ओह" ऋतु को गहरा धक्का लगा कि इतना कुछ हो गया और उसको कुछ पता ही न चला उल्टे वह मिनी से मन ही मन चिढ़ती रही कि लड़के वालों ने मेरी जगह छोटी बहन को पसंद कर लिया।

"तभी तू शादी के समय बवाल कर रही थी।"

"हाँ, वह भी एक वजह थी। उससे महत्त्वपूर्ण दूसरी वजह थी कि वह लोग ठीक लोग नहीं थे। माँ को उस अपमान भरी स्थिति का मुक़ाबला करना नहीं आया। ज़ोरदार इंकार की जगह उन्होंने मुझे पेश कर दिया जैसे हम उन पर बोझ हों और उन लोगों ने मुझे भी नकार दिया किसी और लड़की के लिए। एक ज़रा-सी माँ की लापरवाही ने मुझसे मेरा सब कुछ छीन लिया!"

"तुम्हारा कुछ भी नहीं छिना है; इन्तज़ार में मज़ा है।"

"इंतज़ार? रोहित का इंतज़ार मैं कर रही हूँ मगर रोहित तो समझ बैठा है कि मैं विवाह कर ससुराल में हूँ। उसको मुझे खोजने की कोई तमन्ना नहीं होगी मगर मैं तो उसकी प्रतीक्षा जीवन के अंत तक करूँगी।"

"वह कौन था?"

"मेरा क्लासमेट सुरभि का कज़न!"

"सुरभि का कज़न?"

"क्यों क्या हुआ?"

"कुछ नहीं!"

ऋतु सुनकर सन्नाटे में आ गई। कुछ बोल न सकी। उसकी आँखें भर आईं। वह करवट बदलकर लेट गई। अपने गिरते आँसू वह मिनी को दिखाना नहीं चाहती थी। मिनी की आँखें रोहित के साथ बिताए दृश्यों में डूबी थीं। कमरे में खामोशी छाई रही फिर कोई कुछ नहीं बोला। रात ढलते-ढलते उन दोनों को थपकियाँ देने लगी। सुबह के लगभग दोनों बहनें नींद में डूब गईं।

ऋतु के अपने घर जाने में दो दिन रह गए थे। इस बीच वह बहुत परेशान थी कि जो सच है वह मिनी को बताकर उसका सपना तोड़ दे या फिर भ्रम में उसको कुछ वर्ष यूँ ही जीने दे। जब नियति को मंजूर होगा तब सारा भेद अपने आप खुल जाएगा। इससे शांति बनी रहेगी मगर तब तक देर हो जाएगी। तब मिनी को दोबारा उबरने में समय लगेगा और वह जीवनसाथी चुन न सकेगी। बेहतर होगा कि वह सारा सच मिनी को बता दे ताकि वह नई ज़िंदगी फिर से शुरू कर सके।

इसी उधेड़बुन में ऋतु अपने घर लौट गई। दीदी की ख़ामोशी देख मिनी को लगा कि उस दिन अँधेरे का फ़ायदा उठाकर दीदी ने उसके दिल की थाह ले ली। उसको यह सब दीदी को नहीं बताना चाहिए था। यह अहसास इतना व्यक्तिगत होता है कि उसका ढिंढोरा पीटने का अर्थ है अपने को सरे बाज़ार नंगा करना। इस सारी भावनात्मक स्थिति में दीदी कोई योगदान तो दे नहीं सकती हैं और न वह किसी की दी हुई राय पर चल सकती है फिर ज़बाप खोलने से मतलब? अच्छा है कि दीदी ने उस दिन के बाद से कोई प्रश्न नहीं पूछा वना मुझे बुरा लगता। ज़ख्म का दर्द सहना अपने में एक सुखद स्थिति है मगर जब वह कुरेदा जाए तो वह तपकन बन सिरदर्द बन जाता है, तब कई तरह के भाव विरोधाभास की स्थितियाँ पैदा कर मन-मस्तिष्क को कसैलापन दे डालते हैं।

ऋतु को विदाई माँ ने खूब दिल खोलकर की थी। साड़ी, फल, मिठाई और सोने के नन्हे टाप्स जिनको देखकर ऋतु बहुत खुश हुई थी। ऋतु को पति ठहरा तो ससुराल में केवल दो दिन था मगर स्वभाव में वह सबको अच्छा लगा था। ऋतु ने तो पूरे पंद्रह दिन का कार्यक्रम बनाया था मगर न वह साथ आ सका न लेने आया, बस शादी के दिन पहुँचा था। उसके ऑफ़िस में कोई ज़रूरी काम एकाएक आ गया। जिससे सारा कार्यक्रम बदलना पड़ा। ऋतु के जाने के बाद घर में सन्नाटा छा गया। माँ उसको याद करके रोती थीं। आख़िर वह उनकी पहलौठी औलाद थी। पहली औलाद से माँ-बाप को एक अलग तरह का भावनात्मक जुड़ाव होता है क्योंकि वह बहुतों की आशाओं का केंद्र होते हैं बाद में तो एक ठहराव आ जाता है। वह जिज्ञासा भरा उत्साह

केवल संख्या के बढ़ाने या क़िस्म में बदल जाता है। बहन के जाने के बाद मिनी को उसकी कमी खली थी, पहली बार उसको बहन का सुख मिला था।

दूसरे दिन ही ऋतु का फ़ोन आ गया और चार दिन बाद एक ख़त भी कि उसको सब बहुत याद आ रहे हैं। सुनंदा भी ऋतु को याद कर रही थी क्योंकि दोपहर में उनकी गाढ़ी छनती थी। ऋतु के जाने के बाद एक माँ ही बची थीं जिनसे वह काम की बातें करती थी। शाम को रूमा अलबत्ता यूनिवर्सिटी के कुछ मज़ेदार चुटकुले और लड़के-लड़कियों की मज़ेदार हरकतें बयान करती। जब सुनंदा खाली होती तो मिनी व्यस्त होती। जब दोनों खाली होते तो राजेश आ जाता और सुनंदा उसके चारों तरफ़ घूमते-घूमते ऊपर सोने चली जाती थी। इस बीच बिना बुलाए हमेशा की तरह कुमार साहब बहू-बेटे से मिलने आए। बातों-बातों में पता चला कि कुमार साहब के यहाँ दूसरा बच्चा पैदा होने वाला है। सुनकर माँ मन की बात दबा गईं और उनके मुँह से ऋतु के पैर भारी होने की बात जाने क्यों नहीं निकली।

ऋतु जब से गई थी उधेड़बुन में थी कि कैसे मिनी का सामना सच्चाई से कराए। तंग आकर उसने अपने परेशानी पति से कही और उसने एक तरक़ीब बताई कि किसी तरह रोहित तक मिनी का पता और टेलीफ़ोन पहुँचा दिया जाए। मिनी को यहाँ बुलाकर रोहित के घर ले जाना ठीक नहीं है। हो सकता है कि उसको गहरा मानसिक आघात लगे। सुलोचना ऋतु की ननद थी। सुरभि उसकी मित्र थी। तय पाया कि दोनों को चाय पर बुलाया जाए और सुलोचना मिनी के बारे में पूछताछ करे इस तरह से कि सारी सूचनाएँ रोहित के कान तक पहुँच गई। घर के पते से लेकर टेलीफ़ोन के नम्बर तक। अगले संडे को पार्टी तय हो गई। फ़ोन पर सब को दावत दे दी गई। जान-बूझकर सुरभि को नहीं बुलाया गया कि कहीं ऐसे सवाल न कर दे जिसे बात उस राह न चले जिस राह यह ले जाना चाहते हैं।

संडे को दी गई जब अपने शबाब पर पहुँची तो एकाएक सुलोचना ने पूछा कि भाभी मिनी के क्या हाल हैं? सुनकर रोहित चौंका मगर चुप रहा। उसके कान अलबत्ता खड़े थे। ऋतु ने लापरवाही से कहा, ''सो सो!''

''क्यों?''

''नौकरी फिर घर।''

''कौन मिनी?''

''क्या आप किसी मिनी को जानते हैं?''

''हाँ, मिनी कुमार! मेरे साथ पढ़ती थीं।''

''ओह क्या इत्तफाक है बहरहाल ऋतु तू उसका नंबर और पता दे मैं उसको बधाई का पत्र तो डालूँ!''

''तो लिख, मैं बोल रही हूँ।''

''माफ़ कीजिएगा! मैं भी नोट करना चाहूँगा।''

''हाँ, क्यों नहीं।''

दोनों ने मिनी का नंबर व पता लिखा। पार्टी गई रात तक चलती रही। तीनों परिवार वाले मज़े-मज़े की बात कर रहे थे। खासकर रोहित का ख़्याल ऋतु कुछ ज़्यादा ही कर रही थी। उसके परिवार के बाकी दो सदस्य भी इस आवभगत से बहुत खुश थे। चलते-चलते सुलोचना और रोहित ने सुरभि को याद करते हुए अगली बार उसको भी शामिल करने की बात करते हुए बताया कि मिनी, सुरभि और वह हाईस्कूल से क्लासफेलो रहे हैं। पार्टी सफल हो गई थी। ऋतु को अब विश्वास था कि रोहित मिनी को फ़ोन करेगा। सुरभि होती तो वह तो बिना देर किए कहती 'प्लीज ऋतु दीदी, अभी फ़ोन मिलाओ' और तब वह सब कुछ अपने तरह कहती सुनती।

रोहित खुश था। बहुत खुश था। उसको कब से इंतज़ार था वह मिनी को बताए कि उसके अपने न चाहने पर भी उसने मिनी से किया गया वायदा निभाया और माँ का कहना मान लिया है, वह खुश है बेहद खुश। खासकर तब जब मिनी ने अपना सपना भी पूरा कर लिया है आगे पढ़ने का! घर पहुँचकर उसने घड़ी देखी। बारह बज रहे थे इस समय मिनी को फ़ोन करना उचित नहीं होगा। सुबह करना ठीक है। रोहित को रात भर नींद नहीं आई। मिनी के बारे में सोचता रहा कि वह शादी के बाद कैसी लग रही होगी! उसके कितने बच्चे हैं? किस पर पड़े हैं? उसका पति उसको परेशान तो नहीं करता? और सबसे बड़ी बात कि वह रोहित को भूली तो नहीं? रोहित ने लंबी साँस लेकर करवट बदली। मैं तो उसको किसी दिन भी नहीं भुला पाया। पास पता होता तो किसी न किसी बहाने मैं बात तो करता! कल दोपहर में फ़ोन करूँगा जब उसका पति घर में नहीं होगा ताकि वह खुलकर बात कर सके। यही सब सोचते हुए रोहित को नींद आ गई।

सुबह रोहित उठा तो अलग तरह के जोश से भरा था। बार-बार घड़ी देखता। समय कट ही नहीं रहा था। दो बजे उसने फ़ोन घुमाया। उधर से किसी औरत ने फ़ोन उठाया। रोहित ने पूछा,

"मिनी है?"

"आप कौन बोल रहे हैं?"

"मैं उनका एक परिचित हूँ।"

"वह चार बजे लौटेंगी तब फ़ोन करना भैयाजी!"

"जी!" कहकर रोहित ने फ़ोन रख दिया और मन ही मन सोचा कि यह ज़रूर मिनी की सास होगी।

रोहित ने ऑफ़िस में बैठे-बैठे मिनी के ससुराल का नक्शा बना लिया जिसमें नौकरों पर घर छोड़कर जाती मिनी, कक्षा में पढ़ाती हुई फिर घर आकर थकी-थकी-सी बच्चों को होमवर्क कराती हुई। रात को खाने के बाद अपने बेडरूम में पति के साथ और गई रात में आँख खुलने पर रोहित के ध्यान में डूबी हुई। कुछ मोटी हो गई मिनी साड़ी पहनकर भरी-भरी लगती होगी। होंठों पर लाली और माँग में सिंदूर के साथ माथे पर बड़ी-सी बिंदिया, काजल भरी आँखों में यादों के डोरे तैरते होंगे। ख़्यालों में रोहित ऐसा डूबा कि फ़ोन करना भूल गया। रिसेप्शनिस्ट अगर जोशी के आने की ख़बर न देती तो वह इसी तरह मिनी के घर में झाँकता रहता। रोहित ने मुलाक़ात कल पर टालकर मिनी को फ़ोन मिलाया। इस बार फ़ोन मिनी ने ही उठाया था। रोहित चहका, "मिनी!" आवाज़ में अजीब व्याकुलता थी।

"रोहित! तुम्हीं हों न?" मिनी का दिल ज़ोर से धड़का। विश्वास से वह भर उठी।

"हाँ मैं ही हूँ और तुम कैसी हो?" प्यार भरा स्वर उभरा।

"मैं ठीक हूँ तुम अपनी सुनाओ कैसे हो?" खुशी से भीगा मिनी का लहज़ा था।

"बहुत कुछ कर डाला है इस बीच मैंने ज़रा आकर तो देखो! एक खुशख़बरी सुनकर खुश होगी! मेरी संख्या तीन हो गई है।"

"यानी कि...?" उलझा-सा स्वर उभरा।

"दो साल पहले शादी की थी। एक बेटा है।" रोहित ने बताया।

"अच्छा!" मिनी मर-सी गई।

"और तुम्हारी संख्या क्या है मिनी?" रोहित उसी झोंक में चहका।

"क्या बताऊँ अब! अच्छा रखती हूँ।" मिनी का गला रुंध गया था।

"मेरा नंबर तो नोट करो" अनुरोध उभरा।

"बोलो" मिनी ने घूँट भरा।

"लिख लिया। यह नहीं पूछोगी कि तुम्हारा पता कैसे मिला?" रोहित बात करने के मूड में था।

"कैसे मिला?" मिनी से जिज्ञासा से पूछा।

"तुम्हारी ऋतु दीदी से। उनकी ननद सुलोचना सुरभि की सहेली है।"

"ओह!" चौंक पड़ी मिनी।

"तुम ठीक तो हो न?" मिनी का बुझा स्वर सुन रोहित ने पूछा।

"हाँ, मैं ठीक हूँ फिर फोन करती हूँ बाय।" मिनी ने बिना रोहित की बाय सुने फ़ोन रख दिया।

मिनी का सिर घूम रहा था। एक गहरा झटका लगा था। सारी कोमल भावनाएँ, सारे नाजुक ख़्यालात, सारे गहरे संवाद एकाएक ध्वंस हो गए थे। जिन अहसास को उसने पिछले कई वर्षों से संभालकर रखा था एकाएक लड़खड़ा गए थे। उसकी आँखें भर आईं बहुत चाहने पर भी वह आँसू नहीं रोक पाई। कमरे में जाकर वह बिस्तर पर गिर गई और मछली की तरह बिस्तर पर तड़पने लगी। रो चुकने के बाद वह सुबकती हुई सो गई। खाने के समय जब माँ ने उसको जगाया तो उसका बदन बुखार में तप रहा था।

हफ्ते भर बाद जब वह बीमारी से निकली तो एक बात समझते देर नहीं लगी कि गया वक़्त लौटता कभी नहीं है। पहले रोहित आँखों से दूर हुआ और अब दिल से। उसके बारे में सोचना या फ़ोन करना अब मुनासिब नहीं है। ग़लती न उसकी है न मेरी बस समय हमको छल गया। माँ ने बताया कि किसी रोहित का फ़ोन कई बार आया था। मैंने बता दिया कि उसको बुखार है फिर बोला माताजी उनके पति हों तो बात करा दें, मुझे हँसी आ गई। मैंने कह दिया कि अभी उसकी शादी कहाँ हुई है। इस पर उसने फ़ोन बिना कुछ कहे काट दिया।

"माँ वह सनकी है, एक साल आगरा के पागलखाने में इलाज़ करा चुका है। अब फ़ोन आए तो कह देना यहाँ मिनी नहीं रहती है यह रांग नंबर है।"

"तुम्हें कैसे पता कि वह पागल है?"

"मेरा सहपाठी था।"

"अच्छा! अच्छा कह दूँगी, तुम दूध पियो!"

माँ इतना कहकर कमरे से बाहर निकलीं। मिनी दूध पीकर लेट गई। उसका दिमाग़ सुन्न पड़ गया था। इतने दिन जिसको

दिल व दिमाग़ में बसाया वह अपना नहीं रह गया। यह पीड़ा क्या कम है? उसने माथा पकड़ा दबाया फिर उठकर बैठी। फ़ोन की घंटी बज उठी। माँ ने फ़ोन उठाया।

"जी यह रांग नंबर है मिनी यहाँ नहीं रहती है।"

कई बार फ़ोन आया। हर बार मिनी तड़पी। अब फ़ोन पर बात करके केवल व्यथा को उलझाना है। उसका एक घर है पत्नी है बेटा है और वह कुछ भी नहीं है। अंत में सामाजिक रिश्ते ही सम्माान के अधिकारी बनते हैं बेकार में दफ़न हुई पिछली ज़िंदगी को ज़िंदा करना कोई अर्थ नहीं रखता है। उसने दर्द से तड़पती कनपटी को ज़ोर से दबाया। दिल ने कहा—

"मिनी, उसके स्वर में कितनी तड़प थी। वह तुम्हें दोबारा पाकर कितना खुश था। उसकी बेकरारी पहली जैसी थी। वहीं चहक, वही शरारत, वही सूचना देकर अचंभित करने वाला अंदाज़, कुछ तो नहीं बदला। वह अब भी तुम्हारा है। उठो, फ़ोन करो, हो सके तो उसको बुलाओ या फिर खुद बरेली जाकर मिल आओ।"

"नहीं, कभी नहीं, अब वह मेरा नहीं है। बेकार की यह हठ हज़ार झंझटों को जन्म देगी। वह रास्ता मेरा नहीं जो उसके घर की बर्बादी की तरफ़ जाता है। मुझे बहकाओ मत।" मिनी ने कहा।

"सिर दबा दूँ दीदी?" रूमा पास खड़ी पूछ रही थी।

"नहीं, बस बाम लगा दो।" बेदम मिनी बिस्तर पर लेट गई।

"तुम्हारा ख़त आया है दीदी! खोल दूँ पढ़ोगी?"

"नहीं, तकिए के नीचे रख दो!"

मिनी अपने विचारों में फँसी हुई संवेदना में उलझी तड़पती रही। उसको ऐसा कोई किनारा नहीं मिल रहा था जिसको पकड़कर वह उस तूफ़ान में बहने से अपने को बचा पाती। उसको लग रहा था जैसे उसका दम घुट रहा है। काश! दीदी यहाँ होतीं तो मैं अपना दिल खोलकर उनके सामने रख देती। मुझे इस समय कुछ कहने की सख्त ज़रूरत है, किससे कहूँ आख़िर किससे? संवेदनाओं का बवंडर बगूलों की तरह उसको रेगिस्तान में दूर-दूर तक उड़ा ले जा रहा था। चटियल मरुस्थल में मंज़िल का कहीं पता नहीं था। तड़पते-तड़पते उसको नींद आ गई। बाम ने उसको शारीरिक रूप से आराम पहुँचाया था।

जब मिनी सुबह उठी तो वह काफी संभल चुकी थी। चाय पी, नहाई और नाश्ता करके कमरे में आकर लेट गई। तकिए के नीचे से ख़त निराला। ख़त रोहित का था। वह लिफाफा खोलते-खोलते रुक गई। कुछ पल उसकी हस्तलिपि देखती रही फिर संयत होकर ख़त खोला और एक साँस में सारा पढ़ गई। कुछ देर आँख बंद कर लेटी रही फिर उसने दोबारा ख़त खोला और एक साँस में सारा पढ़ गई। उसमें रोहित ने उससे विवाह करने का अनुरोध करते हुए लिखा था कि यह शादी भी उसने मेरे शब्दों के सम्मान में की है और कर्तव्य बख़ूबी निभा रहा है, जब नियम को यही मंजूर था तो उसको भी इस खेल में हारना नहीं चाहिए। ऋतु से सारी बातें तफ़सील से पता चलीं मगर जीवन मोड़ों को सीधी सड़क में अब मोड़ा नहीं जा सकता है। इसी क़िस्म की बहुत-सी विवेकपूर्ण बातें थीं। जिसने काफ़ी हद तक मिनी को सहज बना दिया। अतीत और वर्तमान, स्वप्न और यथार्थ का फ़र्क भी उसको समझ में आ गया था। अब बस अपने को नई पटरी पर डालना था।

कई महीनों बाद घर में एक बार फिर चर्चा चल पड़ी। पंडितजी मिनी का रिश्ता लाए थे। कौन बिल्ली की गर्दन में घंटी बाँधे? आख़िर सुनंदा ने यह ज़िम्मेदारी बहू और भाभी के नाते संभाली और आग में हाथ जलाने चली। मिनी किसी उपन्यास में डूबी थी! भाभी को नज़र उठाकर देखा और मुस्कुराई।

"यह पंडितजी लाए थे। देखो मिलकर थोड़ा हम इन साहब की फ़ोटो पर हँसते हैं।" सुनंदा ने बिल्कुल नए ढंग से बातचीत शुरू की।

"अच्छा! तो पंडितजी अभी भी सक्रिय हैं!" मिनी हँसी।

"अरे भाई प्रोफ़ेशन है। रोज़ी-रोटी का सवाल है! मैं इसी ख़्याल से तुम्हारे पास ले आई कि ज़रा मिलकर खिंचाई करते हैं महाशय की, यह मुँह और मसूर की दाल वा रे मेरे बाँके लाल!" सुनंदा ठट्ठा मारकर हँस पड़ी।

"क्या बात है भाभी आज बड़े मूड़ में हैं।"

"अच्छा चलती हूँ तुम्हारे भैया खीर बनाने को कह गए हैं। तुम्हारी पसंद तो जानती हूँ। अब देखो यह लड़का ठीक है रूमा के लिए?" कहती भाभी कमरे से निकल गई।

मिनी ने तस्वीर देखी। एक लंबी साँस भरी। रोहित का चेहरा आँखों में कौंध गया। उसने सिर यूँ झटका जैसे पराई चीज़ ग़लती से उसने उठा ली हो। दोबारा तस्वीर गौर से देखी। बायोडाटा पढ़ा। ख़्याल गुज़रा कि रूमा के लिए लड़का ठीक है मगर उम्र का फ़र्क पूरे पाँच साल का होगा तो क्या, लड़का बुरा नहीं है। भाभी से कहूँगी रूमा को और दिखा लें। फैसला लेकर वह लेट

गई। माँ ने पुकारा कि ऋतु का फ़ोन है आकर बात कर ले। मिनी तेज़ी से उठी और फ़ोन का चोगा उठाया। औपचारिक बातें जब ख़त्म हुईं तो चहककर मिनी ने रूमा के आए रिश्ते की बात बताई तो ऋतु गंभीर हो उठी।

''मिनी वह रिश्तों तेरे लिए आया है उसको रूमा के सिर मत मढ़! एक बार इसी हरकत से बहुत कुछ बिगड़ गया था। ऐसा न हो कि तू अनजाने में रूमा का सत्यानाश कर दे!''

''दीदी, शादी मैं नहीं करना चाहती हूँ अब!''

''रोहित ने तेरी बात कभी मानी थी आज तू उसकी बात मान, प्रेम का अर्थ केवल एक साथ जीना नहीं बल्कि दूर रहकर भी साथ साथ जीना नहीं बल्कि दूर रहकर भी साथ-साथ जीना होता है। तू तो भावना का फलक पहचनती है, सरोकारों के विस्तार की भी पारखी है फिर झिझक क्यों रही है। जीवन में जो मिला है उस हिस्से को निडर होकर पी चाहे वह ज़हर ही क्यों न हो!''

ऋतु की बातों ने मिनी के प्यार का अलग संदर्भ दिया! मिनी बहुत कुछ समझ गई। कमरे में लौटी तो तस्वीर को दोबारा देखा और ऋतु की बातों की गूँज को अपने अंदर महसूस किया। कई घंटे तक वह बिस्तर पर पड़ी-पड़ी जीवन को हर कोण से देखती रही। खाने से पहले भाभी हँसती हुई कमरे में दाखिल हुई और शरारत भरी आँखों से संकेत की भाषा में पूछा कि सब ठीक है, बात चलाई जाए रूमा के लिए। उसी इशारे क़ी जबान में मिनी ने इंकार में गर्दन हिलाई और शरारत भरे स्वर में बोली, ''भाभी यह मेरे साथ ज़्यादा जँचेंगे...क्यों?''

''क्या?'' सुनंदा अवाक थी।

''कैसी रही '' मिनी हँस पड़ी।

''बहुत अच्छी! माँ को अभी ख़ुशख़बरी देती हूँ!'' कहती हुई सुनंदा बाहर भागी।

मिनी ने आँखें बंद कीं तो सामने रोहित की जगह एक नया चेहरा था। उसने आँखें खोलीं और मन ही मन कहा, यथार्थ को स्वीकार करने में ही जीवन बोध छुपा है।

साहित्य की लोकव्यापकता और सृजन-ग्रहण का अंतराल*

रमेशचंद्र शाह

व्याख्यानमाला के विषय पर अभी सोचना भी शुरू नहीं किया कि एक के बाद एक काव्य-पंक्तियाँ मन में घुमड़ने लगी हैं : "सब धरती कागद करूँ, लेखनि सब बनराय/सात समुद्र की मसि करूँ गुरु गुन लिखा न जाए..." "इफ ऑल दि पेंस दैट पोएट्स ऐवर हैल्ड..." लगभग वही बात तो शेक्सपीयर के समकालीन कवि-नाटककार क्रिस्तोफर मार्लो ने भी कही है : अनुभूति और अभिव्यक्ति के बीच के उसी अपाट्य से अंतराल की आत्म-स्वीकृति दोनों जगह उसी तीखेपन के साथ निबद्ध है। यह भी तो प्रकारांतर से सृजन-ग्रहण का ही अंतराल हुआ : आखिर सृजन भी तो ग्रहण ही है : कवि अज्ञेय क्या नहीं कह गए हैं एक जगह कि "कहीं बड़े गहरे में/स्वैर हैं सभी नियम/सभी सर्जन केवल/आँचल पसार कर लेना...?" किंतु यहाँ बात खुद सर्जक के भीतर की, रचना-प्रक्रिया की या शब्द और सत्य के बीच की दूरी को पाटने/उड़ा देने की नहीं है : जो सिरजा गया उसे दूसरे तक यथावत पहुँचाने की—सम्प्रेष्यता की—है। मगर क्या लिखते समय—सृजन के क्षण में—इस दूसरे का भान होता है? कहाँ होता है वह दूसरा जिस तक हम सम्प्रेषित होना चाहते हैं? तो क्या यह सम्प्रेषणीयता की बात भी दरअसल सहभागिता की ही बात नहीं है? कहा भी गया है कि "मनुष्य होने का अर्थ ही है, इतर को अपना बनाना, किसी को इतर या पराया न मानना" ("मैं की मेरी चेतनता/सबको ही स्पर्श किए सी/सब भिन्न परिस्थितियों की/है मादक घूँट पिए-सी"—जैसा कि *कामायनी* के उपसंहार तक आते-आते मनु को इल्हाम होता है)। तो, यदि इस लोक में इसी भाव से जीना लोक-यात्रा है तो साहित्य इसी लोक-यात्रा का अभिलेख होना चाहिए और उस अभिलेख में अनिवार्यतः मनुष्य से इतर, अर्थात् मनुष्य से नीचे की और मनुष्य से ऊपर की भी सारी स्थावर-जंगम और देव-गंधर्व-असुर वाली सृष्टि भी अपनी जगह बनाएगी ही; नहीं तो सहभागिता कैसे पूरी होगी सच्चे अर्थों में। कदाचित् इसीलिए हमारे सारे महाकाव्यों, कथा-साहित्य में भी मनुष्यों के साथ मानवेतर सृष्टि की भी ऐसी—इतनी सहभागिता है जैसी—जितनी अन्यत्र दुर्लभ्य ही जान पड़ती है। किंतु यह तो प्राचीन साहित्य की बात हुई : अर्वाचीन याकि आधुनिक भारतीय साहित्य में क्या वैसी लोकव्यापकता का संस्कार अभी भी सक्रिय दीखता है? नहीं दीखता या कम दीखता है तो क्या यह परिस्थिति भी नए रचनाकार और उसके सम्भाव्य ग्रहीता के बीच बाधक नहीं बनती? पर इस परिस्थिति के लिए स्वयं लेखक कहाँ तक ज़िम्मेदार ठहरता है? तुलसीदास के लिए जो सहज संभव था, वह निराला के लिए कष्ट-साध्य था, फिर भी साध्य तो था ही; तभी न उन्होंने अपने उस आदर्श पूर्वसूरि का आदर्श 'कल्चर हीरो' की तरह आवाहन किया, उसके साथ आस्तित्विक, पारिस्थितिक और सांस्कृतिक स्तरों पर तिहरा तादात्म्य साधने का इतना बड़ा उपक्रम किया।

हो गए आज जो खिन्न-'खिन्न
छुट-छुट कर दल से भिन्न-भिन्न
यह अकल कला गह सकल छिन्न जोड़ेगी

यहाँ प्रश्न उठेगा कि सकल छिन्न को गहकर जोड़ने वाली अकल कला आधुनिक काल के केवि के लिए काम्य हो सकती

---

* विमला देवी फाउण्डेशन न्यास द्वारा आयोजित द्विजदेव स्मृति व्यख्यानमाला के अन्तर्गत दिया गया व्याख्यान, दिसम्बर 2001।

है, आदर्श हो सकती है किंतु उसकी उपलब्धि कैसे हो? एक ऐसे समय में जब सब तरफ भ्रंश और विघटन का दृश्य दिखाई दे रहा हो—''थिंग्ज फाल एपार्ट, दि सेण्टर केन नॉट होल्ड/मियर अनार्की इज़ लूज्ड अपान दि वर्ल्ड'' वाला और जिस पर यह आलम हो कि जिनसे रास्ता सुझाने की, रोशनी पाने की उम्मीद की जा सकती है, वही सबसे सयाने और बुद्धिमान् लोग दुविधाग्रस्त दीखें और सबसे घटिया लोग ही उन्मत्त आत्मविश्वास से लबालब हर जगह काबिज हो जाएँ...''दि वैस्ट लैक ऑल कन्विक्शन, एण्ड दि वर्स्ट/आर फुल ऑव पेशनेट इण्टेंसिटि...'' तो ऐसे में कवि-कलाकार क्या कर सकते हैं—सिवाय जहाँ-तहाँ से कुछ टुकड़े सहेज कर बचा लेने के उपक्रम के... ''दीज़ फ्रैग्मेण्ट्स आइ हैव शोर्ड अगेन्स्ट माइ रुइंस''—जैसा कि अपने यूरोपीय 'वेस्टलैण्ड' का हाल बताने वाला कवि एलियट अपने काव्य-नायक से कहलवाता है। देखा जाए तो क्या अपने यहाँ भी कुशल कुछ कम विपरीत है?... ''देवता अब भी जलहरी को घेरे बैठे हैं''—अज्ञेय की 'मरुथल' शृंखला की—जो उनकी लगभग अंतिम ही कविताएँ हैं। उसा शृंखला की एक कविता का यह कहना है : देवता अब भी जलहरी को घेरे बैठे हैं/पर जलहरी में पानी सूख गया है/देवता भी धीरे-धीरे सूख रहे हैं/उनका पानी/मर गया है...''। पर क्या इस तरह मरुथल को देख या दिखा सकना ही कहीं उसके प्रतिकार के लिए भी सचेष्ट हो सकने की संभावना को नहीं दर्शाता? सृजन ग्रहण का अंतराल यहाँ कहाँ है?—लोकव्यापी श्रेयस् के सिकुड़ते जाने की वेदना की इस तीक्ष्ण अभिव्यक्ति में? ''जितना तुम्हारा सच है, उतना ही कहो''—अज्ञेय की एक और कविता का कहना है—''तुम नहीं व्याप सकते; तुममें जो व्यापा है, उसी को निबाहो'' क्या मुक्तिबोध की द्वंद्व—चेतस् सत्-चित्-वेदना भी अपनी लोकयात्रा में प्रकारांतर से उक्त वेदना की ही सहभागी नहीं?...''अंतःकरण का आयतन संक्षिप्त है/आत्मीयता के योग्य मैं सचमुच नहीं/पर क्या करूँ, यह छाँह मेरी सर्वगामी है...।'' इस सर्वगामी छाँह को, और उस अपने में व्यापे हुए के निर्वाह को समझने-ग्रहण करने में कहीं कोई दिक़्क़त है?

यह अकारण नहीं था कि हिंदी कविता में सम्प्रेषण पर सबसे अधिक जोर अज्ञेय ने दिया। वे यह मानते थे कि काव्य अभिव्यक्ति से भी अधिक सम्प्रेषण है और सम्प्रेषण की परिस्थितियों को समझे बिना काव्य का मूल्यांकन तो दूर, सही अर्थग्रहण भी नहीं हो सकता। अपने समय की कविता का खुलासा करते हुए उन्होंने एक जगह कहा है कि पारंपरिक वाचिक रीति की व्यक्तित्त्व-रहित वर्णनात्मकता और वृत्तात्मकता से मुक्ति के लिए पहला विद्रोह छायावाद का था, जिसने कविता में फिर से प्राण डालकर उसे व्यक्तित्व दिया और उस व्यक्तित्व को एक भाव-प्रवण भाषा दी; फिर दूसरा विद्रोह छायावाद की अतिशय अंतर्मुखता और अतिशय व्यक्ति-वैचित्र्य के विरुद्ध था जिसके कारण सम्प्रेषण के लिए एक नया जोखम सिर उठाता दीखने लगा था। सामाजिक अनुभूतियों के बाह्य यथार्थ के प्रस्तुतीकरण और सम्प्रेषण के लिए छायावादी भाषा पर्याप्त नहीं थी। बल्कि ऐसा सोचना भी निराधार नहीं लगता कि शायद छायावाद से पहले की वृत्तपरक भाषा भी अपनी निर्वैयक्तिकता के कारण ही फिर से उपयोगी हो सकती है (यहाँ यह उल्लेख समीचीन होगा कि नए कवियों में से एक विपिन अग्रवाल ने बाकायदा मैथिलीशरण गुप्त की भाषा को नई कविता में आ गए अवरोध को हटाने की दृष्टि से अनुकरणीय रूप में प्रस्तावित किया था)।

किंतु सपाट भाषा के भी अपने जोखम होते हैं। काव्य-भाषा इकहरी नहीं होती, नहीं होनी चाहिए। काव्य-भाषा मुहावरे और समय से बँधने की बजाय उसका विस्तार करती है; कवि का यथार्थ भी सतही और इकहरा नहीं होता, नहीं होना चाहिए।'' कहीं ऐसा तो नहीं कि काव्य-मूल्यों के संदर्भ में इस बुनियादी बात की उपेक्षा ने ही परवर्ती काल में जोर पकड़ा हो और जिस अन अपेक्षित अंतराल की शिकायत आज की कविता से कई लोगों को होती है, उसमें इस इकहरेपन का भी योगदान हो? इतना ही नहीं कई लोगों को आज की कविता में एक दूसरा दोष भी नज़र आने लगा है जो एक तरह से छायावादी अतिरेक की ही एक दूसरे ढंग से वापसी है और वह दोष है कवि-व्यक्तित्व का अत्यधिक और विक्षेपकारी प्रक्षेपण। कहा गया है कि आज की कविता में खुद कवि इतना ज्यादा बोलने लगा है कि कविता की बोलती बंद हो जाती है। यदि ऐसा है तो यह स्थिति भी काव्य के लोकव्यापी स्वभाव को संकुचित करने वाली है और सृजन-ग्रहण के अंतराल को भी लाजिमी तौर पर बढ़ाने वाली। इस बात को कविता और राजनीति के संबंध के परिप्रेक्ष्य में भी देख लेना चाहिए। अभी पिछले दिनों मिलान कुंदेरा का एक उपन्यास पढ़ने में आया था *लाइफ इज़ एल्सव्हेर*—जिसमें ठेठ इस बीसवीं सदी के कविता के राजनीतिक अनाड़ीपन और अदूरदर्शी भावुकता पर सचोट और गहरा व्यंग्य किया गया है—उपन्यास की केंद्रीय

विषयवस्तु ही यही है। चूँकि आज लिखी जा रही बहुत सारी हिंदी कविता को पढ़ते हुए न तो नई कविता के बौद्धिक संस्कार का, 'इण्टेलेक्चुअल टफनेस' का, कोई पता चलता है, न निराला-प्रसाद के सांस्कृतिक विवेक ही की कोई अनुगूँजें सुनाई देती हैं, अतः यह जिज्ञासा स्वाभाविक है कि जिसे उद्दिष्ट करके वह लिखी जाती है, उस तक वह पहुँचती भी है या नहीं और पहुँचती भी है तो क्या लेकर पहुँचती है। क्या उसमें अपने लोक की वह अनुभूति और समझ कार्यरत है जो भारतीय कविता को हज़ारों वर्षों से अनुप्राणित करती रही है? क्या उसमें इस समझ के अनुरूप अपने समाज के लिए सही राजनीति की खोज की छटपटाहट सक्रिय है? उसके प्रेरणा-स्रोत क्या है? मुक्तिबोध की 'द्वंद्व-चेतस सत्-चित्-वेदना' से उसका कैसा क्या संबंध है? स्वयं इस द्वंद्व-चेतस् सत्-चित्-वेदना के एतद्देशीय अथवा अपरदेशीय आधार या प्रेरणा-स्रोत क्या हैं?

बरसों पहले पढ़ने में आया होमर का महकाव्य ईलियड। उसका एक प्रकरण स्मृति में उभर रहा है। नायक एकिलीज़ को ट्रॉय के युद्ध में अजेय बनाने के लिए आग और निहाई का देवता हिफ़ेस्टस उसके लिए एक दिव्य ढाल बना रहा है। ढाल के बीचोंबीच समूची सृष्टि उकेर दी गई है : पृथ्वी, आकाश, समुद्र, सूर्य-चंद्र और नक्षत्र-मण्डल। इस केंद्र को घेरे हुए हैं पाँच समकेंद्रिक वृत्त। सबसे भीतरी वृत्त में दो नगर हैं आमने-सामने। एक में अमन-चैन, विधि-व्यवस्था और नाचते-गाते, उत्सव मनाते नागरिक; दूसरा युद्धरत। विरोधी सेनाओं के बीच नियति-नटी का ताण्डव। इसके बाद वाले मण्डलों में लोग खेतों में काम करते, लहलहाती फ़सलों के बीच हँसते, खुशी मनाते दिखाई दे रहे हैं। तदुपरांत आखेट के दृश्य हैं, पशु-पालन के भी। उत्सवों में भाग ले रहे नागरिकों के भी। अंत में, सबसे बाहर के वृत्त में उकेरी गई है वह सागर-नदी जो यूनानियों की दृष्टि में पृथ्वी को चारों ओर से घेर कर बहती है। अर्थात् कुल मिलाकर योरोप के आदि कवि की भाव-संवेदना में यह मानव-जीवन और संसार समूची सृष्टि के मेल में एक सुसंगत और सुसंबद्ध व्यवस्था है जिसमें कहीं कोई असामंजस्य या गड़बड़ी नहीं। यह नहीं कि इसमें कभी कोई व्यतिक्रम नहीं होता। मानो। उसे फिर से संस्थापित करने के लिए। युद्ध भी मानो वह अनिवार्य उपाय और कर्त्तव्य हो जिसके द्वारा महापुरुष और देव-शक्तियों फिर से अपनी जगह लौट के प्रतिष्ठित होती हों।

युग बदलता है। लगभग तीन सहस्राब्दियाँ बीत चुकी हैं ट्रॉय के युद्ध के बाद। एकिलीज़ की ढाल एक बार फिर से ढाली जा रही है। पर ग्रीक देवता हिफ़ेस्टस के यहाँ नहीं, बल्कि आधुनिक कवि डब्लू, एच. ऑडेन की कविता में, जिसका शीर्षक ही है, 'द शील्ड ऑव् एकिलीज़। यूँ हिफ़ेस्ट्स यहाँ भी मौजूद है, मगर आधुनिक कलाकार के चोले में। यहाँ जो आकृति उभरती है वह रोहतास दुर्ग के अकेले प्रकोष्ठ में बैठी शोण के प्रवाह को एकटक निहारती जयशंकर प्रसाद की 'ममता' की याद दिलाती सी थीटिस की आकृति है। मगर प्रसाद की ममता और ऑडेन द्वारा उकेरी गई थीटिस के बीच एक फ़र्क़ है और वह फ़र्क़ यह है कि थीटिस जो देख रही है वह नदी का प्रवाह नहीं, बल्कि एक उजाड़ और सूना-सपाट मैदान है जहाँ एक सूने-सपाट चेहरों वाली नाम-रूप-विहीन भीड़ बर्बरों की नहीं, अधिनायकों-तानाशाहों की प्रतीक्षा कर रही है : उनके प्रचार-अभियान में जुड़ने के लिए। थीटिस के सामने जो उजागर हुआ, वह पाश्चात्य सभ्यता की जय-यात्रा में से गुज़र चुके मनुष्य का ऐतिहासिक अनुभव है। प्रौद्योगिक क्रांति, दो-दो विश्वयुद्धों और विचारधाराओं की भरपूर टकराहटों से गुज़र चुकने का मोहभंग। नवयुग के आईने में यूरोप की नागरिक सभ्यता का आशाविहीन अंधकार।

'एकिलीज़ की ढाल' सच्चे अर्थ में राजनैतिक कविता है; तथाकथित पक्षधर या तथाकथित जनवादी कविता नहीं। वैसी कविता ही का नमूना देखना हो, तो ऑडेन का ही 'स्पेन 1937' देख लेना काफी होगा जिसे स्वयं कवि ने बाद में डिजओन (अस्वीकृत) कर दिया था। मगर होमर से ऑडेन में ज़रा कुछ ज़्यादा ही लंबी छलांग के बाद, आइए हम लौटें ईसाई नवयुग की देहरी पर जहाँ हमें होमर की ढाल के एक हज़ार बरस बाद यूरोप के महाकवि वर्जिल के महाकाव्य ऐनीड के चौथे सर्ग में गूँजती भविष्यवाणी का स्वर सुनाई देता है। यूरोपीय विद्वत्परंपरा ने कभी इसमें ईसा के आगमन की भविष्यवाणी सुनी थी। इतना ही नहीं, मानव जाति के इतिहास में सचमुच के 'ऐतिहासिक' युग के, अर्थात् स्वयं 'इतिहास' नाम की चीज़ के, प्रकाट्य का पूर्वाभास भी उसने वर्जिल के इसी स्वप्नाविष्ट और आशावादी स्वर में पाया था : लीजिए, सुनिए वर्जिल के ही शब्दों में, वह क्या कहता है :

सिबिल के इस गान के साथ ही हम एक युगांत की देहरी लाँघ चुके हैं। महाकाल के गर्भ से अब पुनः एक महान् युग-शृंखला का आविर्भाव होने जा रहा है। न्याय की देवी फिर से हमारे बीच

निवास करने आ रही है और शनि देव का सुराज फिर से लौट आया है। नए युग का अग्रजन्मा आसमान से धरती पर अवतरित होने ही वाला है। उसके आविर्भाव के साथ ही इस 'आइरन रेस' का अंत हो जाएगा और स्वर्ण-पुरुष ('गोल्डन मैन') समस्त पृथ्वी का उत्तराधिकार सम्हालेगा। खुशियाँ मनाओ—और मुस्कराते चेहरे से स्वागत करो इस शिशु के जन्म का...।

अब यूँ तो, इसी अदमी आशावाद और भविष्यवादी आस्था की अनुगूँज हमें अंग्रेजी रोमैण्टिक कवि शैले के काव्य-नाटक हेलास में भी सुनाई देती है जो उसने 1821 में तुर्क आधिपत्य से यूनान की मुक्ति का उत्सव मनाते हुए लिखी थी : किंतु उस उल्लास के भीतर गहरे में अंतःसलिला की तरह एक करुण रागिनी भी बज रही है। इसका क्या भरोसा कि यह मनुष्य नाम का सर्वथा अपूर्वानुमेय जंतु फिर से ईडीपस की तरह, ट्रॉय की तरह नियति के जाल में नहीं फँस जाएगा?—अपनी इस खुशफ़हमी के बावजूद कि अब उसने न केवल व्यवहार-जगत् में अन्याय और असत् की सारी दुःसंभावनाएँ मिटा डाली हैं, बल्कि स्वयं मानव-स्वभाव के भीतर की गहरी पर्तों में दबी-छुपी दुष्प्रवृत्तियों को भी जड़-मूल से उखाड़ दिया है। कहाँ वह काव्य-नाटक के आरंभ की उजली भविष्यवाणी (''दि वर्ल्ड्स ग्रेट एज बिगिंस ऐन्यू/दि गोल्डन इयर्स रिटर्न...'')! और कहाँ यह विषादपूर्ण समापन (...''छोड़ो, रहने दो, लौटकर आना है फिर से यदि/झूठ, रक्तपात, घृणा, मृत्यु का वही दुष्चक्र/छोड़ो व्यर्थ है निचोड़ना/कड़वी भविष्यवाणी का यह कलश/थक चुकी है यह दुनिया अपना भूत ढोते-ढोते/छोड़ो डूब जाने दो उसे चिर-निद्रा में अंततः...)!!

कैसी है यह मानव-नियति, जो अपनी ही उपलब्धियों को, अपनी ही स्वप्नद्रष्टा कल्पना द्वारा विनिर्मित संस्कृति-सभ्यता की संरचनाओं को अपने ही हाथों नष्ट होते देखने को अभिशप्त हैं? अपनी परिणति में शैले का यह काव्य इसी व्याकुल प्रश्न को प्रतिध्वनित करता है। शैले के सौ बरस बाद भी यही त्रास गूँजता सुनाई देता है येट्स की कविता में...

एक भी वस्तु आदमी की लालसा की ऐसी नहीं
टिक सके जो एक पल या एक दिन से भी अधिक
प्यार का सुख निगल जाता है प्यार को ही
तूलिका चित्रकार की उसके सपनों को
जो कुछ भी सुलगता-दिपता इस अँधेरी रात में
मानव-हृदय ही उसका ईंधन है।

शैले, वर्ड्स्वर्थ और येट्स मानवीय नियति को प्रभावित करने वली अन्यान्य चीज़ों की तरह ही राजनीति में भी गहरी दिलचस्पी रखने वाले कवि थे। किंतु मानव-इतिहास और मानव-मनोविज्ञान के भीतर प्रतिभा पैठ से सम्पन्न और उसके प्रति गहरी करुणा और मंगल-कामना से संवेदित कवि वस्तुस्थिति के भावाविष्ट सरलीकरण से तथा मनमानी वाग्मिता की आत्म-प्रवचना से स्वभावतः सावधान रहता है। येट्स की वह सुप्रसिद्ध कविता यहाँ अनायास याद आ रही है जिसमें उसने ईस्टर के दिन शहीद हुए दस आयरिश क्रांतिकारियों को श्रद्धांजलि दी है। कवि की प्रतिक्रिया दुहरी है : एक ओर वह अनुभव करता है कि एक ही ध्येय और ऑब्सेशन को इस तरज समर्पित दिलोदिमाग पत्थर हो जाते हैं और जीवन के सहज प्रवाह को अवरुद्ध कर देते हैं; तो दूसरी ओर वह इस घटना से इस कदर विचलित हो जाता है कि उसे लगता है, इसके बाद अब यह दुनिया पहले जैसी नहीं रही : एक भयानक सौंदर्य जन्म ले चुका है। मुक्तिबोध की 'अँधेरे में' कविता की ''कहीं आग लग गई कहीं गोली चल गई...'' की तरह येट्स की इस कविता में भी टेक की तरह यह पंक्ति... ''अ टैरिबल ब्यूटी इज़ बॉर्न'' शुरू से आखिर तक गूँजती रहती है।

क्या यह विषयांतर हो गया? मैं समझता हूँ, नहीं; क्योंकि साहित्य के सृजन ग्रहण में भी न केवल अपनी परंपरा के स्रोत और प्रवाह की पक्की-पूरी अवगति अनिवार्य है, बल्कि उस सचमुच ही दूसरी परंपरा के भी स्रोत और अद्यतन प्रवाह की भी, जिन दूसरी परंपराओं से हम स्वतंत्रता समानता, मानव-मुक्ति विषयक वैचारिक और भाविक प्रभाव और प्रेरणाएँ ग्रहण करते हैं। प्रसाद की *कामायनी* में एक पंक्ति आती है—''चेतना, सजग रहती दुहरी''। अभी येट्स की जिस 'ईस्टर : 1915' शीर्षक कविता का जिक्र हुआ उसमें यह 'सजग दुहरी चेतना जिस अद्‌भुत ढंग से सक्रिय है, वह हमारे कवियों के लिए भी उतना ही प्रासंगिक और अनिवार्य सबक है जितना शैले का उदाहरण। देखने में आता है कि हम प्रभाव भी इकहरा ही ग्रहण करते हैं क्योंकि हमारे लिए सुविधाजनक वही है। रोकने-टोकने वाला कोई होता नहीं। अपनी संस्कृति को लेकर हमारा ज्ञान चाहे जिस कोटि का हो, उसे लेकर हमारी शंकालुता में कभी कोई कमी नहीं रहती'; किंतु जहाँ तक दूसरी परंपराओं का सवाल है उनके पास जाते हुए हम अपने इस पापशंकी आलोचकत्व को घर पर ही टाँगकर जाते हैं और उसका इकतर्फा प्रभाव भी इस तरह अपनी स्नायुओं में सोख

लेते हैं जैसे वह प्रभाव नहीं, घुट्टी हो घर की। ऐसे में चेतना कितनी सजग और दुहरी रह सकती है, सोचने की बात है। अपनी इसी सहज ग्रहणशील किंतु अति-वेध्यता के चलते हम न तो उस 'प्रभाव' और प्रभुत्व को उसके अपने शक्ति-स्रोतों पर पकड़ने की जरूरत महसूस कर पाते हैं, न उस परंपरा के श्रेष्ठतम चिंतन और कविकर्म में कार्यरत 'सजग दुहरी चेतना' को ही। मुझे लगता है हमारे साहित्य की लोकव्यापक संभावनाओं के रास्ते में एक बड़ा रोड़ा और सृजन-ग्रहण के अंतराल का एक बड़ा घटक यह भी है।

हमारे जीवन में साहित्य की जगह को लेकर, प्रयोजन को लेकर खासा मतिभ्रम फैलाया गया है। जिस तरह जीवन के गुणाधारों को लेकर–जिए जा रहे जीवन में, मानव-संबंधों में घर करती जा रही संवेदनहीनता या प्राकृतिक परिवेश के प्रति बढ़ती जा रही उदासीनता लगता है, किसी की चिंता का विषय नहीं रह गई है, उसी तरह इस मानवी संवेदनशीलता का सर्वाधिक जतन कर सकने वाले साहित्य के प्रति भी पिछले दो तीन दशकों में बहुत ही एकांगी क़िस्म का रुख दिखाई पड़ता है। इस रुख के लक्षणों में से एक लक्षण तो यही है कि अब साहित्य के आलोचक की अर्हताओं में उसका आस्वादक होना, ठीक उसी तरह अनावश्यक, बल्कि अनर्गल माना जाने लगा है, जिस तरह कविता के सर्वप्रथम कविता होने की शर्त को। आलोचक के तौर पर किसी को मटियामेट करने के लिए इतना कहना काफ़ी है कि वह आस्वादक है, आलोचक नहीं। ऐसे में स्वयं साहित्यालोचन की गुणवत्ता की कसौटी क्या होगी? छायावाद के कवियों ने अपना पाठक-समाज बनाया, छायावादेतर और नई कविता के कवियों को उसका लाभ मिला और उन्होंने स्वयं भी एक पाठक-समाज बनाया। उसे नए सिरे से दीक्षित किया। परवर्ती कविता ने यह काम किया कि नहीं किया, उसका लाभ मिला और उन्होंने स्वयं भी एक पाठक-समाज बन पाया। उसे नए सिर से दीक्षित किया। परवर्ती कविता ने यह काम किया कि नहीं किया, यह प्रश्न पूछा जा सकता है और पूछा जाना चाहिए। लक्षण जैसे दिखाई देते हैं उन्हें देखते हुए तो यही प्रतीत होता है कि कम से कम कविता का पाठक-समाज पहले की तुलना में सिकुड़ा ही है : वह कविता से विमुख हुआ जा रहा है। यह भी सृजन-ग्रहण के अंतराल का ही एक पक्ष है। यह मानना कठिन है कि कविता की अब किसी को ज़रूरत नहीं रही; जो जरूरत है वह गद्य से पूरी हो जाती है, उसी ज़रूरत के प्रति आज की अधिकांश कविता लापरवाह याकि असंवेदनशील हो गई हो। उकसे बदले वह जो उसका काम नहीं है, उसमें अपनी ऊर्जा खपाने लग गई हो। ऐसी कविता से पाठक–कैसा भी ग्रहणशील पाठक–क्या पाएगा? वगार्थ की अल्पता ही सच कहा जाए तो कविता के पारखी को ही नहीं, सामान्य पाठक को भी आज की कविता से विरक्त और निराश कर रही है, यह मानना ज़्यादा स्वाभाविक लगता है।

निश्चय ही साहित्य-विशेषकर काव्य–भी सहृदय सामाजिक की अपेक्षा रखता है और उस सीमा तक दीक्षागम्य भी उसे कहा जा सकता है, किंतु ठीक उस अर्थ में नहीं जिस अर्थ में ज्ञान के दूसरे अनुशासनों के बारे में यह बात कही जाएगी। कारण, साहित्य, खास तौर पर कविता एक ऐसी कला है, जिसकी सारी सामग्री, भाषा की तहों में संचित सारी अर्थच्छायाएँ और हरकतें, मनुष्य की आत्माभिव्यक्ति की, आत्मसम्प्रेषण की छटपटाहट में से उपजी है। जिन चीज़ों से कविता बनती है, उनमें एक भी ऐसी नहीं जो हममें से प्रत्येक के अंतर्जीवन से सीधे जुड़ी हुई न हो। "कहा जो न कहो/नित्य-नूतन प्राण अपने गान रच-रच दो...।" कवि-कर्म का इससे बड़ा प्रयोजन और इससे बड़ी सार्थकता क्या होगी? इससे कठिन दायित्व भी उसका क्या होगा? ऐसा लगता है कि कविता को छोटे प्रयोजन से बाँधना–बल्कि किसी भी प्रयोजन से बाँधना–उसे स्वधर्मच्युत करना है और वैसी नवोन्मेषशाली प्रतिभा से वंचित-वियुक्त कविता से उस प्रयोजन की भी सिद्धि नहीं हो सकती, जो हम बलात् उस पर आरोपित किया चाहते हैं। इसलिए, कि संवेदनशील पाठक उससे विकर्षित ही होगा। उसके लिए ऐसी कविता की सृजनात्मकता ही संदिग्ध हो जाएगी। और जहाँ सृजन ही संदिग्ध लगने लगे, वागर्थ की अल्पता को ही कवित्व की तरह प्रतिष्ठित किया जाने लगे सोद्देश्यता के नाम पर–वहाँ ग्रहण को भी ग्रहण लग जाना सहज स्वाभाविक ही माना जाएगा। सच्चा कवित्व हमारे ऐंद्रिक, भाषिक और ज्ञानात्मक संवेदन पर सान चढ़ाने का काम करता है, उसे विस्तृत और समृद्ध बनाता है। वह हमारे देखने-सुनने की ताज़गी लौटा लाता है, अनुभव करने वाले हमारे वेदन-तंत्र को उसकी नवजात स्फूर्ति और लोच में कायम रखने में सहायक होता है। ऐसा शब्द-लोक महज एक विशेषज्ञता का मामला कैसे हो सकता है। वह तो हम सभी का अपना निकटतम और सीधा सरोकार है। कठिन से कठिन समझी जाने वाली कविता भी अंततः उसी ताने-बाने से निर्मित

होती है : वही निपट मानवीय स्थितियाँ, कुण्ठाएँ, अभीप्साएँ, हरकतें और आवाज़ें ही तो उसके भीतर विन्यस्त होती हैं। 'सुंदरता का अवतार'—कवि शमशेर का कहना है—हमारे सामने पल-छिन होता रहता है। पर रोज़मर्रापन की अभ्यस्त में—अपनी इंद्रियों पर लग जाने वाले जालों के कारण भी—हम अपनी संवेदनशीलता खो देते हैं जो हमारे बचपन के आँख-कानों के लिए सहज सिद्ध थी। छोटा सा उदाहरण दूँ एक : लड़कपन में *विशाल भारत* के किसी अंक में छपी चार पंक्तियाँ मुझ पर अमिट सी छाप छोड़ गईं। सुबह का स्वाद ही बदल गया जैसे; आज भी जब भी पक्षियों के कोलाहल कान में पड़ता है सुबह-सुबह, 'पग पैंजन' ही सुनाई देता है, जैसा उन पंक्तियों के कवि शमशेर को सुनाई दिया होगा। वह कानों की काव्य-दीक्षा नहीं थी अनायास, तो क्या थी? "...सुबह-सुबह का बालक सूरज नई वधू सा/पंछी का कोलाहल बजता पग-पैंजन सा... ।" हो सकता है, शमशेर के किसी भी संग्रह में यह कविता न हो। पर बचपन की याददाश्त अमूमन गलती नहीं करती।

ऐसा भी नहीं कि कवि कुछ अजब-अनोखा ही देखता सुनता हो। बात दरअसल सामान्य की ही असामान्यता का अनुभव करने की है, साफ़ और सही देखने सुनने की है, इंद्रिय-मन-बुद्धि की अभ्यास-जड़ता को तोड़ देने की है, वाक्-शक्ति के भी सद्य अनुभव और सद्य आविष्कार की है एकाग्र अनुभूति की और अचूक शब्द-बेध की है। हम सभी ने विमान को भूमि से उठते, उड़ान भरते देखा है। पर अज्ञेय की कविता में हम उस दृश्य को, उस अनुभव को कवि की ध्वन्यात्मक संवेदना की ताज़गी की बदौलत नए ढंग से पहचानते हैं : उड़ गया गरजता यंत्र-गरुड़/बन बिंदु शून्य में फैल गया... ।" हम सभी में अपने किसी विशेष अनुभव को भूलने के विरुद्ध अपनी भाषा में उसकी यथावत् ताज़गी और मार्मिकता में टाँक लेने की लालसा होती है। कविता की वाग्देवी से कवि ठीक वैसी शब्द-संगति और लय वसूल कर लेता है जो हमारी ऐंद्रिक चेतना और भावात्मक चेतना पर पड़ी छाप को यथावत् उसके विलक्षण वैशिष्ट्य में अंकित कर ले। अज्ञेय कुँवनारायण, धर्मवीर भारती, श्रीकान्त वर्मा आदि कवियों की ऐसी कई कविताएँ तुरंत मन में कौंध जाती हैं। कव्वे से कठफोड़वे से, टिटहरी से, खरगोश से हम सभी परिचित होते हैं; पर वह परिचय काफी क्यों नहीं है यह हमें तब पता चलता है जब हमें कवि 'कठफोड़े का ठेका 'काँद लंबी टिट्टिभ की', 'पहाड़ी काक-की विजन को चीरती सी क्लांत बेसुर डाक' सुनवाता है और 'पकी ज्वार से निकल शशों क जोड़ी गई फलाँगती' दिखाता है। सृजन और ग्रहण का अंतराल तब मिटता है जब कवि हमें अपने अनुभव में बराबरी का साझीदार-सहभागी बना दे। सवाल सिर्फ ऐंद्रिक संवेदन की ताज़गी लौटालने का नहीं है, हालाँकि वह भी कविता से मिलने वाला ऐसा लाभ है जो हमें किसी और स्रोत से नसीब नहीं हो सकता। पर उससे भी ज्यादा बड़ी ज़रूरत जिसे कविता ही पूरी कर सकती है, वह है हमारे किसी अनुभव-क्षण के मर्म को एक कौंध में पकड़ लेने, प्रत्यक्ष कर देने की। मसलन कुँवरनारायण की 'जाड़े की भोर' रघुवीर सहाय का 'पानी के संस्मरण' श्रीकान्त वर्मा के 'भटका मेघ' नामक संग्रह से कई छोटी कविताएँ। अज्ञेय की वह 'एक बूँद सहसा उछली' शीर्षक कविता भी अनायास इस संदर्भ में याद आ जाती है। इंद्रियों की नोक पर आविर्भूत होने वाली यह विवेकमत्ता या विज्डम कविता से ही मिलती है क्योंकि जैसा हमने अभी-अभी लक्ष्य किया, कविता मात्र अर्थ नहीं वागर्थ है और पहले से जाने हुए पहले से तयशुदा अर्थ की पटरी पर हाँकी जानी वाली कविता सहृदय पाठक को कविता न लगे, वागर्थ की अल्पता या हीनता से ग्रस्त लगे तो यही मानना उचित होगा कि खोट जो है वह उसकी सहृदयता या ग्रहणशीलता में नहीं, बल्कि उस 'रेह्टॉरिकल'-अलंकारिक-युक्ति में है जो स्वयं को 'सृजन' की तरह पेश करना चाहती है। जो सारी दुनिया से झगड़ती है पर अपने आप से कभी नहीं। या अपने आप से झगड़ने का भी महज एक रूपक रचके उसे कवच की तरह पहन कर खुद को कृतकृत्य और गौरवान्वित किए लेती है। अक्लमंद लोग सुख-चैन से नहीं जी सकते। उन्हें यदि कुछ विशेष अनुभव-सामर्थ्य दिया गया है तो उसकी कीमत भी उन्हीं से वसूली जाएगी। अक्लमंदी से पीड़ित लेखक अच्छी तरह जानता है कि एक तरफ़ सेण्टीमेण्टलिस्ट और दूसरी तरफ़ सिद्धांतवादी से ज़्यादा क्रूर और मात्रा-ज्ञान-विहीन कोई नहीं होता। इसीलिए वह दोनों खाइयों के बीच तनी हुई रस्सी पर चलना सीखता है—महज़ आत्मरक्षा की खातिर भी। इसीलिए वह अपनी अर्जित वाग्मिता का भी संवरण करना सीखता है। भाषा को अपने से कहीं अधिक बुद्धिमान जानता-समझता है और कम बोलकर अधिक कहने का तप करता है।

अपने ही कर्मों की लपेट के भयावह यथार्थ को जाने-माने बिना स्वतंत्रता, समता और सामाजिक संवेदना का दम भरना निरी

आत्मप्रवंचना के सिवा कुछ नहीं है। अच्छे खासे ज्ञान-सम्पन्न गुणी जन भी सदा-सर्वदा अपनी ज्ञान-संवेदना के उच्च स्तर पर कायम नहीं रह पाते। स्खलन उनमें भी होता ही है। पर प्रयत्न उनका अपनी लपेट खोलने का ही रहता है और इस प्रयत्न में विफलता या शिथिलता उनमें ग्लानि ही उपजाती है। यह ग्लानि ही उनकी गुरु है जो उन्हें पुण्यात्मापन के दंभ से बचाए रख सकती है। प्रस्तुत विषय के संदर्भ में, मुझे लगता है, हमारे लिए यंत्र-सभ्यता से भी ज़्यादा ख़तरनाक वह बौद्धिक यंत्र-चर्या है, जो हमारी संवेदना और विचार-शक्ति को ही नहीं , सहज बुद्धि तक को भी इस कदर ग्रस लेती है कि गुलामी का अहसास ही हमारा मर जाए। उस गुलामी का जो शब्दों के एक साँचे और ढाँचे की गुलामी है, जिसे हमने नहीं बनाया। भले हम इस खुशफ़हमी में गिरफ़्तार रहे आएँ कि हमीं ने उसे बनाया है। हकीक़त यही है कि हमारी हैसियत उस ढाँचे के बँधुआ मज़दूरों की ही है।

एक यांत्रिक वाग्मिता के अधीन लिखते चले जाना सचमुच ही आसान है। उसमें न मौलिक भाव-सामर्थ्य की हींग लगे है, न मौलिक ढंग से सोचने की फिटकरी। विचार अटकाता है; संवेदन की तीव्रता-गहनता आत्मप्रदर्शन से बिदकती है। कोई भी भाषा शोषण या प्रदूषण से सुरक्षित नहीं होती। लेखक का भाव-यंत्र ही वह छानन संयत्र है जो प्रदूषण के बीचोंबीच खुद को रोपकर उसे अपने भीतर खींच कर उसका निर्मलीकरण करता है। प्रश्न मगर यह उठता है कि जिन्हें खुद अपने प्रदूषित, यहाँ तक कि प्रदूषण-प्रणाली होने का पता नहीं चल पाता, जो जाने-अनजाने स्वयं ही अपनी भाषा और उसके भाषियों के भाव-संवेदनात्मक शोषण में लिप्त हैं, वे प्रदूषण का मुक़ाबला या प्रतिकार क्या करेंगे? पृथ्वी की गुरुत्वाकर्षण शक्ति तो खुद ही पतन की पक्षधर है। मुसीबत (और तारीफ़) तो उन्हीं की है, जिन्हें यह जगत्-गति और आत्म-गति सचमुच व्यापती है और जो गिरकर उठना ही नहीं, उड़ना भी चाहते हैं। शब्द को आकाश का गुण आखिर यूँ नहीं कहा गया।

साहित्य की लोकव्यापकता साहित्य की सामाजिकता अथवा लोकप्रियता से कहीं ज़्यादा बड़ी चीज़ है, यह बात स्वयं ऐसे साहित्य से संस्कारित हमारे हिंदुस्तानी चित्त के लिए सहजग्राह्य होनी चाहिए। पर उसे इस तरह कहने या इस बात पर नए सिरे से बल देने की जरूरत महसूस होना ही यह जताता है कि वह स्वयंसिद्ध बात नहीं रही। कुछ ऐसा सांस्कृतिक लयभंग अपने यहाँ घटित हुआ है, जिसके चलते न केवल जिसे हम साहित्य की लोकव्यापकता कह रहे हैं, वह सामाजिकता में और वह सामाजिकता भी एक राजनीतिक रूप से निर्धारणीय सामूहिकता में सिकुड़ती जा रही है, बल्कि स्वयं साहित्यिक सृजन और उसके ग्रहण या मूल्यांकन के बीच अंतराल भी उसी अनुपात में बढ़ता गया है। यों लोकतंत्र के प्रसार के साथ साक्षरता में भी वृद्धि हुई ही है; फलतः साहित्य के उत्पादकों और साहित्य के भोक्ताओं दोनों की संख्या में वृद्धि हुई ही है और यह मानने का कोई कारण नहीं दीखता कि इस परिस्थिति-परिवर्तन से, वाचिक से पठ्य में संक्रमण के फलस्वरूप सम्प्रेषण की परिस्थितियों में परिवर्तन से भी सृजन की गुणवत्ता में ह्रास हुआ है। यदि पारंपरिक प्राचीन काव्य भी अपने समुचित ग्रहण हेतु 'सहृदय सामाजिक' की, यानी सुदीक्षित श्रोता की अपेक्षा करता था तो आधुनिक काव्य भी उससे कम नहीं, कुछ अधिक ही दीक्षागम्य साबित हुआ है। काव्यात्मक उत्कृष्टता के उच्च स्तर से कुछ नीचे के स्तरों पर जिस तरह साहित्य की अनेकानेक विधाएँ फलती-फूलती रही हैं और संचार-माध्यमों के अभूतपूर्व दबावों के बावजूद, ऐसा नहीं लगता कि साहित्य की उपयोगिता निःशेष हो जाने वाली है, उल्टे यह भी संभावना दिख रही है कि उनसे वाचिक संभवनाओं की भी जोरदार वापसी हो सकती है। तो यह सब अपने आप में मानव-संवेदना का विस्तार करने की, लोकशक्ति के जागहरण का माध्यम बन सकने की साहित्य की अंतर्हित क्षमता के विकास का ही पथ प्रशस्त करता जान पड़ता है। तो फिर चिंता की बात कहाँ है, क्या है?

क्या यह साहित्यकार द्वारा एतद्देशीय परिप्रेक्ष्य में अपनी समुचित भूमिका न निभा पाने की, परिस्थिति का पर्याप्त सृजनात्मक प्रत्युत्तर न दे पाने की समस्या है? क्या यह उस सांस्कृतिक आत्मविश्वास के निरंतर क्षरण की समस्या है, जो उक्त सांस्कृतिक लय-भंग के यथार्थ का यथावत् सामना करते हुए उसके प्रतिकार का सामर्थ्य भी प्रदर्शित करता रह सकता था? याकि यह सृजन की नहीं, विशुद्ध रूप से उसके ग्रहण-सम्प्रेषण की ही समस्या है : लेखकों-आलोचकों द्वारा सम्प्रेष्यता के गुण की ही अवहेलना की, याकि तत्संबंधी उदासीनता और आत्मसृष्टि की? जानने वाले जानते ही हैं कि शब्द-ज्ञान का एक सतही स्तर होता है, जिसमें अनुपाती वस्तु की शून्यता खूब घनी बजती है और अर्थवत्ता का भ्रम पैदा करती है। शब्द एक स्वचालित सी प्रक्रिया के तहत

अपने यांत्रिक सहसंबंधों की लाचारी में खिंचे चले आते हैं। परंपरागत शिक्षा का रटंत विद्या करके मखौल उड़ाया जाता था। मगर इस शिक्षा का क्या कीजिएगा जो कहीं का नहीं रखती। मौखिक संस्कृति में एक निर्दोषिता का तत्त्व भी निहित रहता है, जिसे 'लिटरेट कल्चर' वैसे भी गँवा बैठता है। लिखित संस्कृति के मानदण्ड तो और भी अचूक होने चाहिए क्योंकि उसमें नुकसान करने की क्षमता कई गुना बढ़ जाती है। जहाँ तक साहित्य की दीक्षा का प्रश्न है, हालत आज यह है कि निरक्षरों में वह संस्कार-संवेदना उनकी अपनी वाचिक संस्कृति के फलस्वरूप तब भी कदाचित् परिलक्षित की जा सके, साक्षरों में तो वह भी दुर्लभ होती जा रही है। पर अब आज के समय में साक्षरता का कोई विकल्प नहीं है। सर्वग्रासी राजनीति, मूल्यांध राजनीतिकरण उस संस्कारी निरक्षरता को भी तेजी से निगलता जा रहा है। अब तो आधुनिक शिक्षा-दीक्षा से लैस चेतना ही उसका जतन कर सकती है। बशर्ते वह आत्महीनता की परोपजीवी छल-छंद से सावधान रह सके।

कहीं न कहीं, साहित्य के समुचित ग्रहण और मूल्यांकन की वर्तमान दुरवस्था में उस व्याधि का भी न कुछ योग देखा जा सकता है, जिसे हम प्राचीन साहित्य की ही नहीं, अर्वाचीन और ठेठ हमारे पूर्ववर्ती साहित्य की भी मनमानी 'रिडक्शनिस्ट' दुर्व्याख्या का दुष्चक्र कह सकते हैं। कविता कविता से भी निकलती है, इस तथ्य की अवगति के चलते काव्य-परंपरा का जैसा जतन हमारे प्राचीन साहित्य में दीखता है, 'दुर्व्याख्या-विष-मूर्च्छिता कविता की जैसी चिंता और पकड़ वहाँ सक्रिय रही जान पड़ती है, वैसी जागरूकता हिंदी के वर्तमान साहित्यिक परिवेश में नहीं दीखती, तो क्यों नहीं दीखती, यह भी चिंतनीय होगा। साहित्य अपने पूर्ववर्ती साहित्य द्वारा तैयार की गई जमीन पर ही रचा जाता है, पूर्ववर्ती साहित्य की अनुगूँजों से प्रतिकृत होकर ही अपनी विशिष्ट गूँज पाता है। जैसे, उदाहरण के लिए रेणु का *परती-परिकथा* याद कीजिए, निराला का तुलसीदास याद कीजिए। किस तरह लोकचित्त में बसे हुए अभिप्रायों का, मिथक रचने और समकालीन घटनाओं-परिस्थितियों को भी मिथकीकरण द्वारा जज़्ब कर लेने की जो स्वाभाविक क्षमता हमारा आधुनिक साहित्य भी प्रदर्शित कर सकता है—यहाँ तक कि अंग्रेजी में लिखे गए राजा राव के उपन्यास कण्ठपुरा तक की मार्मिकता इसी कारण सहज सम्प्रेष्य और अनुभूत हो जाती है—उसी क्षमता का निदर्शन हमं *परती-परिकथा* में अन्यत्र भी मिलता है, जो उपन्यास सरीखी नितांत लोकतांत्रिक, नई और परदेसी विधा को भी अपनी शर्तों पर अपना लेने की, उसके साथ हमारी सार्जक-क्षमता के मौलिक बरताव को दर्शाता है। 'लोक' के साथ, लोक की वास्तविक अनुभूतियों स्मृति-परंपराओं के साथ, आधुनिक भारतीय रचनात्मक मानस का कैसा क्या जीवित-जाग्रत संबंध हो सकता है और होना चाहिए कि वे परस्पर क्रिया-प्रतिक्रिया द्वारा एक दूसरे को समृद्ध कर सकें, इसका रेणु की रचनाएँ उत्कृष्ट प्रतिमान प्रस्तुत करती जान पड़ती हैं। लोकमानस से तादत्म्य का यह गुण अपने आप में सृजन-ग्रहण के अंतराल का सबसे कारगर उपचार है।

इसका अर्थ तब फिर यह निकलता है कि यह अवांछित-अनर्थकारी अंतराल साहित्य के अनेकायामी (कवि-आलोचक विजयदेव नारायण साही के शब्दों में, चतुःआयामी) व्यंजना-समृद्धि को मनमाने ढंग से मात्र एक आयाम में घटा देने के दुराग्रह के फलस्वरूप भी उत्पन्न होता है। यह हमारे जातीय अनुभव और जातीय श्रुति-स्मृति में निबद्ध और अद्यावधि प्रवहमान उस तथ्य का विस्मरण है जिसे हमने इस व्याख्यान के शीर्षक में ही 'साहित्य की लोकव्यापकता' करके अभिहित किया था। सोचने की बात है कि जिस समाज में काव्य की ऐसी प्रतिष्ठा और प्रभाव रहा हो कि सारे जीवनादर्श, सारे 'रोल-मॉडल्स' कवियों द्वारा ही गढ़े गए हों, वही जनमानस आज की तारीख में अपने सर्वाधिक जाग्रत और सृजनशील आत्मकेंद्रों के प्रति इतना उदासीन और विमुख क्यों हो गया है? क्यों नहीं वह अपने कवियों-साहित्यकारों से उसी तरह की अपेक्षा करता जिस तरह की अपेक्षा उसकी इतने सुदीर्घ काल से साहित्य पूरी करता रहा है? क्यों नहीं, स्वयं कवियों-साहित्यकारों को वैसी अपेक्षा का दबाव स्वतःस्फर्त ढंग से अनुभव होता? क्यों, कब और कैसे वह विद्युत्तरंग ठप्प हो गई, जो लोकचित्त और उसके सबसे प्रतिभाशाली प्रतिनिधियों के बीच प्रवहमान रही आई थी? समय आ गया है कि हम इस प्रश्न का यथावत् सामना करें।

'तुलसीदास' कविता में अपने युग के सर्वाधिक संवेदनशील और सबसे बड़ी भाविक और भाषिक 'रेंज' के कवि निराला तुलसी के युग की परिस्थिति और चुनौती में, अपने युग की परिस्थति और चुनौतियों का, तुलसी की लोकयात्रा में अपनी लोकयात्रा का और तुलसी के कविकर्म में अपने कविकर्म की प्रतिच्छवि देखने का सृजनात्मक उपक्रम करते जान पड़ते हैं, सो क्यों? तुलसीदास

क्यों निराला को अपने काव्यादर्श और कल्चर हीरो लगते हैं? "प्रात तव द्वार पर/आया जननि नैश अंध पथ पार कर..." गाने वाला कवि यहाँ जिस नैश अंधकार को पार करके "प्राची दिगंत-उर में पुष्कल रवि देखा" देखने वाले कवि का आदर्श अपने सामने मूर्त करना चाहता है, वह अंधकार उसे एक आत्मभ्रामक चाँदनी से वेष्टित लगता है। और भी प्रच्छन्न ढंग से स्वरूप-विस्मृतिकारी दिलचस्प है यह देखना, कि निराला के परवर्ती कवियों का भी इस मायावी चाँदनी से वास्ता पड़ता है; वे भी अपनी कविता में इसे भेदने के लिए अपने-अपने ढंग से व्याकुल दिखाई देते हैं। "वंचना है चाँदनी सित"—तारसप्तक के अज्ञेय को लगता है। उधर मुक्तिबोध को 'चाँद का मुँह टेढ़ा' प्रतीत होता है। 'मेरे सहचर मित्र' का चरितनायक 'स्याह चंद्र के फ्यूज बल्ब' को जल्दी से निकाल कर 'पावन प्रकाश का प्राण-बल्ब' लगाने की बात करता है। एक दूसरी कविता में चाँदनी उसे 'बदमस्त कल्पना सी फैली' जान पड़ती है, तो उससे अगली कविता में सफलता की, यानी आत्मा की उदरम्भरि अनात्म परिणति की प्रतीक। मुझको डर लगता है," वह कहता है, "कि मैं भी कहीं सफलता के चंद्र की साधना में घुग्घू या सियार या भूत न बन जाऊँ"। प्रसंगवश, यहाँ उल्लेखनीय है कि 'उदरम्भरि' शब्द का प्रयोग प्रथम बार या तो निराला के 'तुलसीदास' में ही मिलता है, या फिर मुक्तिबोध के यहाँ। यह अकारण नही कि मुक्तिबोध की काव्य-संवेदना काफी दूर तक निराला के साथ चलती है और फिर उससे अलग रास्ता अख़्तियार कर लेती है। 'मुक्ति के मन' की और 'जन' की भी समझ उसकी अलग हो जाती है। मुक्तिबोध जन को 'उदासी से पुती गायों' के रूप में, 'उपेक्षित काल-पीड़ित सत्य के समुदाय' के रूप में देखते हैं। उन्हीं की शब्दावली का उपयोग करें तो निश्चय ही 'व्यक्ति का वादी स्वातंत्र्य' 'मुक्ति के मन' की 'जन' की छलना है। किंतु तब फिर उसी तर्क से मानव-समाज और उसकी भी एक विशेष अवधारण (वर्ग-संघर्षवाद) का वादी स्वातंत्र्य भी छलना ही नहीं है, इस बारे में कैसे आश्वस्त हुआ जाएगा? तर्कशः भी व्यक्ति के बाद का विलोम और विकल्प समाज-वाद या मानव-वाद नहीं हो सकता, वह तो चराचरवाद ही हो सकता है। यह देखना कठिन नहीं कि यही चराचरवादी यानी लोक-व्यापी दृष्टि ही भारतीय साहित्य में निरंतर सक्रिय रही है। मनुष्य को सब कुछ का, समस्त ब्राह्मण्ड का केंद्र मान लेना ही मनुष्य की सबसे बड़ी विडंबना है, यह देख पाना आज की घड़ी में कुछ ज़्यादा आसान होना चाहिए। उस बिडंबना को भी, जो जयशंकर प्रसाद की शब्दावली में 'जीवन की अंधानुरक्ति' ही कहला सकती है। भारतीय साहित्य का सर्वोत्तम इसी अभय-साधना से और संपूर्ण लोक की चिंता से अनुप्राणित-परिभाषित रहा है। जो लोक को उद्विग्न नहीं करता, वह लोक से उद्विग्न भी नहीं होता। जबकि चराचर का अवधारणात्मक वशीकरण करके उसके अनाप-शनाप दोहन में जुटा मानव लोक को संतप्त करने के लिए अभिशप्त है। इसमें कहीं अपनी नश्वरता के तथ्य को न स्वीकार पाने और एक ही क्षुद्र जीवन की सीमा में सब कुछ भोग और कर डालने की लालसा भी काम करती है। निराला की अंतिम कविता यहाँ अनायास स्मरण में कौंध गई है : इससे ज़्यादा अर्थगर्भ विरोधाभास क्या होगा कि जो कवि कविता की पहली ही पंक्ति में 'पत्रोत्कण्ठित जीवन का विष बुझ गए होने की बात कर रहा है, वही कविता का उपसंहार "पुनः सवेरा एक और फेरा हो जी का" से करने को प्रेरित होता है। इस कविता को पढ़ते हुए निराला की ही एक पहले की कविता याद न आए, यह कैसे संभव है!

मरण को जिसने वरा है
उसी ने जीवन भरा है
परा भी उसकी, उसी के
अंक सत्य यशोधरा है

कहना न होगा कि चराचरवादी दृष्टि इसी स्वीकार-भाव, इसी आध्यात्मिक यथार्थवाद के भीतर से पनपती है। वही हमें सहभागिता के प्रत्यक्ष वस्तु-पाठ में दीक्षित कर सकती है। यह सहभागिता मानव और मानवेत्तर सृष्टि के बीच ही नहीं, नर और नारायण के बीच भी है, इसे कवि-आधुनिक भारतीय कवि भी—अच्छी तरह पहचानता है।

खड़ा मिलेगा वहाँ सामने
अनपेक्षित प्रतिरूप तुम्हारा
नर जिसकी अनझिप आँखों में
नारायण की व्यथा भरी है

कविता के गोपाल गंज[1] में उम्मीद की वर्णमाला

अनुशीलन

(अशोक वाजपेयी के कविता-संग्रह 'इबारत से गिरी मात्राएँ' पर)

ध्रुव शुक्ल

आसन्न प्रसवा माँ के लिए एक गीत से शुरू हुई अशोक वाजपेयी की कविता पोते के लिए प्रार्थना तक आ गई है। शहर अब भी संभावना है' से लेकर 'इबरात से गिरी मात्राएँ' तक उनकी कविताओं में तीन पीढ़ियों का समय संरक्षित है। पर समग्र रूप से उन्हें पढ़ते हुए लगता है—जैसे अभी-अभी की कोई ताज़ी जन्म कथा हो। जैसे काव्यों में कई पीढ़ियों का समय निरंतर वर्तमान है और कविकुल की रीत ऐसी है कि वचन ही प्रमाण माने जाते हैं। कविवर अशोक बाजपेयी इसी परंपरा के वाहक हैं।

उनकी कविता में कोई ऐसी नगरी नहीं है; जिसके नायकों के उत्थान-पतन की गाथा वहाँ अंकित की गई हो। यहाँ तो बहुवचन की नगरी है और शब्द ही नायक हैं। कोई द्वारिका नहीं है; एक छोटा-सा मुहल्ला गोपालगंज है। इसी मुहल्ले जैसा है इस कविता का भूगोल; जहाँ कठचंदन और मौलश्री के पास खड़े नीम के बौर-सी आज भी झर रही है—उम्मीद की वर्णमाला।

अशोक वाजपेयी के दसवें कविता संग्रह—**इबारत से गिरी मात्राएँ**—को पढ़ते हुए उन्हें इस कठिन समय में उम्मीद की वर्णमाला का कवि कहना चाहता हूँ। उनकी कविता में शब्द तिनकों की तरह हैं और कविता जैसे घोंसला हो; जहाँ अनंत में उड़ान शुरू होती है और वहीं लौटकर विश्राम पाती है। यही उनकी कविता की लय भी है। कविता रचते हुए अशोक वाजपेयी होने न होने के बीच उपज लेते हैं। और उनकी बढ़त जन्म और मृत्यु, प्रकृति और प्रेम, उजाले और अँधेरे की द्रुत-विलंबित में होती है। जहाँ सुख-दुख का आलाप-जोड़ झाला है; प्रार्थना की लयकारी है।

उनकी कविताएँ पढ़ते हुए आँगन में तुलसी चौरे पर रखे हुए दिए की काँपती हुई लौ की याद आती है। जैसे गोधूलि में कोई प्रार्थना गाई जा रही हो। जैसे तड़के कोई वसुदेवा श्रवण कुमार की कथा गाता निकल पड़ा हो। जैसे दूर किसी मीनार से अजान उठ रही हो। वे मुझे संसार को जगाने वाले सुमिरन के कवि लगते हैं।

अपनी कविताओं के **तिनका-तिनका** संग्रह की भूमिका लिखते हुए वे कहते हैं—

कविताएँ स्मृतियों का एक काँपता हुआ अंतरिक्ष हैं। ...शब्द से देह ही नहीं सारा संसार बल्कि समूचा अस्तित्व जागता है।...शब्द ही कवि का ईश्वर है। उससे अलग ईश्वर की दरकार नहीं। कविता शब्द का धर्म है। कविता को अलग से किसी और धर्म की ज़रूरत नहीं।...कविता में भाषा याद करती है, सपना देखती है, सच टटोलती है। भाषा एक साथ ही हमारे नश्वर जगत् का अनुष्ठान है और अपने बाहर और आगे, बाद तक लगभग अनश्वरता में हमारा प्रवेश भी। कविता अनश्वरता के लिए भाषा का विन्यास है।...कविता कवि का समाप्त हो जाने वाला जीवन नहीं, न समाप्त होने वाला उत्तरजीवन है।

तभी तो कविवर अशोक वाजपेयी अपने दसवें कविता संग्रह के आगमन पर अपनी पहली कविता पुस्तक को पैंतीसवीं वर्षगाँठ इस तरह मनाते हैं जैसे शब्दों के सच में उसकी जन्म कथा अभी-अभी की हो—

वह अभी भी युवा और हरा-भरा है
जबकि मैं अधेड़ हो चुका :
उसमें जो शहर अब भी संभावना था

1. गोपालगंज, सागर शहर का एक मुहल्ला; जहाँ स्नातक होने तक की अशोक वाजपेयी का जीवन बीता। उनकी कविताओं में जिसकी अनेक छबियाँ हैं।

वह इतना बदल गया है
कि कई बार मुझे पहचान में नहीं आता–
....
शहर अब कहीं नहीं बचा
सिवाय उस कविता में रसे-बसे भूगाले में
उसकी सच्चाई अब कहीं और नहीं है
सिर्फ़ उन शब्दों की सच्चाई में बची है।

मैं चकित और कृतज्ञ हूँ
सच्चाई के बदल जाने से नहीं;
शब्दों के फिर भी सच बने रहने से।
–'अपने पहले कविता संग्रह की पैंतीसवीं वर्षगाँठ पर'

उनकी कविताओं से पंक्तियाँ चुनें और संक्षेप में ही सही, यह देखें कि उनमें रसे-बसे भूगोल में सच बने रहने के लिए शब्द अपनी भूमिका किस तरह निभाते हैं–वे मौन को संक्षिप्त अनंत में ढालते हुए नाच रहे हैं। वे हरी घास, पर वीर बहूटी की तरह चमक रहे हैं। वे आत्मा के जीर्णोद्धार में संलग्न हैं; जहाँ नक्षत्रों की झिलमिल में दीप्त वाक्य और दिए की तरह जलती-बुझती कविताएँ हैं। आँगन में बिखरा है अज्ञात व्याकरण। इतना ही नहीं; वहाँ बचे रह गए अनसुने स्पंदित शब्द भी हैं।

इस समय हिंदी में अशोक-वाजपेयी से बड़ा संसारी कवि कोई दूसरा नहीं दीखता। उनकी कविताओं में आकार लेती दृश्यावलियों में प्रथमतः आश्चर्य की तरह खुलता है संसार; जहाँ अँगुली में अँगूठी और हथेली पर अक्षत की तरह रखे हैं नक्षत्र। बच्चे गेंद की तरह नक्षत्रों से खेल रहे हैं। पूर्वज पक्षियों में बदल गए हैं और पक्षी रखवाली करते हैं घर के आसपास पूर्वजों की तरह। जहाँ अज्ञात बोली में उचारे गए मंत्रों की छायाएँ पड़ती हैं। अगम्य में पैरों की छाप से बनाई पगडण्डियाँ हैं। नीम की पुरखा छाया है। चाय की दूकान पर अख़बार पलटते देवता हैं। पुरखे घास में बसे हैं। अप्रत्याशित देवता के लिए खाली कुर्सी भी है। आकाश में घोंसले की तरह प्रतीक्षा है। अपने होने न होने को देखते हुए निष्पलक पत्थर हैं।

मगर अशोक जी का इतने से काम कहाँ चला है। वे तो कविता की अंजलि में पूरा संसार उठाने वाले कवि हैं–जहाँ उम्मीद खिड़की की तरह खुलती है। निष्क्रिय निराशा और अवसन्न प्रतीक्षा से निकलता है रास्ता। खिड़की के काँच की धुँध पर नाम लिखता है आकाश। जन्म की अँधेरी कंदरा में अकस्मात् छा जाती है प्रभा और एक जीवन की अन्त्येष्टि पर झुलसते हैं कई और जन्म। जहाँ अपने रहस्य को खोले बिना पीली पड़ती जा रही जीवन लिपि है। पूर्णता से घराबते सपने हैं।

अशोक जी की कविता इतने से भी कहाँ बन पाती है। उन्हें चाहिए रोज़मर्रा की झंझटों से बनता इतिहास। कड़ाही रफ़ू करता लोहार। सूखी-बेजान लकड़ी को छीलते हुए हरे-भरेपन का सपना देखता बढ़ई। बाहों, पतवारों और नावों की लगातार जद्दोजहद में मशगूल मछुआरे। सब्जियों को उनके समय से अलग कर दिए जाने के दुख में डूबा कुँजड़ा। ख़त्म होने से पहले ही कबाड़खाने में आ गई सदी को हैरत से देखता कबाड़ी। उम्मीद के बस स्टॉप पर आधी रात का सुनसान। पुरानी दूकान में बिकने से बचा रह गया मरहम। राग के खंडहर में भटक गया सुर।–उन्हें अपने समय की कविता रचने के लिए यह सब भी चाहिए।

सिर्फ़ इतना ही नहीं, उनकी कविता को चाहिए–अदृश्य फूल-सा खुला प्रणय निवेदन। संवेदन। संवेदन भरा उत्सुक ललित अंतरिक्ष। प्राचीन कामना से ज्वलंत दीप्तरात। लज्जारुण आकाश की तरह छाया स्वीकार। एकांत को भरती शरीर की लय। अंगों की धूप। क्षितिज को अधीर कामना से घेरते साँवले मेघ। जहाँ पत्तों के आघात से होता है सबेरा; हरी दूब की नोक पर दस्तक देती है ओस। अपनी असंख्य अँगुलियों से धरती को गुदगुदाती बारिश। चहकने से फूलता अमलतास। हँसी से जलद होता मेघ।

इस सबको कविता में थोड़ी-सी जगह देने के लिए थोड़ा-सा समय भी चाहिए–एक-एक पंखुरी की तरह खिलता-मुरझाता समय। छंद की आवृत्ति-सा आता और बीतता हुआ समय। मौलश्री के सुकुमार पुष्पों जैसा झरता समय। घूमते हुए चाक पर मिट्टी के लौंदे-सा समय। पैंजनियाँ पहने आता समय। बूँदाबाँदी में भीगा समय। जहाँ गिरजों के शिखरों पर धूप की तरह ठहर गई हैं प्रार्थनाएँ।

अशोक वाजपेयी की कविताओं में अनसुने स्पंदित शब्दों की ओर भी पाठकों का ध्यान गया होगा। अशोक जी कीड़ों की न सुनी जा सकने वाली प्रार्थना पर ध्यान लगाते हैं। पक्षियों, पल्लवों और पुष्पों की प्रार्थनाएँ सुनना चाहते हैं। बरसाती पानी में रेंगते कीड़ों का आर्त्तनाद उन्हें सुनाई देता है। उनकी कविता में जीने की इबारत लिखती कीड़ों की पंक्तियाँ दिख जाती हैं। वे वन भूमि पर नीरव गिरते पंखों की आहट सुनते हैं।

उनकी कविता में राग का उजाला है। जहाँ प्रार्थना के अंतिम अक्षय शब्द की तरह बची है कामना। जैसे जल में थरथराती जल की कामना। अँधेरे में खो गए कोमल गंधार की कामना। उन्हीं की एक और कविता पंक्ति उठाकर कहें तो अशोक वाजपेयी की कविता–अपलक बाट निहारती कविता है; जैसे बाट जोहती कोई गोपी हो।

इस विपुल शब्दालोक में इबारत से गिरी मात्राएँ पढ़ते हुए लगता है कि कविता सचमुच मौन को संक्षिप्त अनंत में ढालकर अवतरित होती होगी। वह महावाक्य की मौन इबारत से झरी मात्रा ही तो है—वर्णों में लिपटकर आती ध्वनि; जिसे सुनते ही संसार दीखता है।

यहाँ शब्द समय पर नहीं धरती पर गिर रहे हैं। समय में जगह की तंगी है। अब यहाँ बेवजह क्षण भर की पहचान के भाव से हाथ हिलाता समय ही है। वह दीवार की दरार में किसी चींटी की तरह ग़ायब होता दीख रहा है। बहुत हुआ तो सच के अधजले काले पड़ गए ठूँठों को पत्ती-पत्ती झरकर ढाँप रहा है—

लबादे में थोड़ी-सी आयु छिपी थी,
रोटी में सिंका हुआ था एक सपना,
आँखों में पलभर की झलक अटकी थी
दिवंगत में बची रह गई एक अनकही इच्छा

मैं देवताओं से कुछ समय तो माँग लेता
न सही वरदान
लेकिन मुझे कहाँ पता था कि मेरे पास ही समय नहीं है

—समय नहीं है

समय की इस तंगी के बावजूद भी इस संग्रह की कविताओं में साथ न छोड़ती शब्दों की धूप है। समय के पंचांग से फिसलकर प्रेम के पंचांग में प्रवेश करती रात है। प्रेम का पंचांग—तिथि, वार, नक्षत्र, योग और करणों में बँधा हुआ नहीं होता। वह तो रूप, रस, स्पर्श, गंध और शब्दों में सदा उन्मुक्त है। फिर भले ही खिड़की पर बेल की तरह लटकी हो निराशा। सपनों को दबोचती हो थकान। चाहे रात के आँसुओं से भरी हो अंजलि—आयु के कुम्हलाते पुष्प में पराग शेष रह ही जाता है। शब्द में उभरता है प्रेम का वर्ण। सदियों पहले उकेरी गई प्रेमा सक्त आँख आज भी निहारती है। इन इबारत से गिरी यात्राओं में तिनका-तिनका छीजते समय की यातना पट्टी पर उम्मीद की वर्णमाला आज भी झिलमिला रही है—

हो सके तो मैं बचाना चाहता हूँ
सुदंरता को समय से
अपनी पगडण्डी को किसी मार्ग में लय होने से
अपने सच को अपने ही अदर मुरझाने से
अपनी आवाज़ को थरथराने और घबराने से

—बीतते को देखना

अगर हो सके
मैं अपने समय के लिए
उम्मीद की एक नई वर्णमाला लिखना चाहता हूँ :

—अगर हो सके (आश्विट्ज-2)

मैंने बहुत कुछ गँवा दिया
पर प्रार्थना नहीं
क्योंकि कोई भी पूरी कभी मेरे हिस्से में नहीं आई।

—अपने पोते की दूसरी वर्षगाँठ पर एक प्रार्थना

अशोक वाजपेयी की कविताओं में प्रार्थनाओं के अनेक रूप हैं। पाठकगण याद कर सकते हैं—कहीं वे नीम के बौर-सी झरती हैं और कहीं बरसाती पानी में रेंगते कीड़ों के आर्त्तनाद-सी सुनाई पड़ती हैं। कहीं वे कोनों में जालों-सी अलक्षित लटकी हैं। कहीं वे विषाद में काँपती लौ जैसी हैं और कहीं गिरजों के शिखरों पर धूप की तरह ठहर गई हैं।

इबारत से गिरी मात्राओं से हुई अशोक जी की इस दसवीं कविता सृष्टि में अब सिर्फ़ प्रार्थना ही नहीं; कवि के मन में प्रार्थना में दबी चीख सुनने की इच्छा बलवती हुई है। जहाँ निरपराध माता-पिता के मारे जाने पर प्रार्थना को घूरे पर फेंक आता है नाराज बेटा। कवि के मन में यह जिज्ञासा भी उठी है कि अकेली युवती के आँसू कहाँ सहेजकर रखती है धरती। कवि को भूखे बच्चे की आँखों में अकेला जल दीखता है जैसे सच होने के पहले कोई ठिठका हुआ सपना हो। यह सब देखकर कविवर बहुत अकेले हो जाते हैं। प्रार्थना दुख की तरह उन्हीं के साथ वापस लौट आती है—

मेरी प्रार्थना लौट आती है
मेरे पास
जैसे मेरा दुख।

....

प्रार्थना में दुख ऐसा जुड़ा है
जैसे वही उसका विन्यास हो।

—प्रार्थनाः तीन

देवता अपनी प्राचीन मूर्तियों में विजड़ित
उदासीन देखते रहे निश्चेष्ट—
मैं उन्हें समझा नहीं सका कि
जिन शब्दों से मैं प्रार्थना कर सकता हूँ
उनसे कविता नहीं बना पाताः
मुझे लगा कि देवता और लोग
दोनों ही
प्रार्थना और कविता से दूर हो गए हैं
अब मैं धूल-धक्कड़, खून-कीचड़, राख से

शब्द उठाता हूँ—
अभी भी जलने या भस्म होने से बचे हुए—
और कान लगाकर सुनता हूँ
उनमें पवित्रता की खनखनाहट
जिसे छोटी-छोटी क्रियाओं में
अभी भी समोया जा सकता है, बिना किसी देवकृपा के।

—मैंने प्रार्थना की

कविवर अशोक वाजपेयी भले ही कहें कि जिन शब्दों से वे प्रार्थना कर सकते हैं; उनसे कविता नहीं बना पाते। पर उनके काव्यलोक में प्रार्थना और कविता के शब्द अलग नहीं है। कहना यह चाहिए कि कविता वह जगह है जहाँ प्रथमतः प्रार्थना ही जन्म लेती है और कविता को पूर्ण करती है। अशोक वाजपेयी की कविता को ही पढ़ें तो दुख में डूबी प्रार्थना; कविता में उल्लास जगाती है। वे प्रार्थना में डूबे शब्द के शरणागत कवि हैं। शब्द की शरणागति पाने के लिए विह्वल उनके जैसा कवि उनके समकालीनों में दूसरा नहीं।

इबारत से गिरी मात्राओं में कुछ हताशा की ध्वनि भी है। पहले से ज्यादा आत्मस्वीकार भी है और कुछ अधिक फटकार कर बोला गया सच भी। होने के आशय के बारे में वे अपनी कविताओं में अनेक प्रश्न पूछते रहे हैं। यहाँ भी वे अरुणाभ प्रश्न कम नहीं हुए हैं। प्रार्थना और कविता से दूर होते जाते देवता और लोग भले ही इन प्रश्नों का उत्तर न दें; अशोक जी पत्तियों से जल से, सैयद हैदर रज़ा के कैनवस पर उछाह के रंग से, पुराण से अकस्मात झरे और लुप्त हो गए शब्द से पूछते हैं—यह संसार इतना बेढब क्यों है?—

कविता के हरे-गझिन वृक्ष से
तुम तोड़ सकती हो एक शब्द
वर्णमाला से उठा सकती हो
एक व्यंजन की तरह उम्मीद
क्या क्षितिज पर बची रह गई आभा से
तुम ला सकती हो एक किरण?

—कविता के हरे-गझिन वृक्ष से

मैं असंभव को संभव से स्पर्श कर रहा हूँ
जैसे दैव के पास जाने की चेष्टा करती है प्रार्थना।

—असंभव-संभव

कवियों की यह चेष्टा कई हजार साल पुरानी है। अशोक वाजपेयी की कविताओं में यही काव्य चेष्टा बार-बार पुनर्नवा होती है। उनकी कविता प्रेम के वर्ण की है—

समय पर गिरकर
मुद्रित हो जाता है शब्द
शब्द में उभरता है प्रेम का वर्ण

—प्रेम के पास समय और शब्द

इबारत से गिरी मात्राएँ की सम्यक ईक्षा करते हुए मुझे आवश्यक लगा कि कविवर अशोक वाजपेयी के इस दसवें कविता संग्रह की कविताओं से पहले की कविताओं की बिंब बहुल और भाव प्रवण दृश्यावलियों का अवलोकन पाठकों को करवाया जाए। समीक्षा का यह एक पुराना ढंग रहा है जिसमें कवि के कविता संसार से काव्य पंक्तियों को चुनकर और उनका कोलॉज निर्मित कर कवि को कवि के संसार में ही देखा-परखा जाए। अशोक जी की कविताओं पर विचार करते हुए मुझे यही ढंग उपयुक्त लगा।

कवि शमशेर ने कहा ही है—बात बोलेगी, हम नहीं। भेद खोलेगी बात ही। इसीलिए हम ज़रा कम ही बोले हैं। उम्मीद की इस वर्णमाला से पाठक लौ लगाएँ; यही हमारा अभीष्ट है।

पुस्तक : इबारत से गिरी मात्राएँ
लेखक : अशोक वाजपेयी
प्रकाशक : वाग्देवी प्रकाशन, बीकानेर

एक नए स्त्री-विमर्श का रूपक जहाँ भाषा की सारी चूड़ियाँ कसी हैं

(अलका सरावगी के उपन्यास 'शेष कादम्बरी' पर)

ओम निश्चल

देखो नानी, सच्ची सीरियसली, तुम अपना यह उद्धार-परामर्श छोड़ो और अपने जीवन की कथा लिख डालो। लिखने से बड़ा काम और कुछ नहीं। तुम्हारी चिट्ठियों से मुझे मालूम है कि तुमारे अंदर टैलेंट है, तुम लिख सकती हो। कभी प्राइज मिला है न तुम्हें किसी कविता पर? लिखो नानी, प्लीज़ लिखो लेकिन आत्मकथा नहीं। कथा। फिक्शन। थर्ड परसन में।

(–एस.टी.डी. कलकत्ता से दिल्ली–I)

अब तो आपके दुःख को किसी एक खास टाइप का होना चाहिए, तभी उसकी कोई कीमत है। जैसे दलित-दुःख, स्त्री-दुःख, सर्वहारा-दुःख या 'सबाल्टर्न' दुःख। अब सच पूछो, तो तुम्हारे जीवन में क्या दुःख रहा होगा? आई मीन तुम्हारे पास हमेशा पैसा था, और कम भी था, तो भी देश की आधी आबादी से तो बहुत ज्यादा था।

(–एस.टी.डी. दिल्ली से कलकत्ता–II)

आज से पच्चीस साल पहले जब देश को दूसरी आजादी दिलाने के लिए देवीदत्त जैसे लोग बेचैन हो रहे थे, तभी देवीदत्त ने कह दिया था कि इस देश को दूसरी ही नहीं, एक तीसरी आजादी की जल्दी ही जरूरत पड़ेगी।

देवीदत्त हर समय किसी पूर्ण आदर्श या सिद्धांत की तलाश में थे। पूर्णता को पाने की यही छटपटाहट उन्हें इस देश और दुनिया के तमाम तथाकथित या वास्तविक महान् नेताओं के पास ले जाती रही। देवीदत्त सब जगह थे। अलबत्ता वे अदृश्य रहना पसंद करते थे, इसलिए किसी तत्कालीन आंदोलन पर लिखी किताब में और किसी तस्वीर में आप उन्हें खोज कर नहीं निकाल सकते।...यह कहना शायद ज्यादा ठीक होगा कि वे वापस वहीं लौट आए थे जहाँ से वे चले थे—यानी कि महात्मा गांधी से वापस महात्मा गांधी तक।

(–एक अदृश्य आदमी)

यदि कष्ट की कोई जाति होती है तो उस नाते से मैं सविता के इतने करीबी रिश्ते की हूँ, जितना दुनिया में शायद ही कोई किसी का होता है

(–और अंत में प्रार्थना)

अपने जीवन की सार्थकता खोजती सत्तर वर्षीया रूबी गुप्ता और उसकी नातिन कादंबरी के बीच टेलीफोन पर हुई बतकहियों और रूबी दी के मामा देवीदत्त के जीवन पर कादम्बरी की विस्मयकारी खोजी रिपोर्ट के अंश के साथ अंत में आखिरी वसीयत के समय रूबी दी की मनःस्थिति को इंगित करते उपन्यास के ये अंश शेष कादम्बरी (अलका सरावगी) की औपन्यासिक बुनावट को समझने में मदद करते हैं।

ग्यारह साल की उम्र में अपने जीवन की सच्चाई से रू-ब-रू होने और शादी के बाद एक बड़े संयुक्त परिवार में अल्पभाषी, अधिकारों से उदासीन पति के साथ आरंभ किए गए रूबी दी के जीवन की यात्रा बहुत सुखद नहीं रही। तमाम सम्पन्नता के बावजूद भीतर के अकेलेपन का उपचार उन्हें 'गुड फ्रेंड्स सोसाइटी'

और 'वामा स्टडी ग्रुप' से होते हुए अंततः 'परामर्श' से जुड़ कर मिला। किंतु 'परामर्श' से जुड़ कर भी वे क्या अपने होने का अर्थ पा सकीं। एक तरह की 'आइडेंटिटी क्राइसिस' वे ताउम्र गुजरती रहीं। अपने जीवन के हर्ष-विषाद भरे प्रसंगों को उन्होंने जब एक कथा का रूप देना भी चाहा तो उनकी नातिन द्वारा इसके औचित्य पर लगाए गए प्रश्नचिह्न राह में अवरोध बनकर खड़े हो गए। कादम्बरी के पत्रकारीय विवेक की दृष्टि से रूबी दी के समाज कार्य का कोई सामाजिक मूल्य नहीं है, क्योंकि उससे कोई सामाजिक न्याय हासिल नहीं होता। इसके विपरीत देश के लिए तीसरी आजादी की जरूरत रेखांकित करने वाले और सच्चे जीवनादर्शों की पूर्णता के लिए छटपटाहट के साथ जीने वाले रूबी दी के मामा देवीदत्त का जीवन कादंबरी के लिए इतना महत्त्वपूर्ण हो जाता है कि वह उनके जीवन की खोजी रिपोर्ट तैयार कर उनके मकसद को रेखांकित करने का बीड़ा उठा लेती है और भविष्य में उन पर कभी उपन्यास लिखने की भी इच्छा रखती है तथा इस निष्कर्ष पर पहुँचती है कि यह एक बड़े प्रोजेक्ट का हिस्सा है—हाशिए पर पड़े हुए व्यक्तियों के माध्य से दूसरे मिलेनियम की अंतिम शताब्दी की खोज। उनके जीवन के समानांतर रूबी दी के जीवन की कोई खास चरितार्थता न थी कि उसे किसी कहानी में पिरोया जा सके। बल्कि कादम्बरी की दृष्टि में रूबी दी के समानांतर देवीदत्त का जीवन-प्रसंग रख देना ऐसा ही था जैसे एक छोटी रेखा के समानांतर एक बड़ी रेखा खींच देना।

शेष कादम्बरी एक ऐसे समय में रचा गया उपन्यास है, जब समय को समझने के नए मानदंड, नई कसौटियाँ रेखांकित की जा रही हैं। समाज के एक अहम हिस्से स्त्री-जीवन की सदियों से होती उपेक्षा एक नए स्त्री-विमर्श का रूप ले रही है। समाज में उभरते नए जातीय समीकरणों ने जैसे 'दलित-विमर्श' को आज प्रासंगिक बना दिया है, उसी तरह स्त्री जाति के उत्पीड़न, स्वाधीनचेता स्त्रियों की नई पीढ़ी और स्त्री-स्वातंत्र्य के फलस्वरूप उभरते नव नारी जागरण ने 'स्त्री-विमर्श' को आज केंद्र में ला खड़ा किया है। स्त्री-स्वाभिमान और उसके अधिकारों से जुड़े मुद्दे न केवल आज की राजनीति में जब-तब सुर्खियाँ में होते हैं, बल्कि कविता, कहानी और उपन्यासों के बड़े फलक पर स्त्रियों की एक नई दुनिया निर्मित हुई है, जो समाज को नए सिरे से रचना चाहती है और जो यह चाहती है कि उसे पारंपारिक परिभाषिक छवियों से जोड़कर नहीं, उसे उसके बनाए नए पाठ और वृत्तांत के अनुरूप देखा जाना चाहिए।

यों ऊपर से देखने में लग सकता है कि शेष कादम्बरी की कादम्बरी रूबी दी की जीवन-कथा के समाँनांतर देवीदत्त के किरदार को, उसके संघर्ष, जद्दोजहद और आजादी व अपने समय को लेकर उनके बहुविध सरोकारों को रख कर रूबी दी के एकांतिक जीवन को कमतर आँकने की कोशिश करती है। परंतु इस बहाने वह प्रथमतः और अंततः रूबी दी के जीवन को ही फोकस में रखना चाहती है। यह जानते हुए भी कि आज चलन यह है कि किसी के दुःख को किसी एक खास टाइप में होना चाहिए तभी उसकी कोई कीमत है, जैसे दलित दुख, स्त्री दुःख, सर्वहारा दुख और सबाल्टर्न दुःख। इसलिए उसकी कोई कीमत है, जैसे दलित दुःख स्त्री, दुःख सबाल्टर्न दुःख। इसलिए बेशक कादम्बदी रूबी दी को सतपीढ़िया शाह की खानदानी सम्पन्नता के साथ जोड़कर देखे, उनके द्वारा अपने जीवन-संघर्ष की कथा लिखे जाने को उपेक्षणीय समझे, फिर भी वह इस चलन के विरुद्ध—जैसा कि आज तमाम किस्म के विमर्श का दौर है और मूल्यांकन की कसौटियाँ भी बदल रही हैं—रूबी दी, उनके जीवन उनके दुःख, मलाल, क्षोभ, स्वभाव और 'परामर्श' के जरिए सविता, फरहा, सायरा, व माया बोस जैसे उत्पीड़ितों के जीवन-संघर्षों को समझने व यथाशक्य उनके समाधान खोजने की उनकी उत्सुकता को बखूबी केंद्र में रखती है।

यह उपन्यास वस्तुतः रूबी गुप्ता के अपने दुःखों, अपनी वास्तविकताओं और अपने भीतर आकार लेते अकेलेपन से मुक्ति की गाथा है। बाकी जो वंचित चरित्र जीवन में कष्ट और प्रताड़ना के भागीदार हैं, प्रतिपूरक रूप से उपन्यास की डोर से बँधे हैं। रूबी गुप्ता अपने सामाजिक कार्य को *'सामाजिक न्याय'* की देहरी तक नहीं पहुँचा पाई हैं तो इसका कारण यह भी है कि उनकी सारी कार्रवाई अंततः स्वयं की मुक्ति और तोष के लिए है। हम जानते हैं कि सविता, फरहा, माया बोस या सायरा—इनमें से कोई भी अंततः अपने कष्ट से उबर नहीं पाता, और न ही इनसे रूबी दी की आंतरिक सहानुभूति उनके जीवन का कोई ऐसा मूल्य बन पाती है, जिससे उनका संघर्ष अपने निजी दायरे से बाहर आकर आम आदमी के संघर्ष को अपने कंधे पर लेने का उत्तरदायित्व ले। इसलिए रूबी दी के लिए अपने दुःखों, तकलीफों, मानसिक दबावों की लंबी यात्रा में समय बिताने के लिए किए गए कुछ कामों की तरह ही परामर्श का संचालन है, जो 'वंचित स्त्रियों के दुखों के साथ सहयात्रा का एक ऐसा टेकआफ है जो ज़मीनी

सच्चाइयों से जरा दूर-दूर ही रहता है।' यों रूबी दी की जीवन-चर्या में *'परामर्श'* जैसी स्त्री-उद्धार का कोई बड़ा मंच लगता है किंतु रूबी दी की मनःस्थिति में इस गीतात्मक पदावली की अनुगूँज ही अंततः सुनी जा सकती है : 'न अपनी ही कथा हमसे अभी तक हो सकी पूरी/तुम्हारे दर्द का अनुवाद कब करते।'

रूबी दी मा-पिताजी द्वारा गोद ली गई हैं किंतु जिस पर वैधता की मुहर अंकित नहीं है। इसके अलावा माँ से उन्हें वह ममता भी नहीं मिली, जो एक माँ ही दे सकती है। पर पिता से रूबी का गहरा लगाव रहा। थियेटर रोड पर पिता का बनवाया भव्य मकान था। इस तरह रूबी उस सतपीढ़िया शाह परिवार का अंग बन गईं, जिन्होंने कभी मालवा की उपजाऊ मिट्टी में अफीम उगाने वाले किसानों को कर्ज दिए थे और शेखावटी की मरुभूमि से चलकर कलकत्ता आ बसे थे—चीन जाने वाली अफीम की पेटियों के लिए मालवा की अफीम का व्यापार करने। रूबी दी का विवाह भी एक दुर्घटना है। सुधीर से विवाह के उपरांत ससुराल में भी रुबी दी को स्नेह नहीं मिला। दूध तक के लिए उन्हें तरसना पड़ा। बचपन में हीं मातृ-सुख से वंचित सुधीर इतने सीधे कि रूबी दी से कभी कोई असुविधाजनक सवाल नहीं किया, आदिल से उनके विगत प्रेम-प्रसंगों के बारे में जानते हुए न उसे कभी शक की दृष्टि से देखा और न असम्मान की दृष्टि से। हाँ, एक बार अपने असंतोष का इज़हार करते हुए यह जरूर कहा कि *'तुम उन लोगों के यहाँ आती-जाती हो, जिनके घर बनवाने के लिए मैं पूरे दिन धूप में खड़ा रहता हूँ और कोई एक गिलास पानी के लिए भी नहीं पूछता।'* रूबी दी की तकलीफें सुनने वाला न तो कोई मायके में था, न ससुराल में। एक बार अपनी उपेक्षा की वजह सुधीर से जाननी चाही भी तो उसका उत्तर नकारात्मक ही मिला। जैसे सुधीर ने बातों ही बातों में एक बार कहा था कि *'तुम्हारे में एक नहीं, दो दोष हैं। एक तो यह कि तुम पढ़ी लिखी हो, दूसरा यह कि तुम्हारे पास अपना पैसा है जो और किसी के पास नहीं है'*, वैसे ही मामा देवीदत्त ने भी कभी कहा था कि *'एक नहीं, दो दोष हैं तुममें।'* इसमें भी पैसे वाली बात ही प्रमुख थी कि वह सोचती है कि रुपए में बहुत ताकत है। एक बार वासुमणि ने भी रूबी को फटकारा था कि *तुम्हारे दिमाग में पैसा भरा है। तुम सोचती हो कि पैसे की ताकत से तुम सब काम कर सकती हो।'* इस तरह व्यंग्य और तानों से भरे जीवन की छाया रूबी से लगी रही। उनके घुटनों के दर्द दूर करने की रेकी विधि अपनाती मिसेज कृष्णमूर्ति के सम्मुख माँ को संबोधित आत्मालाप में रूबी दी माँ से अपने प्रति बरते गए सौतेले व्यवहार के अनेक करुण प्रसंगों का स्मरण करती हैं जिसके चलते वे मायके और ससुराल दोनों में बेगानी ही बनी रहीं। अकेलापन उनके जीवन में पहले भी कम न था किंतु दो बेटियों के ब्याह के पहले ही पति सुधीर की अचानक हुई मृत्यु के बाद जैसे वे फिर एक बार अकेली हो गईं। कभी-कभी सोचतीं भी कि दो बेटियों के बावजूद पास में कोई नहीं। अपना कोई लड़का होता तो क्या वे सायरा को साथ रखकर यों निस्संगता का जीवन जीतीं। शेयरों के फाटके में चपत लगने पर उन्हें भव्य भवन छोड़कर पिता को अलीपुर के मकान में शिफ्ट करना पड़ा। बीच में वे बीमार भी हुईं, जिसके उपचार हेतु वे राँची के डॉ. डेविस की देखरेख में रहीं। बेटियों ने अपनी अपनी मर्जी से विवाह किए। बेटी गौरी को रूबी दी से सदैव यह शिकायत रही कि उसे उन्होंने माँ का प्यार नहीं दिया, क्योंकि वह पिता की तरह साँवली थी। बेटी गौरी की ही बेटी कादम्बरी, जो दिल्ली में रहकर पत्रकारिता के प्रोफेशन से जुड़ी है, एस. टी.डी. से नानी रूबी दी से प्रायः बातचीत करती है। इस बातचीत में ही वह रूबी दी द्वारा लिखी जाने वाली आत्मकथा के प्रसंगों को बार-बार उठाती है। कादम्बरी नई पीढ़ी की प्रतिनिधि है और बदलते हुए जमाने के अनुसार उसकी दिनचर्या कम्प्यूटर, लैपटाप और अन्य सूचना माध्यमों से गहरे जुड़ी है। इंटरनेट पर सर्फिंग के जरिए वह दुनिया-जहान की जानकारियाँ पा लेती है।

उपन्यास में 'परामर्श' के माध्य से स्त्री-कल्याण के लिए प्रतिश्रुत रूबी दी का पहल संपर्क जिस दुबली-साँवली लड़की से होता है, वह है, सविता जो दो शदियाँ करने वाले पिता, लोभी भाई और लंपट पति को छोड़ पेइंग गेस्ट है और कानूनी परामर्श के लिए रूबी दी से मिलती है। बाद में सविता से रूबी दी का लगाव बढ़ता है तथा एक बार मरणासन्न सविता का अपने घर लाकर उसका इलाज करवाती हैं तथा चाहती हैं कि उसका घर फिर से बस जाए। पर कहाँ, सविता में तो अपने फरेबी पति से बदला लेने की जिद है। दूसरी मंदबुद्धि लड़की सायरा है, जो अपने भाई से गर्भवती है और मनोरंजन व्यापारी उसे उनके संरक्षण में डाल जाता है। सायरा दुख के अहसास बोध से परे है तथा बाद में वह रूबी दी की सेवा टहल के काम आती है। परामर्श में आने वाली आभा जैन अपनी लड़की की आत्महत्या से दुखी

हैं, जिन्हें पाँच हजार देकर लड़की की नंगी लाश मोर्ग से मिल पाती है। इसके बाद 'परामर्श' में आती है पैंतीस वर्षीया माया बोस जिसका जीवन उसके पिता ने ही नष्ट कर वेश्यावृत्ति की राह पर ढकेला है और वह उसी साँप के पोषण के लिए इस वृत्ति के लिए अभिशप्त है। इस बीच रूबी दी के संवाद कादम्बरी से चलते रहते हैं। बीच में शिलांग मेघालय से आए एक परिवार से थोड़े दिन रूबी के अकेलेपन का अंधकार छँटता है। उस परिवार की बहू प्रीति और मीरा व उनके बच्चों से वे हिल-मिल जाती हैं। संयुक्त परिवार की खुशियाँ उनके मन को निहाल कर देती हैं और प्रीति का यह कथन उन्हें खींचता है : *'प्रेम सदा न्यायपूर्ण होता है वह किसी को दबाने में, किसी के अधिकार छीनने में विश्वास नहीं करता।'* कुछ दिनों बाद रूबी दी के पास यासीन अली की लड़की फरहा का केस आता है। लड़की का पति नामर्द है, फिर भी वह पति के साथ ही जिंदगी गुजारना चाहता है। रूबी दी फरहा के सिर पर हाथ फेरती सोचती है, *'कोई किसी की मदद नहीं कर सकता। बस आदमी दूसरे का दुख सुन सकता है और इंतजार करता रह सकता है कि वह खुद अपनी मदद करेगा—यह जानने में कि जीवन में जीवन से बड़ा कुछ भी नहीं।'* शायद इसी सोच का प्रभाव है या कादम्बरी की फटकार और उसके सवालों की बेधकता कि वे कई दिनों से दीख न पड़ने वाली अचानक सविता की खोज-खबर लेने उसके घर पहुँच जाती हैं और उसे मरणासन्न पाकर अपने घर ले आती हैं उपचार के लिए। यद्यपि उन्हें यह वासुमणि की सीख थी कि वे यहाँ आने वालों की सुनती रहें, उनसे सहानुभूति रखें पर किसी से तादात्म्य न महसूस करें। किंतु इस सीख के विपरीत रूबी दी का सविता से नाता कुछ ज्यादा ही सघन हो उठा था। इसीलिए 25 नवंबर 200 को रात के अंतिम प्रहर में कादम्बरी के लिए लिखी अपनी आखिरी वसीयत में सायरा के लिए पच्चीस हजार रुपए देने के बाद कादम्बरी से वे प्रार्थना करती हैं कि वह नानी से मिलने वाले नकद रुपयों में से 25 प्रतिशत सविता को दे। परंतु यह न तो कादम्बरी के लिए आदेश है न सविता के लिए बाध्यता ही कि वह रुपए ले ही। यहीं वे सविता से अपने रिश्ते को परिभाषित भी करती है : *'यदि कष्ट की कोई जाति होती है तो उस नाते मैं सविता के इतने करीबी रिश्ते की हूँ, जितना दुनिया में शायद ही कोई किसी का होता है'*—और यह लिखकर वे कादम्बरी से *'शेष कादम्बरी'* अर्थात *'शेष कथा* लिखने की याचना भी करती हैं, क्योंकि कादम्बरी का एक अर्थ 'कथा' भी है।

कादम्बरी के दो अन्य विस्मयकारी चरित्र आते हैं। एक हैं मिस्टर वियेना जो रूबी दी के बुआ के प्रेमी थे और बाद में उन्होंने जल समाधि लेकर अपने जीवन का अंत किया। तंगहाली से गुजरते मिस्टर वियेना जो *'इंडियन पीप शो'* नामक किताब के अध्याय लिख रहे हैं, रूबी के ट्यूटर भी हैं और अक्सर वे रूबी से इस किताब के बारे में अपने भ्रमण के दौरान देखी गई जीवंत हिंदुस्तानी दुनिया और उसकी अनेक दिलचस्प घटनाओं के बारे में बातें करते। किंतु सातवें अध्याय के बाद अक्सर वे फलाँगकर नौवें पर पहुँच जाते। इससे रूबी दी के भीतर आठवें अध्याय का रहस्य गहरा होता जाता, क्योंकि आठवें अध्याय में ही सतपीढ़िया शाह का इतिहास बंद था और उससे भी ज्यादा रहस्यकारी वह कमरा था जो उसी दिन से बंद कर दिया गया था, जब रूबी दी की बुआ ने एक अंग्रेज के प्रेम में पड़कर आत्मदाह कर लिया था। एक रहस्योद्घाटन के बाद मिस्टर वियेना को रूबी ने कभी नहीं देखा। कहा जाता है कि मिस्टर वियेना ही बुआ के प्रेमी थे। बाद में रूबी के पिता पता नहीं, किस अदृश्य रिश्ते के चलते मिस्टर वियेना की समाधि पर जरूर जाते थे। दूसरे चरित्र हैं मामा देवीदत्त, जो बीसवीं सदी के आरंभ में जन्मे और उनका समग्र जीवन पूर्णता की प्राप्ति के लिए छटपटाता रहा है। वे सब जगह होकर भी अदृश्य बने रहे। कभी फोटोग्राफर बनकर फौज में भरती हुए तो कभी मार्क्सवाद को आखिरी सलाम बोलकर गांधीवाद की ओर लौट आए जहाँ से वे चले थे। वे गांधी से भी मिले। बर्लिन में नेहरू से भी भेंट की, उनके प्रशंसक भी हुए। बाद में फिल्म में बतौर कैमरामैन नौकरी की। लोहिया भी उनके अनन्य आकर्षण थे। कभी मुंशी प्रेमचंद के सेवा सदन पर फिल्म बनाने की प्रेरणा के भी कारक वे ही थे। और उन्हें यह शक हरदम बना रहा कि प्रेमचंद अपने किसी उपन्यास में उन्हें पात्र बनाना चाहते हैं। वे प्रायः दुखी होते कि कुछ लोग गांधी के नाम को कैसे भुना रहे हैं। अपने अनुभवों से उन्होंने जाना कि कहीं न कहीं सारे रास्ते गांधी की तरफ ही जाते हैं। इस तरह एक जादुई आकर्षण से भरा देवीदत्त का चरित्र हमें आदर्शों से भरे उन पुराने समाजवादियों की याद दिला देता है जिनके संघर्षों की आज कोई कीमत नहीं रही। आजाद भारत को लेकर देखे गए जिनके सपनों की आज कैसी दुखद परिणति हम देख रहे हैं...और तब हमें तीसरी आजादी की जरूरत महसूस करने वाले देवीदत्त के कथन को देखते

हुए धूमिल की वह कविता बरबस याद आती है, जिसमें वे कहते हैं, *'क्या आजादी तीन थके हुए रंगों का नाम है। जिसे एक पहिया ढोता है या इसका कोई और मतलब होता है।'*

लेकिन हम देखें तो आजादी के निहितार्थों को लेकर 'कलि-कथा' के प्रसंग जिस व्याप्ति और गहरे विज़न के साथ उठाए गए हैं, *'शेष कादम्बरी'* में उसकी गुंजाइश ही नहीं है। यहाँ तो आजाद भारत की स्त्रियों की तस्वीर है, जिसमें फिर एक बार कलकत्ता के सुदूर अतीत में साँस लेते मारवाड़ी जीवन और स्त्री-जीवन की नियति को लेकर अंतर्व्यथित कर देने वाला आख्यान रचा गया है। इसीलिए आजादी के प्रतीक कलि-कथा के पात्र अमोलक व शांतनु जैसे लेखिका के अवचेतन में हस तरह रच-बस गए हैं कि जैसे यह देवीदत्त के रूप में उनका पुनर्भव हो। अलका खुद भी मानती हैं कि वह एक ही पात्र है, जो हर बार नया नाम, नई शक्ल, नए रंग ढंग में वहीं पुरानी आत्म विडंबना, वही आत्म मंथन, वही वेदना, वही सपनों की किर्चे लिए मेरे हर उपन्यास में चला आता है, शायद वह मुक्तिबोध के ब्रह्मराक्षस की तरह है, जो अपनी देह घिसते-घिसते भी उस मर गए आदर्श की छाया को अपने शरीर से उतार नही पाता या शायद वह मेरा फिनिक्स है, जो मुझे विश्वास है कि कभी नहीं मरेगा। हर बार उसी तरह राख से उठ खड़ा होगा *(उत्तरप्रदेश, फरवरी, 2002)*। दरअसल *'शेष कादम्बरी'* देवीदत्त जैसे बौद्धिक बेचैनी से भरे व्यक्ति के माध्यम से इस शताब्दी की व्यापित को छू लेने की कोशिश है. ..और जैसे आजादी की अर्धशती के बाद भी देश के बर्तगान का अवसाद 'कलि-कथा' में पसरा हुआ है, उसी तरह शेष कादम्बरी की रूबी गुप्ता और अन्य उत्पीड़ित स्त्री चरित्रों का अवसाद इस शताब्दी के स्त्री-मिवर्श की उस धारा की ओर ध्यानाकर्षण करता है, जिसका संदेश है कि कष्ट की कोई जाति नहीं होती या दुख और उत्पीड़न के स्तरों को केवल दलित दुख या सबाल्टर्न दुख जैसे सतही वर्गीकरणों से नहीं समझा जा सकता। इसके लिए व्यक्ति की अंतश्चेतना से जुड़ना आवश्यक है। इसलिए तमाम सम्पन्नता के बावजूद रूबी गुप्ता की त्रासदी और विक्षुब्धता विस्मरणीय नहीं है। यह और बात है कि विभिन्न कारणों से कष्ट पाती सविता, माया बोस, फरहा और सायरा का जीवन-संघर्ष रूबी के जीवन-संघर्ष से कहीं बड़ा है, त्रासद है...अव्वल तो जीवन को लेकर रूबी गुप्ता के यहाँ वैसा संघर्ष भी नहीं है बल्कि यह बहुत कुछ उनके *'इमोशनल'* होने के कारण भी है। इसलिए *'शेष कादम्बरी'* एक ऐसे *'नए स्त्री विमर्श का उदास रूपक'* प्रतीत होता है जहाँ स्त्री की पीड़ा, उसकी 'कैटेगरीज़' को एक नये ढंग से परिभाषित करने की चेष्टा की गयी है। दूसरे शब्दों में, प्रकारांतर से यह कहने की भी कोशिश हो सकती है कि अभिजात वर्ग की दुनिया में भी दुख की छायाएँ हैं, जो विवेचनीय हैं।

जहाँ तक औपन्यासिक बुनावट और भाषिक संरचना का प्रश्न है, ऐसा बहुत कम लोगों के यहाँ पाया जाता है, जहाँ भाषा की सारी चूड़ियाँ कसी हों। अलका के यहाँ आख्यान की बुनावट इतनी सघनता से हुई है कि वह शुरू से अंत तक पाठकों को बाँधे रहती है। जैसा कि कम ही उपन्यासों में सूचना, तकनीक, ज्ञान और जीवनानुभवों का इतना व्यापक सहमेल दिखता है, *'शेष कादम्बरी'* में अलका की यह चेष्टा रही है कि समय का तापमान दर्ज होने से रह न जाए। देवीदत्त का यह कथन कि *'देखना एक दिन इस देश में गांधी से अधिक अंबेडकर की मूर्तियाँ होंगी,'* यथार्थ के एक नए संस्करण का अवलोकन है। संयुक्त परिवार, प्रेम, घृणा, छल, राजनीति, इतिहास, सामाजिक न्याय, गैर सरकारी संगठनों (एनजीओ) के बलबूते किए जा रहे ऐशो-आराम और बाजारवाद को लेकर की गई टिप्पणियाँ उपन्यास को जीवंत बनाती हैं तथा पाठकों के लिए अनुभवों की एक परिपक्व दुनिया रचती हैं। बिना किसी तद्भवता या तत्सम का आतंक पैदा किए, भाषा की मनोहरता कैसे कायम रखी जा सकती है—शेष कादम्बरी इसका एक अनन्य उदाहरण है। कथा-सूत्र को आगे बढ़ाने में एसटीडी पर हुई बतकहियों का प्रयोग शिल्प की दृष्टि से अनूठा है, जो आख्यान की एकरसता को तोड़ता है। यह सवाल जरूर पैदा होता है कि रूबी गुप्ता के *'परामर्श'* ने आखिर समाज को क्या दिया। अंततः सविता, माया बोस, सायरा और फरहा जैसी महिलाएँ क्या जीवन की मुख्य धारा में लौट पाती हैं? जाहिर है नहीं, क्योंकि रूबी गुप्ता उस संभ्रांत वर्ग की ही प्रतिनिधि हैं, जो दूर से कंबल बाँटकर पुण्य का दिखावा तो कर सकता है, लोगों की नियति नहीं बदल सकता। रूबी जिनके इर्द-गिर्द खुद की ही नियति की निराशा का घेरा कायम है, वे दूसरों की नियति कैसे बदल पातीं। वे इतना ही कर सकती थीं कि दूसरों के दुखों को उलट-पुलट कर देख भर सकें।

'शेष कादम्बरी' की रूबी गुप्ता उर्फ रूबी दी जीवन के आदि से अंत तक निराशा के आखिर छोर पर खड़ी नजर आती हैं, कभी आत्महत्या के ख्याल से भरी, कभी अपने प्रति बरते गए

सौतेलेपन को याद करती, अपने प्रति तटस्थ और सदैव क्षमा भाव रखने वाले कभी अपने पति के साहचर्य और उनके असमय विछोह को जीती, बेटियों से भी लगभग उपेक्षित। इर्द-गिर्द नंगे ही नंगे लोगों से भरी दुनिया। उनके जीवन की खिड़की खोलती है कादम्बरी—उनकी नातिन जो शायद उनके जीवन को नए अर्थ से भी भरना चाहती है—कितना भर पाती है यह और बात है। किसी दलित दुख-साबल्टर्न कोटि के दुख से परे रूबी दी की अंतर्व्यथा का यह व्यापक आख्यान विमर्शकारी है। यह अकारण नहीं कि भौतिकता के इस परम और चरम युग में यहाँ जगह-ब-जगह पैसे के अहंकार पर ही चोट की गई है और देवीदत्त की तो नेताओं को लेकर राय ही यह है कि *'रंडी की भी इज्जत होती है। उसके भी कुछ उसूल होते हैं, ये लोग तो रंडियों से भी गिरे हुए लोग हैं। इस देश की राजनीति अब रंडी की मंडी बन गई है।'* एक शायर ने क्या खूब कहा है। *'यह सियासत की तवायफ का दुपट्टा है, यह किसी के आँसुओं से तर नहीं होता।'* यह शिकायत जरूर लेखिका से रहेगी कि इस स्त्री-विमर्श में शामिल एक भी पात्र ऐसा क्यों नहीं है, जो अपनी नियमि को अतिक्रांत कर सके। कई आत्महत्याओं के कष्टप्रद वृत्तांत भी यहाँ दर्ज हैं। इस तरह एक ऐसी उदास कर देने वाली धुन उपन्यास के भीतर भरी हुई है, जो चित्त को सदैव आच्छादित किए रहती है। फिर भी अपनी अनूठी कथा शैली, भाषा और ऐतिहासिक व्याप्ति के कारण उपन्यास की प्रसांगिकता बनी रहेगी।

पुस्तक : शेष कादम्बरी (उपन्यास)

लेखक : अलका सरावगी

प्रकाशक : राजकमल प्रकाशन, नई दिल्ली

मूल्य : रु. 150/-

मनुष्य की बसाहट का स्वप्न देखतीं कविताएँ

(रमेशचंद्र शाह के कविता-संग्रह 'देखते हैं शब्द भी अपना समय' पर)

रामकुमार तिवारी

भाषा अंततः एक जीवन पद्धति है, जो हमें हमारे होने के अर्थ को ध्वनित करने का अवसर देती है। हमारे होने की गूँज प्रकाश रेखा की तरह खिंचती हुई काल के अनंत में चली जाए, लेकिन क्या यह इतनी सरलता से संभव है? क्या ऐसा होना, हमारे संपूर्ण स्वत्व के विलय की शर्त नहीं रखता है?

कबीर की वाणी अपने देशकाल के मनुष्य के आंतरिक और बाह्य संकटों से, क्राइसिसों से गुजरती हुई, हमें अपने देशकाल में सुनाई दे रही है जो उस काल का अनंत ही तो है और तभी एक अनंत शेष है परिभाषित होने के लिए...कबीर जैसे साधक के लिए।

हम जितनी और जैसी साधना करते हैं, उतना ही स्पेस और स्पंदन रचते हैं और उतने ही मुक्त होते हैं। यही हमारी सामाजिकता है। हमारी मुक्ति शब्द-उच्चार मात्र नहीं है और न ही किसी विध्वंस से विखण्डित तकनीकी प्रक्रिया। निर्मल वर्मा के शब्दों में "हर शब्द एक जीवंत प्रक्रिया है" यही सूत्र इस उत्तर आधुनिक समय में हमारे स्खलन को थामकर, बचा सकता है। जो हमसे भाषा के तप की माँग कर रहा है।

हमारे समय का केंद्रीय संकट विखण्डन है। ऐसे में हमारी दृष्टि का तत्त्व केंद्रित होना, सामयिक अनिवार्यता है। "मुक्तिबोध के शब्दों में" तत्व के स्वरूप को आत्मसात् करके ही तत्व के आत्म-रूपायन को संभव करना होगा"। हमें तत्व रूपातंरित सौंदर्यशास्त्र को गढ़ना ही होगा—अनुभूति भी दीर्घायु के लिए, मनुष्य के अस्तित्व के लिए।

इस समय बहुत कम रचनाकार हैं जो समय के विज्ञापित अर्थों, मापदण्डों की परवाह किए बगैर अपने मूल संवेदना के सबसे गहरे रेशे से नीम अकेले में जीवन रस खींच रहे हैं। समय की किसी कोंपल के लिए। शब्दों के भीतर और गूँज-प्रतिगूँज के बीच अपने होने को अनुभव करते हुए।

रमेशचंद्र शाह ऐसे ही रचनाकार है। वर्तमान कविता समय में उनके नए कविता संग्रह "देखते हैं शब्द भी अपना समय" को पढ़ते हुए, बार-बार पढ़ते हुए जो 'स्पेस' अनुभव हुआ उसी का साझा करने की यह छोटी सी कोशिश है।

रमेशचंद्र शाह के संग्रह में शीर्षक से ही शब्द और समय की सापेक्षताएँ ध्वनित हैं। उनकी इस काव्य-दृष्टि के पीछे संवेदना का गहरा सामाजिक सरोकार ही तो है। जो अपने उत्तराधिकार में, मनुष्य के अर्जन की उनकी स्मृतियों को आत्म-रात् ही नहीं कर रहा है उन्हें निर्ममता से मथ भी रहा है, नव-नवीन उन्मेष के लिए।

रमेशचंद्र शाह के लिए रचना एक अटूट साधना का प्रगटन है। एक अथक ज्ञान-संवेदनात्मक श्रम भी, जिसके उजास में वे शब्दों को आवाज देते हैं। तात्कालिक तीव्रताओं और पतली गली के इस दौर में, यह श्रम अनावश्यक लग सकता है। लेकिन सृजनात्मक संवेदना को थामता और रचता वही है।

रमेशचंद्र शाह की काव्य दृष्टि में जो दार्शनिकता (वैज्ञानिकता) है वहीं उनकी भाषा के वैभव की विराटता भी है। जो उन्हें काल होड़ के लिए लय देती है। जो मानवीय संघर्षों को कृत्रिमता से बचाती हुई प्राकृतिक बनाती है—ज्यादा वास्तविक रमेशचंद्र शाह के स्वप्न जैविक-मनोगत अवस्था के स्वप्न नहीं हैं, उनके स्वप्न

मानवीय चेतना के प्रवाह के स्वप्न हैं जो अपनी परंपरा से आते हैं। सारे अंतर्विरोधों से जूझते हुए। उनके स्वप्न रचना के उस यथार्थ के लिए छटपटाते हैं, जो जी रहे यथार्थ से संघर्षरत होने पर ही आते हैं और विपरीत से विपरीत परिस्थितियों में भी आक्रान्त नहीं होते और न ही अल्पायु विकल्पता की ओर आकर्षित।

क्यों आता हूँ यहाँ नित्य मैं
मन्त्रविद्ध सा?
बनना हो मेरा घर
मानो यहीं।
मेरा घर?
मैं शताब्दियों से विस्थापित
शरणार्थी अपने ही घर में।
यह विडम्बना ही
मेरा घर।
सपना भी। (अरण्यक-3)

रमेशचंद्र शाह की कविताओं में प्रखर मानवीय चेतना है जो इस सपने को निरंतर देख रही है। यह किसी एक व्यक्ति का नहीं बल्कि पूरी मानव जाति की बसाहट का सपना है जो शताब्दियों से शरणार्थी बनी भटक रही है अपनी ही धरती पर।

रमेशचंद्र शाह गहरी आस्था के कवि हैं। वे मनुष्य के अबोध विश्वासों, रीति-रिवाजों तक को किसी विफलता में ध्वस्त या निरस्त नहीं करते। बल्कि उन्हीं को बोधगम्य बनाकर आज का तात्विक पाठ बनाते हैं। उन्हीं से मानवीय रागात्मकता की निर्मिति करते हैं। आस्था उनकी काव्य-चेतना का केंद्रिय स्रोत यूँ ही नहीं है? इसके पीछे गहरी ऐतिहासिक चेतना लगातार सक्रिय है।

मुझे चेखव की 'रीढ़विहीन' कहानी रह-रहकर याद आती है, जो मुझे अपनी हीनता और सामर्थ्य का एक साथ अनुभव कराती है...जिसके अंत में चेखव कहते हैं" इस संसार में मजबूत होना आसान है।

यह बात कहते हुए मैं अपने अपार जनों की यथास्थिति का पक्षधर नहीं हूँ और न ही उनकी इस दशा के कारकों के अमानवीय कृत्यों को अनचीह्न छोड़ने का। मैं तो बस अपने इस मनुष्यत्व की जड़ों को गहराई से अनुभव करना और कराना चाहता हूँ। गांधी ने इसी मनुष्य के बहुतेरे रचनात्मक प्रयोग असंभव समय में किए और वे सफल भी हुए।

रमेशचंद्र शाह इसी अटूट आस्था के कवि हैं :—

पता नहीं कितनी हजारवीं बार
गया हूँगा मैं झोंका
उसी भाड़ में...
पड़े सूखते जाने कब से
फिर भी उजड़े नहीं देवता
लगता पूरी तरह
हमार इस उजाड़ में (जातक कथा-6)

रमेशचंद्र शाह के देवता किसी दूसरे लोक से नहीं आते, वे उनके अंतर्विरोध में ही वास करते हैं और जिनसे वे लगातार संवाद करते हैं—जो अंततः उनके स्वप्न के मनुष्य और जी रहे मनुष्य का ही संवाद है। उनके यहाँ नर-नारायण दो पहाड़ के रूप में एक ही रूप हैं। अपनी भूगर्भीय (आंतरिक) प्रक्रिया में तिल-तिल पास सरकते हुए, एक होने के लिए। और नए दिव्य के लिए पास में ही फिर बसते हुए। फिर-फिर एकाकार होने के लिए। उनके यहाँ आस्था अपने मनुष्य के परिमार्जन की अनवरत प्रक्रिया है। यही उनका आत्म संघर्ष है और वरण भी।

एक दूसरे को निहारते
एक दूसरे के सम्मुख जो खड़े यहाँ सदियों से
नर-नारायण कहलाते जुड़वाँ पर्वत ये
तिल-तिल करके पास सरकते प्रति दिन
(बद्रीनाथ में पर्यटक)

रमेशचंद्र शाह की आस्था आत्मबल को अर्जित ही नहीं करती बल्कि उसका मानवीकरण कर उसे विस्तार भी देती है।

दिखी अचानक
यही मूर्ति मंदिर के बाहर
वहाँ खुले में
चलती फिरती
उस दिन की पूजा
क्या और दिनों से अलग नहीं थी
(चंडीदास के गाँव में)

रमेशचंद्र शाह मिथकों का जैसा तात्विक पाठ बनाते हैं वह अद्वितीय है। वे अपने इतिहास-बोध को इसी तरह पुष्ट ही नहीं करते बल्कि कालबोध की अखण्डता की रक्षा भी करते हैं। हमारे देशकाल में इतिहास-बोध इसी तरह पुष्ट हो सकता है और अपनी सामाजिक भूमिका को सही दिशा दे सकता है। हमारे यहाँ इतिहास का मूल मिथकीय चेतना में ही है, उससे कटकर या काटकर कहीं

कुछ भी सार्थक और टिकाऊ योगदान करना शायद संभव नहीं है।

रमेशचंद्र शाह एक ओर मिथकीय पाठ की भंगिमाएँ बदलकर उनकी व्यंजनाओं को विस्तार देते हुए सामयिक पाठ बनाते है तो, दूसरी और इतिहास बोध को मिथकीय चेतना में समाहित कर आधुनिक दृष्टि अर्जित करते हैं। उनके यहाँ मिथकीय बोध और इतिहास बोध के बीच कोई फाँक नहीं है। वे अखंड काल बोध के कवि हैं यही उनकी व्यापकता है।

''सर्वनाश के लिए गया है रचा यज्ञ यह
इसका अब विध्वंस
तुम्हीं को करना होगा
पूर्णाहुति से पूर्व
अन्यथा...'' **(नर-नारायण और निकुंबला)**

आज के परिदृश्य में यह मिथकीय पाठ किस तरह इतिहास-बोध को ग्रहण कर समकालीन दायित्व-बोध का निर्वाह करता है। रमेशचंद्र शाह गहरी सूक्ष्म राजनैतिक दृष्टि के कवि हैं। जो किसी दलगत सत्ता में घटित होकर कालांतर में आत्म प्रवंचना का शिकार नहीं होती। वह मानव नियति के मूलभूत प्रश्नों से जूझती है, हस्तक्षेप कर बिखरे हुए मनुष्यत्व को समेटती है। जो ज्यादा सुदीर्घ, ज्यादा बड़ी मानवीय बैचेनी से आती है। जो अंतर्निहित मानवीय चेतना को एकजुट कर मनुष्य जाति को पुकारती है। उसे उभारती है। इस तरह राजनीति के वास्तविक अभीष्ट को जीती है। रमेशचंद्र शाह की राजनीतिक सत्ता मुखी नहीं स्वतंत्रता मुखी है।

रमेशचंद्र शाह की कविताएँ चारों ओर अंदर-बाहर व्यापी व्रिदूपताओं और विसंगतियों को ही नहीं देखतीं बल्कि साथ ही साथ मानवीय सरोकारों की सामूहिकता का बोध भी कराती हैं। वे चारों ओर की ऋणात्मकता में भी मानवीय संभावनाओं को ओझल नहीं होने देतीं। न होने और होने का मानवीय पृष्ठ तनाव अनुभव कराती हैं। अनगिनत प्रश्नों के स्वीकार का आत्मबल देती हैं और जीवन में उनके उत्तर भी खोजती हैं।

(1) **एक अटूट वंचना की**
वसुधा है मेरा कुटुम्ब
इतना बड़भागी हूँ मैं। **(ऋण शोध)**

(2) **करोड़ों हाथों और करोड़ों सिरों की**
बेतुकी बेरोजगारी में। **(मूसल-पर्व)**

जब ''वसुधा है मेरा कुटुम्ब'' तो फिर मनुष्य जाति को वंचना का यह जीवन क्यों जीना पड़ रहा है? जब करोड़ों मस्तिष्कों की बौद्धिक संपदा और करोड़ों हाथों के मानवीय श्रम के वैभव की विराटता है तो फिर चारों ओर की यह बेतुकी बेरोगजारी क्यों है? कितने प्रश्न हैं जो सिर्फ घेरते ही नहीं, हमारे जीवन-बोध को, हमारे सामाजिक बोध को कसौटी पर कसते हैं। धिक्कारते हैं,—चुनौती देते हैं और करुणा जगाते हैं! बड़ी मानवीय दृष्टि ही ऐसे प्रश्नों का सृजन करती है। जिसके उत्तर हमारे स्वप्नों के यथार्थ को गढ़ते ही नहीं स्वप्नी के लिए निरंतर स्पेस (अवकाश) भी रचते हैं।

रमेशचंद्र शाह के प्रश्न स्वयं को कोई आदर्श मंच मुहैया नहीं कराते, किसी निरे उद्घोष के लिए, वे आज के मनुष्य को निरे आदर्श के वृत्त से बाहर भीड़ में बिंबित देख अपने को चिह्नते हैं और अपने होने के सच को अनुभव कर सुख पाते हैं और यही से वह जीवन-ऊर्जा अर्जित करते हैं जो मनुष्य को हर उस नैराश्य से बाहर ले जाती है जो पश्चिम की सीमा या ट्रेजडी है और इस तरह एक संभव 'थ्रिल- भविष्य के लिए शेष बचा रहता है। निर्धन किसान की कोठरी में बीज की तरह।

काम छोड़ सब
कभी-कभी
मैं निरखा करता
यह धड़हीन
प्रवाह समय का
और उसी में उतराता
सुख पाता
यूँ ही... **(खिड़की)**

रमेशचंद्र की कविताओं में संवेदना और मानवीय राग के इतने व्यापक आयाम है कि एक समृद्ध जैविक संसार का अनुभव हमारे अस्तित्व से साक्षात्कार कर उसे सम्पन्न बनाता है, गहरे संवदनात्मक रचाव के साथ।

'फ्रूदे के लिए' कविता में किस तरह समस्य पहचानें, मनुष्य होने में विलय हो आत्मीय संसार रचती हैं। नागरिक बोध, विश्व बोध में विस्तारित हो मनुष्य राग गाता है। और 'एक हंगारी लड़की से मुलाकात' कविता इसी राग को भिन्न स्वर में गाती हुई किस तरह अनजान दूरियों से आकर आत्मीय हो जाती है, अद्भुत है!

रमेशचंद्र शाह आयातित आधुनिक बोध के कवि नहीं है। उनके यहाँ पुनः पुनर्नवा ही नव है, आधुनिक है। 'कामवाली'

कविता अभिजात्य प्रवृत्ति को किस तरह निरावृत करती है और कविता का सौंदर्य चमकते धुले बर्तनों के उजास में दमकता रहता है।

रमेशचंद्र शाह के बिंबों में देशकाल गहरी जीवंतता के साथ अनुभव होता है। वे सक्रिय जीवन-स्वरों को ध्वनित करते हैं। इस तरह स्मृतियों को पुनर्जीवन देकर काल से होड़ लेते हैं और साथ ही लोक से साझा रागात्मक बिंबों के एक-एक कर ओझल हो जाने के लिए वे स्वार्थी संकीर्ण विचारों को, उनकी राजनीति को ही कारण बताकर अपनी भूमिका को नहीं जी लेते। बल्कि दायित्वहीनता के लिए अपने को निर्मम फटकार भी लगाते हैं।

नहीं था क्या? नहीं हूँ मैं?
बसंत का पीला रूमाल
लाल गाँठ वाली घड़ी नईजनमवा की
चौखट-विचित्र संवत्सर
होली का स्वांग-तमाशा
दीवाली का खील बताशा
ईद की जलेबी, जन्माष्टी की पंजीरी
डोला नंदा देवी का, मुर्हरम के ताजिये
नहीं था क्या? नहीं हूँ मैं?

रमेशचंद्र शाह की कविता अपने आधुनिक स्वरूप में भी आंतरिक या बाह्य लय को अनदेखा नहीं करती बल्कि अपने जातीय स्वरों को गुनगुनाती है जो अपने आप में उन्हें समसामयिक परिदृश्य में एक अलग पहचान देती है। उनके यहाँ कविता के इतने विविध विहंगम जीवनदृश्य और स्वर बिना किसी आग्रह या पूर्वाग्रह के स्वप्नरत हैं कि विराट भव्यता का अनुभव होता है।

रमेशचंद्र शाह की कविताओं में जीवन लीला और जीवन संघर्ष अलग-अलग नहीं है वे एक दूसरे में गूँथे, एक दूसरे के पूरक हैं। उनका कवि नश्वरता के आर-पार अभय के सौंदर्य को जीता है। उनके यहाँ मृत्यु और जन्म नश्वरता का पाठ नहीं बनते, बल्कि मिलकर जीवन-प्रवाह की कल-कल बनाते हैं। दोनों मिलकर उत्सव रचते हैं। नैराश्य को रागहीन होने से बचाते हैं और जीवन राग गाते हैं। वे नश्वर के सत्य के नहीं, प्रवाह के सत्य के कवि हैं, तभी तो गुनगुनाते हैं—

चल रही है कथा अब भी
ढल रही है कथा अब भी
फूल आते, फूल जाते...
बेल सा मुझ पर
चढ़ा संसार (कथा)

पुस्तक : देखते हैं शब्द भी अपना समय (कविता-संग्रह)
लेखक : रमेशचंद्र शाह
प्रकाशक : नेशनल पब्लिशिंग हाउस, दिल्ली
मूल्य : 100 रुपये

आलोचना का नया उन्मेष

(नंदकिशोर आचार्य की आलोचना पुस्तक 'साहित्य का स्वभाव' पर)

आनंदप्रकाश त्रिपाठी

समकालीन हिंदी आलोचना में नंदकिशोर आचार्य की पहचान एक गंभीर आलोचक और चिंतक की है। कवि और नाटककार के रूप में भी साहित्य की दुनिया के लोग उन्हें अच्छी तरह जानते है। कवि और नाटककार के रूप में भी साहित्य की दुनिया के लोग उन्हें अच्छी तरह जानते हैं। 'साहित्य का स्वभाव' आचार्य की नवीनतम आलोचना कृति है। इसमें साहित्य के स्वभाव को शास्त्र और साहित्य के कैनवास पर, नए सामाजिक-सांस्कृतिक संदर्भों, रचना प्रवृत्तियों एवं जीवन के विविध प्रसंगों के परिप्रेक्ष्य में कई कोणों से देखने और परखने की सार्थक कोशिश की गई है। पश्चिमी साहित्य चिंतन से भी आचार्य प्रेरणा ग्रहण करते हैं और अपने साहित्यिक निष्कर्षों एवं अवधारणाओं को व्यापक आधार प्रदान करते हैं। इस किताब की रचना पारम्परिक आलोचना दृष्टि से बिल्कुल हटकर नई दृष्टि, उदात्त चेतना, नई चिंतन भूमि, गहन अध्ययन एवं व्यापक जीवनानुभव पर हुई है। यह हिंदी की नई आलोचना दृष्टि का विकास है और नया मुहावरा भी। आलोचना के घिसे-पिटे औजारों से काम लेना आचार्य को कुबूल नहीं है। उन्होंने आलोचना का नवस्वायत्त रूप, स्थापत्य और आचरण निर्मित किया है। पक्ष-विपक्ष में खड़ी होने वाली आलोचना उन्हें स्वीकार नहीं है। रचना के भीतरी सच और लेखक के गहरे सरोकार को आचार्य बड़ी जिज्ञासा के साथ पाठकीय संवेदना में उतारने का प्रयास करते हैं। समाज और जीवन के यथार्थ प्रश्नों पर उन्होंने गंभीरतापूर्वक विचार किया है। रचना केंद्रित आलोचना पर उनका विश्वास है। सिद्धांत प्रतिपादन से वे प्रायः बचते रहे हैं। किसी कृति की परख का आधार वे मानते हैं "वह अपने अभिप्रेत की संरचना और व्यंजना किस हद तक कर सकी है।" उनके लिए "आलोचना का मुख्य प्रयोजन रचे जा रहे साहित्य के माध्यम से मनुष्य और उसकी नियति से साक्षात्कार करना है।" गौरतलब है कि आचार्य साहित्य को साहित्येतर मानदंडों से जाँचने के ख़िलाफ़ हैं। आज जब साहित्य, कला, संस्कृति सभी ज्ञान-विज्ञान के अनुशासनों से प्रभावित हैं तब साहित्य को किसी निश्चित मानदण्ड या पूर्वग्रह से देखने का औचित्य क्या है? आचार्य ने पूरी पुस्तक में कवि अज्ञेय को अनेक तरह से कई लेखों में उपस्थित किया है। और उन पर कुछ स्वतंत्र लेख भी लिखे हैं। आचार्य अपनी साहित्यिक मान्यताओं एवं चिंतन के प्रमाणीकरण के लिए अज्ञेय का सहारा लेते हैं। अज्ञेय के प्रति उनका श्रद्धातिरेकी भाव बहुत सुहाता नहीं है। साहित्य के विस्तृत परिदृश्य में नंदकिशोर आचार्य अज्ञेय, रघुवीर सहाय, निर्मल वर्मा, अशोक वाजपेयी आदि एक खास साहित्यिक प्रवृत्ति, मनोभूमि एवं चिंतनधारा के लेखकों से प्रभावित जान पड़ते हैं। हिंदी साहित्य की कई महत्त्वपूर्ण धाराएँ एवं साहित्यकार उनके दृष्टिपथ से ओझल हो गए हैं।

'साहित्य का स्वभाव' बत्तीस चिंतन प्रधान समीक्षात्मक लेखों का महत्त्वपूर्ण संकलन है। लेखक ने विषयानुसार एक क्रम दिया है और पूरी पुस्तक को चार हिस्सों या वर्गों में बिना कोई शीर्षक दिए विभाजित किया है। अलग-अलग विषयों पर आधृत इन लेखों में एक आधारसूत्रता है—"समकालीन समय में साहित्य के प्रति लेखक की सजगता और गहरा सामाजिक सरोकार।" अधिकांश लेख समय-समय पर राष्ट्रीय स्तर की संगोष्ठियों में पढ़े गए हैं। कुछ लेख और टिप्पणियाँ पत्र-पत्रिकाओं में प्रकाशित हुए हैं। शुरूआत के दस लेख सैद्धांतिक विषय प्रतिपादन से संबद्ध हैं।

इनमें साहित्य की स्वायत्तता का प्रश्न उल्लेखनीय है। साहित्य की ज्ञान मीमांसा तथा अन्य अनुशासनों के समक्ष उसकी अविस्थिति और उसकी प्रतिष्ठापना पर लेखकीय चिंतन एवं विचार साफ-सुथरे हैं। दूसरे वर्ग में चार लेख नाटक और रंगमंच की गंभीर विवेचना के है। तीसरे वर्ग के नौ लेखोंमें लेखक ने अपने समय के कुछ विशिष्ट साहित्यकारों और उनकी उल्लेखनीय कृतियों पर समीक्षात्मक टिप्पणियाँ प्रस्तुत की हैं। चौथे और अंतिम वर्ग में संकलित नौ लेख भिन्न-भिन्न विषयों पर केंद्रित हैं।

'साहित्य का स्वभाव' प्रबुद्ध पाठक के लिए लिखी गई किताब है। सरसरी निगाह से पढ़कर नहीं समझी जा सकती है। बहुपठित और गंभीर पाठक इस किताब का पाठक हो सकता है। यह कृति प्रबुद्ध पाठक को सुचिंतित विचार सरणि में बाँधे रखने के साथ ही आध्यात्मिक आनंद की अनुभूति में डुबोने की सामर्थ्य रखती है। निःसंदेह साहित्य की गहरी समझ से उपजी कृति है। भारतीय परंपरा एवं संस्कृति के प्रति आग्रह, अपनी जड़ों से जुड़ाव, भाषा की सम्प्रेषणीयता आदि गुणों से रचित 'साहित्य का स्वभाव' अत्यंत रोचक, रमणीय और पठनीय कृति है।

पहले लेख 'रूप : साहित्य की ज्ञान मीमांसा' में रूप के संदर्भ में साहित्य की ज्ञान मीमांसा की व्याख्या की गई है। नंदकिशोर आचार्य 'साहित्य को तत्त्वान्वेषण और मूल्यान्वेषण की स्वायत्त दर्शन-प्रक्रिया' मानते हैं। दर्शन प्रक्रिया का प्रयोजन तत्त्वान्वेषण और उससे विस्तृत मूल्यान्वेषण होता है और इसीलिए उनकी दृष्टि से साहित्य में भी तत्त्वानुभूति और मूल्यानुभूति को खारिज नहीं किया जा सकता है। भारतीय परंपरा में कवि को ऋषि का स्थान देने का प्रमाण है। ऋषि केवल दर्शन करता है पर कवि दर्शन के साथ ही वर्णन करने की क्षमता भी रखता है। यहाँ भट्टतौत .... के प्रभाव को स्पष्ट देखा जो सकता है। भट्टतौत ऋषि में कवि होने की संभावना देखते हैं। आचार्य जी कविकृत दर्शन और वर्णन दोनों के सहभाव को 'रूप' कहते हैं। दर्शन और वर्णन का अद्वैत सिद्ध करने के लिए वे उत्तर आधुनिकतावाती चिंतक विगेंस्टाइन और भौतिकशास्त्री हाइजेन आदि के विचारों का उपयोग करते हैं। भट्टतौत ने काव्य सृजन के लिए दर्शन के साथ वर्णन का आवश्यक बतलाया है जबकि आचार्य जी दर्शन और वर्ण के तादात्म्य को काव्यसृजन के लिए महत्त्वपूर्ण मानते हैं। "वर्णन स्वयं में एक दर्शन है अर्थात् वर्णन और दर्शन एकमेल है और उन्हें अलग किया जाना संभव नहीं है।" भट्टतौत ऋषि में ही कवि होने की संभावना से परिचित हैं। क्योंकि; कवि के पास एक अतिरिक्त प्रतिभा है। आचार्य कवि की उस प्रतिभा या चेतना को कवि का शिल्प कहते हैं। रघुवीर सहाय ने भी कवि की इस अतिरिक्त चेतना को महत्त्व दिया है। और उसे वे एक अतिरिक्त व्यथा भी कहते हैं। इसी चेतना से कवि चीजों को नए ढंग से नए रूप में देखने और प्रस्तुत करने की इच्छा रखता है। यह नया कर देने की इच्छा कवि को देखने से आगे रचने की ओर ले जाती लगती है। इसे आचार्य शिल्प कहते हैं। उन्होंने साहित्य को 'फिलॉसफी' का भावात्मक समकक्ष मानने को उसकी दार्शनिक स्वयत्तता को कम कर देना माना है।

आचार्य का कथन है कि किसी भी साहित्यिक कृति को पढ़ते हुए हमें उसे एक स्वतंत्र चेतना के रूप में अनुभव करना चाहिए। "भाषा का अनुभव...उस चेतना की अनुभूति जो भाषा को भी अनुभव करती है और उसके माध्यम से अपने को भी। इसी स्तर पर वाक् और आत्म एक हो जाते हैं।" आचार्य का वक्तव्य है–"अनुभूति का रूपायन देशकाल से मुक्त नहीं हो सकता।" आचार्य साहित्य को भाषा और आत्म के एकत्व की अनुभूति कहते हैं। उन्होंने साहित्य में वास्तविक और दूरगामी महत्त्व उसी कृति का माना है "जो देखने का अनुभव करने के एक नए ढंग अर्थात् एक नई ज्ञान-मीमांसा का आविष्कार करती है।" उन्होंने किसी भी कृति या कृतिकार के मूल्यांकन की प्राथमिक कसौटी उसकी ज्ञान मीमांसा को स्वीकार किया है।

'वाक् और आत्म का संयोग' में कहा गया है कि 'साहित्य भाषा की सर्जनात्मक अनुभूति है।' जब आचार्य कहते हैं कि "एक ही भाव का संवेदनात्मक परिस्थिति के माध्यम से भाषा अपने को अलग-अलग तरह से रचती है।" तब जिज्ञासा प्रकट करते हैं, तो क्या भाषा माध्यम नहीं बल्कि एक कर्त्ता रचयिता चेतना है? आचार्य के अनुसार "यह रचयिता चेतना किसी भाव या परिस्थिति से उत्प्रेरित होकर अपना नवरूपायन करती है।" कोई भी कृति एक वस्तु नहीं एक स्वायत्त चेतना व्यक्तित्व होती है। अंततः प्रत्येक सर्जन मूलतः आत्मसर्जन है। भाषा और आत्म के सहित होने के भाव से ही साहित्य है। इसी प्रसंग में आचार्य पाठकीय संवेदना की भी बात करते हैं। उनका कहना है कि कृति की सार्थकता पाठक के बिना संभव नहीं है; क्योंकि पाठक तक पहुँचने पर ही कृति सम्पन्न हो पाती है। 'कहना सब सुनना है' शीर्षक अज्ञेय की कविता 'चिड़िया' की एक पंक्ति है। यहाँ भाषा को लेकर आचार्य के विचार सुस्पष्ट हैं। "शब्द या भाषा, ज्ञान का एक माध्यम या स्रोत ही नहीं, स्वयं ज्ञाता और ज्ञेय भी है।

यानी शब्द अनुभूति का वाहक ही नहीं, स्वयं अनुभूति रूप और उसका स्रोत भी है। साहित्य भाषा की सृजनात्मक अनुभूति है। इसीलिए भाषा को जिन और जितने गहरे स्तरों पर हम सुन पाते हैं, उन और उतने ही गहरे स्तरों का अनुभूति जगत् हमारे सम्मुख खुल जाता है जिसमें हम अंततः भाषा की और भाषा के माध्यम से अपने होने की अनुभूति कर पाते हैं।" आचार्य कविता के समग्र इतिहास का मूलतः एक नई भाषा रचते रहने का, शब्दों को एक नया संस्कार देते रहने के निरंतर प्रयासों का इतिहास मानते हैं।

'साहित्य का परम मूल्य' में आचार्य स्पष्ट कहते हैं "साहित्य यदि मूल्यान्वेषण की एक विशिष्ट प्रक्रिया है तो उसके चरम मूल्य की तलाश भी उससे बाहर किसी अन्य दर्शन, राजनीति या विज्ञान या समाजशास्त्र में नहीं, बल्कि उसके अंदर ही करनी होगी उसके अपने स्वरूप और प्रक्रिया में।" इसीलिए वे रचनाकार का वास्तविक मूल्य रचना की अपनी प्रक्रिया से प्रसूत मानते हैं। अपने समर्थन में वे हाईडेग्गर का कथन सही ठहराते हैं। "किसी भी वस्तु का मूल्य उसके सार तत्व का स्रोत है। साहित्य का मूल्य सिसृक्षा और उसकी सारी प्रक्रिया सर्जनात्मक है।" यह सृजनशील चेतना ही वह शाश्वत रूपातीत आत्म है जो भिन्न-भिन्न रूपों में निरंतर अपने को अभिव्यक्त करता है। आचार्य सर्जनात्मकता के सहज गुणों में स्वतंत्रता अर्थात् कृर्तत्व की स्वतंत्रता और अहम् का विलयन को अनदेखा करना ठीक नहीं समझते। वे मोक्ष को परम पुरुषार्थ मानते हैं साहित्य को मोक्षार्शगर्भा कहने का उनका मूल अभिप्राय है—"साहित्य समय के भीतर रहते हुए शाश्वत का अर्थात् समय का अतिक्रमण करने या उससे मुक्त हो सकने की साधना है।"..."स्वयं को अनंत रूपों में ढलते जाने की साधना" अज्ञेय को अपने समर्थन में खड़ा करना उन्हें यहाँ भी जरूरी लगता है। वे अज्ञेय की काव्य पंक्तियाँ साभिप्राय उद्धृत करते हैं :

रूपों में एक अरूप सदा खिलता है
गोचर में एक अगोचर, अप्रमेय
अनुभव में एक अतीन्द्रिय,
पुरुषों के हर वैभव में ओझल
अपौरुषेय मिलता है।

उपभोक्तावाद के बढ़ते दुष्प्रभाव पर आचार्य की चिंता 'उपभोक्तावाद और साहित्य' लेख में व्यक्त हुई है। उपभोक्तावाद के खतरे की तरफ बहुत पहले महात्मा गांधी ने और सातवें दशक में नववामपंथी विचारक मारक्यूज ने इशारा किया था। मारक्यूज ने "तकनीकी क्रांति के कारण बढ़े हुए उत्पादन से प्रेरित उपभोक्तावाद को ही मनुष्य के अनंत आयामों के खो जाने और उसको एकायामी या इकहरा हो जाने के लिए जिम्मेदार ठहराया है।" आचार्य का विचार है कि "उपभोक्तावाद से प्रभावित समाज में नैतिक और भावात्मक सरोकारों वाले गंभीर साहित्य में रूचि कम होती गई है।" साहित्य के प्रति व्यापक सामाजिक उदासीनता का प्रमुख कारण उपभोक्तावाद है। भाषा पर भी उपभोक्तावादी प्रवृत्ति ने सूक्ष्म प्रभाव डाला और कुछ चुनौतियाँ पेश की हैं। आज भाषा के व्यावसायिक इस्तेमाल को लेकर समाज और साहित्यकारों की चिंता बढ़ रही है। आचार्य भी कहते हैं—"उपभोक्तावावदी प्रभाव में लिखा गया मनोरंजनात्मक साहित्य भाषा का अर्थ क्षय करता है।" आधुनिक प्रिंट और इलेक्ट्रॉनिक मीडिया भी भाषा को प्रभावित करता है। "संचार माध्यमों के गृहीता वर्ग की बौद्धिक और भावात्मक क्षमता पर भी पड़ता है।" उपभोक्तावाद के प्रभाव में भारतीय चिंतन, संस्कृति, मानवीयता, सृजनात्मक चेतना निरंतर ह्रासोन्मुख है। आचार्य की चिंता स्वाभाविक है—"उपभोक्तावादी प्रक्रिया ने भाषा के अवमूल्यन के साथ मानवीय अनुभव का भी अवमूल्यन किया है।"

'साहित्य और नैतिकता' लेख में साहित्य में नैनिकता और इन दोनों के आपसी रिश्ते का विश्लेषण है। आचार्य का विचार है कि 'साहित्य चिंतन नैतिक अपेक्षाओं से पूर्णतः मुक्त नहीं कहा जा सकता है।' इस बात के समर्थन में वे पश्चिमी काव्य चिंतकों प्लेटो, अरस्तु, सिडनी, बूचर आदि के नैतिकता संबंधी विचार सूत्र ढूँढ़ लेते हैं। नैतिकता के पक्ष में मार्क्सवादी एवं अस्तित्ववादी विचारधारा का आधार प्रस्तुत करते हैं। आचार्य टालस्टाय के इस विचार का उल्लेख करते हैं : "सम्प्रेषण के सवाल से सद्भावना को जोड़ने की कोशिश नैतिक को सौंदर्य या इस्थेटिक से जोड़ने का प्रयास है।" नैतिकता का निर्णय आचार्य किसी कलाकृति पर नहीं छोड़ते, क्योंकि वे मानते हैं कि उसका निर्णय एक गहरी धार्मिक आस्था से प्रसूत मूल चेतना ही करती है। आचार्य की धारणा है कि "नैतिकता का आग्रह साहित्य की अपनी प्रक्रिया और मूल्यों के प्रति न्याय नहीं कर पाता तथा नैतिक और सुंदर के बीच एक खाईं सदैव बनी रहती है।" इस संदर्भ में उन्होंने विजयदेवनारायण साही और भगवतशरण उपाध्याय के अंतर्विरोधमूलक वक्तव्य उद्धृत किया है। साही की निगाह में "नीत्शे का जरथुस्त्रउवाच सामाजिक यथार्थ की दृष्टि से जला देने लायक है, पर महान् कविता की दृष्टि से महान् कृतियों में

से एक है।'' इसी तरह भगवतशरण उपाध्याय एक ओर 'नदी के द्वीप' को हिंदी के छः सर्वश्रेष्ठ उपन्यासों में गिनते हैं, किंतु अफसोस भी जाहिर करते हैं कि ''उपन्यास पढ़कर सत्यनारायण की कथा याद आ जाती है—सुंदर पके फल में कीड़े।'' जैनेन्द्र भी कुछ ऐसा ही कहते हैं—''बड़ी उसमें बारीकी है, बड़ी ज्ञानवत्ता, किंतु पढ़ते हुए कहीं भीगता क्यों नहीं?'' जबकि उपाध्याय जी अपने भीगने, गहरे भीगने की बात कहते हैं। जैनेंद्र के मंतव्य का खुलासा करने में आचार्य का संकोच समझ से परे है।

महत्त्वपूर्ण प्रश्न है हमारे समाज और जीवन की नैतिकता का। रचना का नैतिकता से क्या कोई संबंध है? साहित्य की स्वयत्तता का अर्थ यह नहीं निकाला जाना चाहिए कि साहित्य की नैकिकता और संसार की नैतिकता का कोई आंतरिक संबंध नहीं हैं। आचार्य लिखते हैं—''यदि किसी कृति की अंतर्वस्तु गलत है तो उससे एक उत्कृष्ट रूप की रचना कैसे संभव है? जौ नैतिकता कृति प्रसूल अथवा रचना प्रक्रिया से न उपजती हो, तो उसे साहित्य की प्रेरणा या कसौटी के रूप में स्वीकार करने का औचित्य प्रमाणित हो सकना संभव ही नहीं है।'' अज्ञेय नैतिकता का सवाल अंतदृष्टि से जुड़ा मानते हैं, क्योंकि यही रूप और अंतर्वस्तु की एकता की संभावना है। आचार्य जानते हैं कि ''जानने के ढंग के कहने का ढंग हो जाने में रूप और अंतर्वस्तु का एकत्व संभव होता है। संपूर्ण कलाकर्म में एक सृजनात्मक स्वतंत्र चेतना द्वारा सम्प्रेषण या साझे की प्रतिज्ञा समान है।'' साहित्य और नैतिकता की समान्तरता के उदाहरण स्वरूप आचार्य दर्शनशास्री हिरियन्न का नामोल्लेख करते हैं। हिरियन्ना के अनुसार यह ''आनंदमूलक और निर्वैयक्तिक अनुभव कला और नैतिकता दोनों का लक्ष्य है।'' आचार्य साहित्य में नैतिकता की तलाश उसकी अपनी विधि या प्रक्रिया में करने की प्रेरणा देते हैं। साहित्य की नैतिकता का प्रस्ताव रखते हुए वे कहते हैं : ''नैतिकता की नींव साहित्य की बुनियादी प्रतिज्ञा है और वह एक सृजनात्मक स्वतंत्र चेतना द्वारा सम्प्रेषण या साझे की ललक।'' आचार्य जी लेखक और पाठक के बीच के रिश्ते को एक सृजनात्मक रिश्ता मानते हैं। साहित्य के अपने नैतिक अस्तित्व की प्रमाणिकता छीजने की चिंता है उन्हें। भाषा की भावात्मक विश्वसनीयता, जो साहित्य की नैतिक ताकत है के क्षरण की बैचेनी है उन्हें। साहित्य की नैतिकता का स्रोत वे उसके नंदतिक (इस्थेटिक) संवेदना से अभिन्न मानते है। 'ईश्वरविहीन मानव केंद्रित आध्यात्मिकता' तथा 'साहित्य की स्वायत्तता' की अवधारणा आलोच्यकृति का महत्त्वपूर्ण पक्ष है। 'आध्यात्मिक संवेदन के बिना न अन्य में स्वयं को देखा जा सकता है, और न अपने में अन्य को पहचाना जा सकता है। इसके बिना अपने से उठकर दूसरे के कल्याण की, समष्टि के कल्याण की भावना तक अंकुरित नहीं हो सकती। इस प्रकार आध्यात्मिकता के बिना महान् क्रांतियाँ भी संभव और सार्थक नहीं हो सकती।'' यह आध्यात्मिकता मानवीय संवेदन की गहराई, व्यापकता और पारदर्शित एवं करुणा के रूप में व्यक्त होती है। आचार्य साहित्य को इन्हीं गुणों की साधना का एक स्वायत्त प्रकार कहते हैं। वस्तुतः आचार्य ने ''रूप की पूर्णता ही को साहित्य में नैतिक अंतदृष्टि या संवेदन की पूर्णता की व्यंजक माना है।''

हिंदी आलोचना को लेकर रचनाकारों और विद्वानों ने समय-समय पर कई तरह के सवाल उठाए हैं। आलोचना को कटघरे में खड़ा करने की अनेकशः कोशिशें की गईं। उसे दोयम दर्जे का मान लेने का दबाव बनाया गया। रचना की नासमझी का आरोप लगाया गया। हिंदी के अनेक स्वनामधन्य रचनाधर्मियों ने आलोचकों को आलोचना लिखने की तमीज सीखने की सलाह दी। आलोचना को अपने घर में भी आलोचना का शिकार होना पड़ा। इस कटु यथार्थ को आचार्य जी समझते हैं। 'अपने ही घर में बेघर आलोचना' शीर्षक लेख में वस्तुस्थिति को समझते हुए आलोचना की जड़ों की तलाश की गई है। आचार्य जी ने समर्थ आलोचना का लक्षण ''आलोचकों की प्रत्येक पीढ़ी का अपनी साहित्य परंपरा से नए सिरे से टकराना और अपने रिश्ते की तलाश करना'' माना है। परंपरा से सर्जनात्मक संवाद जरूरी है। इसके लिए हिंदी आलोचना को अपने औजार और अपने स्वभाव अपनी परंपरा से ही प्राप्त और विकसित करने पड़ेंगे। आज साहित्यालोचना अन्य ज्ञान-विज्ञान के अनुशासनों से घिरी हुई है। परिणामतः वह अपने मूल स्वभाव से कटती गई और ज्ञान-विज्ञान के औजारों का इस्तेमाल करने लगी है। आचार्य नंदकिशोर इस प्रवृत्ति का विरोध करते हैं। आलोचना का यह स्वभाव उन्हें स्वीकार नहीं है। उनका स्पष्ट कहना है कि ''आलोचना अपने स्वभाव में तभी होती है जब वह मनुष्य और उसके संस्कार को साहित्य के माध्यम से पहचानने की कोशिश करती है।'' प्रश्न उठता है कि आलोचना क्या सचमुच साहित्य की इस मूल प्रतिज्ञा को भूल गई है कि ''वह एक सृष्टि है—एक विविधवर्णीय जटिल सृष्टि—जिसे किसी विचार या अवधारणा में नहीं घटाया जा सकता।''

'साहित्य का रिश्ता' लेख में आचार्य साहित्य में प्रतिबद्धता या प्रासंगिकता के सवाल को अप्रासंगिक करार देते हैं। उनका

विश्वास है कि "इस तरह के अधिकांश प्रयास एक असहिष्णु और संकीर्ण मानसिकता के परिणाम होते हैं—इन प्रयासों की मूल प्रेरणा गैर साहित्यिक होती है, क्योंकि साहित्य मूलतः सृजनकर्म है, इसलिए सर्वसमावेशी है, उदार है और इसलिए उसे किसी संकीर्ण बाड़े में बाँध देने की कोशिश को साहित्यिक छद्‌म में एह राजनीतिक कोशिश ही कहा जा सकता है।"

'साहित्य में आधुनिकता' लेख हमारी आधुनिकता की समझ को कुछ विकसित करता है। लेखक की दृष्टि में "सामाजिक संदर्भों में आधुनिकता मूलतः एक मानवादी दृष्टि है जो सृष्टि और, इसीलिए समाज के केंद्र में मनुष्य को रखती है। मनुष्य को केंद्र में रखने का अर्थ है मनुष्य के विवेक, उसकी गरिमा, उसके निर्णय, स्वतंत्रता और उसकी सृजनशीलता का केंद्र में रखना।" आचार्य का आग्रह है कि साहित्य में आधुनिकता पर विचार करते हुए उसके सामाजिक संदर्भों के साथ उसके रूप तत्व पर भी विचार किया जाना चाहिए। 'नया यथार्थ पर विचार करते हुए उसके सामाजिक संदर्भों के साथ उसके रूप तत्व पर भी विचार किया जाना चाहिए। 'नया यथार्थ बोध और उपन्यास' में उपन्यास के भारतीय रूप के प्रश्न पर विचार किया गया है। आचार्य का कहना है कि "सभी विधाओं और कलाओं के भारतीय रूप का सवाल जितना सांस्कृतिक सवाल है उतना ही सौंदर्यशास्त्रीय या नंदतिक सवाल है।" इस मुद्दे पर काफी बहस की गुंजाइश है। साहित्य में यथार्थ की अवधारणा का संबंध मूलतः वैज्ञानिक दृष्टि से है। आचार्य कृष्णबलदेव वैद और प्रकारांतर से निर्मल वर्मा और विनोद कुमार शुक्ल की कृतियों में "एक रेखीय वैज्ञानिक दृष्टि से है। आचार्य कृष्णबलदेव वैद और प्रकारांतर से निर्मल वर्मा और विनोद कुमार शुक्ल की कृतियों में "एक रेखीय कालबोध का अतिक्रमण करता हुआ लेखक उसकी वर्तुल रूप, सभी कालों के सहवर्ती होने के किसी रूप या एक स्तरीय यथार्थ के बजाय जटिल और संश्लिष्ट यथार्थ के अनेक स्तरों को एक साथ झलकाने की कोशिश करता है।" इसके लिए आचार्य आवश्यक मानते हैं कि "लेखक को यथार्थ की वैज्ञानिक समझ बढ़ने के साथ कला और साहित्य में यथार्थ ग्रहण और सम्प्रेषण की नई विधियों का अन्वेषण" करना चाहिए। इसमें यदि "हमारे लोक चित्त में रची-बसी सम्प्रेषण संरचनाएँ आधार बने तो भारतीय उपन्यास का ही नहीं विज्ञानसम्मत यथार्थवादी संरचना का विकास होगा।"

नाटक और रंगमंच को नए संदर्भ एवं चुनौतियों के परिप्रेक्ष्य में समझने का प्रयास नंदकिशोर आचार्य ने 'रंगमंच : समांतर सम्प्रेक्षण प्रक्रिया', 'नाट्य भाषा की भंगिमाएँ', 'एक नाटक का जन्म' और 'भारतीय रंगदृष्टि का पुनरान्वेषण' लेख में किया है। काव्यकृति और उसके गृहीता समाज की ग्रहण प्रक्रिया के बीच मीडिया को अनावश्यक हस्तक्षेप मानते हुए वे कहीं गहरे चिंतित हैं कि मीडिया ने कलाओं को एक मनोरंजन उद्योग में बदल दिया है। और इसीलिए वह कला के अंतरंग स्वरों की उपेक्षा करता है। यह अंतरंग स्वर ही कला की आत्मा है। आचार्य लोक कला को तरजीह देते हैं, क्योंकि वह लोक को उभारने का माध्यम है। सम्प्रेक्षण की उत्तर आधुनिक परिस्थिति में लोक कला को मास कल्चर से बचाने की उनकी बैचेनी ज़ायज़ है। उनकी तीखी प्रतिक्रिया है : "मीडिया पूँजीवादी प्रक्रिया का वफादार सांस्कृतिक एजेंट है।" आचार्य जी रंगमंच को अपने प्रबंधन, प्रक्रिया और प्रभाव में अनिवार्यतः स्थायी बने रहने पर बल देते हैं। वे परंपरा की सार्थकता समकालीन चुनौतियों के रचनात्मक प्रत्युत्तर में मानते हैं। भारतीय रंग-परंपरा के सम्यक् बोध के लिए दिक्काल के भारतीय बोध का अनुभावन जरूरी है। दरअसल आचार्य का ध्यान सम्प्रेषण के अनिवार्यतः एक मानवीय प्रक्रिया बना रह सकने पर है।

'नाट्य भाषा की भंगिमाएँ' में आचार्य एक नाटककार के लिए असली चुनौती एक भाषा का अन्वेषण मानते हैं। वे भाषा में ही अभिनय की अपार संभावनाएँ देखते हैं। समकालीन हिंदी नाटकों में वे भीष्म साहनी के 'मुआवज़े' और सुरेंद्र वर्मा के 'कैद-ए-हयात' की चर्चा करना आवश्यक समझते हैं। 'गुआबज़े' में चरित्रों की आयामिता एवं परिस्थितियों की सपाटता उन्हें अखरती है। साहित्यिक उत्कृष्टता की कसौटी पर इस नाटक के पूरा खरा न उतरने के साथ ही इसमें गहरा रंगमंचीय अनुभव बनाने की संभावनाएँ ही नहीं खुल पाती हैं। 'कैद-ए-हयात' की स्थिति बेहतर है। इसमें आचार्य को अभिनय की बड़ी संभावनाएँ नजर आती हैं। नाटक को साहित्यिक और रंगमंचीय खाँचे में बाँटकर देखने की प्रवृत्ति का आचार्य विरोध करते हैं। गिरीश कर्नाड के 'तलेदण्ड' का अनुवाद 'रक्त कल्याण' (रामगोपाल) में भी चरित्रों का इकहरापन और सपाटता आचार्य जी नजरअंदाज नहीं कर पाते हैं। जबकि महेश एलकुंचवार के वसंतदेव द्वारा अनुदित नाटक 'प्रतिबिंब' और 'आत्मकथा' नाटक की युक्ति केंद्रीयता रेखांकनीय है। आचार्य नंदकिशोर श्रेष्ठ नाटककार हैं। 'देहांतर' उनकी सफल नाट्य कृति है। 'एक नाटक का जन्म' में देहांतर' की विषयवस्तु, लेखन की प्रेरणा, अनुभूति यानि समग्र

रचना प्रक्रिया का विवेचन है। आचार्य नाटक का केंद्र अभिनय ही मानते हैं। इसीलिए अभिनय इनके लिए साक्षी भाव की साधना है। उनके नाटकों का लेखन भी लगभग इसी तलाश में हुआ।

'भारतीय रंगदृष्टि का पुनरान्वेषण' नेमिचंद्र जैन की पुस्तक 'रंगदर्शन' पर केंद्रित लेख है जिसमें नेमि की रंग-आलोचना पर प्रकाश डाला गया है। आचार्य के अनुसार नेमिचंद रंगकर्म को निरामनोरंजन ही नहीं, बल्कि एक सांस्कृतिक प्रक्रिया के रूप में देखते हैं। आचार्य आगे लिखते हैं—"जीवन के गतिमूलक, सक्रिय, सजीव रूप की अभिव्यक्ति के माध्यम से जीवन का निखार—यही वो ताना है जिसके आधार पर नेमि जी की रंग आलोचना का पट बुना है और इस पट का बाना है अपनी परंपरा का समकालीन सर्जनात्मक अन्वेषण।" सर्वेश्वरदयाल सक्सेना के नाटक 'बकरी' की नेमि जी द्वारा की गई प्रशंसा पर आचार्य को आश्चर्य है; क्योंकि बकरी में लोक नाट्य तत्वों का उपयोग सतही और सजावटी है। वह एक स्थूल यथार्थ की स्थूल अभिव्यक्ति होकर रह गया है। वह किसी गहरी रंगानुभूति या उस काव्यात्मक अनुभूति का माध्यम नहीं बन पाया है जो नेमि जी का नाट्यादर्श है। आचार्य नंदकिशोर भी नेमिचंद को इस अर्थ में हिंदी का विरल नाट्यालोचक मानते हैं कि उन्हें भारतीय परंपरा के संस्कृत और लोक रूपों की एकता के बीच उनके अंतर और भिन्न वैशिष्ट्य की पहचान है। हिंदी नाटक के मंचन के अनवरत आग्रह के लिए आचार्य जी नेमि की तारीफ़ करते हैं। हिंदी रंगमंच और नाटक के विकास में एक विवेकपूर्ण और सर्जनात्मक हस्तक्षेप के लिए नेमि जी का योगदान अविस्मरणीय है। उनकी रंग-आलोचना में संतुलन और स्पष्टता का आग्रह प्रशंसनीय है। कहीं-कहीं आचार्य जी ने हिंदी नाटक और रंगमंच में हिंदी भाषा को लेकर नेमि जी के प्रकट आग्रह की सराहना की है; क्योंकि "आलोचना के रूप में हिंदी नाटकों पर उनका आग्रह भाषायी पूर्वाग्रह से नहीं है, बल्कि एक सर्जनात्मक जरूरत से उपजता है।" नेमि जी पहचानते हैं कि अपनी भाषा की नाट्यात्मकता के अभाव में कोई रंगमंच अपने समाज के आत्मसाक्षात्कार का माध्यम नहीं बन सकता—इसीलिए भाषा ही वह मूल आधार है जो एक जनसमूह को समाज बनाती है।" "एक परंपरा में होने के कारण कोई जन समूह एक समाज होता है।" तथा "समाज से तात्पर्य किसी एक मूल्य परंपरा के साथ-साथ एक सम्प्रेषण प्रणाली में बँधे हुए समूह से भी है।" आचार्य के अनुसार नेमि जी का रंगदर्शन इन्हीं तथ्यों को पहचानने की दृष्टि देता है।

'कविता का सच बजरिये कबीर' में कबीर को नए सिरे से देखने की कोशिश है। उक्त लेख में कबीर की वैचारिकता को लेकर कुछ आपत्तियाँ उठायी गई हैं जिन पर सारे पूर्वाग्रहों से मुक्त होकर विचार किया जाना चाहिए। पहली बात, असहिष्णुता की है जो अन्य आग्रहों को वैचारिकता के केंद्र में रखने के कारण उत्पन्न हुई है और जहाँ अनुभूति शिथिल हुई है। दूसरी महत्त्वपूर्ण बात है नारी के प्रति कबीर की संकीर्ण दृष्टि। आचार्य जी मानते हैं कि कबीर का किसी दर्शन पद्धति में न बँधने का कारण है उनका संत और कवि होना। कबीर के लिए धार्मिक अनुभूति महत्त्वपूर्ण है। आचार्य यहाँ धर्म के संबंध में पॉलटिलिच का विचार रखते हैं "स्वयं अपने अस्तित्व और सार्वभौमिक अस्तित्व से लगाव की अवस्था ही धर्म है।" इस दृष्टि से धार्मिक अनुभूति और सहोदर हो जाती है। संतों में इसी सहोदरता की पुष्टि अस्तित्व की एकसारता के बोध को आचार्य कबीर की सहज समान अनुभूति कहते हैं और यह अनुभूति कबीर को सबकी समानता के क्रोध की ओर अग्रसर करती है। कबीर की सहज समान अनुभूति कहते हैं और यह अनुभूति कबीर को सबकी समानता के बोध की ओर अग्रसर करती है। कबीर द्वारा जात-पाँत के भेद, ऊँच-नीच और सांप्रदायिक कट्टरता की आलोचना का मूल आचार्य उनकी काव्यानुभूति में देखते हैं। यही उनकी धर्म साधना है। धार्मिक अनुभूति की अन्य प्रक्रियाओं के प्रति कबीर की असहिष्णुता को आचार्य पहचान लेते हैं और प्रश्न उठाते हैं, "वह अन्य को उनकी अपनी प्रक्रिया पर चलने देना क्यों नहीं चाहते?" बड़ी दृढ़ता से वे कहते हैं—"मूर्तिपूजा या नमाज अथवा मंदिर-मस्जिद का विरोध किसी अनुभूति से नहीं बल्कि उनमें छिपे मतवादी तर्क की पद्धति से प्रसूत हैं।" वे आगे कहते हैं "जिस प्रकार ध्यान धार्मिक साधना का एक प्रकार है उसी प्रकार मूर्तिपूजा, नमाज तथा अन्य प्रकार भी। क्या सूर, तुलसी, मीरा या सूफी संतों की धार्मिक अनुभूति को पाखण्ड या आडंबर कहा जा सकता है।" इसी प्रसंग में आचार्य श्रेष्ठ की पहली शर्त सत्य का निराग्रह घोषित करते हैं; क्योंकि; "धर्म और साहित्य दोनों ही सत्य की साधना है। किसी भी प्रकार का पूर्वाग्रह सत्य और उसकी अनुभूति को दूषित कर सकता है।

स्त्री के प्रति कबीर का रुख आचार्य के लिए अखरने वाला है। वे बेबाक ढंग से कहते हैं—"स्त्री नरक का द्वार अथवा भुजंग को अंधा कर देने वाली या मनुष्य को भटकाने वाली मानना संपूर्ण चराचर में व्याप्त एक अनंतर सत्ता को अनुभव करने की संगति में नहीं बैठता।" इस संदर्भ में कबीर उस मानसिकता से पूरी

तरह मुक्त नहीं लगते जो हमारे तत्कालीन सामाजिक, एवं धार्मिक जीवन में व्याप्त थी।"...दरअसल इस संदर्भ में कबीर का कवि फिर अनुभूति के बजाय रूढ़िबद्ध संस्कारों को महत्त्व देता जान पड़ता है। यदि संपूर्ण चराचर में एक ही सत्ता की व्याप्ति का अनुभव करने वाली चेतना, जो सामाजिक भेदभाव और साम्प्रदायिक पाखण्ड को भेदने में पूर्ण समर्थ हो, दुनिया की लगभग आधी जनसंख्या को नरक का द्वार मानने लगे तो यही मानना होगा कि संत और कवि के रूप में इस ओर कुछ शिथिल समाधि हुई है।" इस टिप्पणी के सहारे आचार्य ने संत कवियों की नारी विषयक दृष्टि पर पुनर्विचार की बात कही है। आज स्त्री विमर्श के दौर में कबीर की नारी विरोधी दृष्टि का सवाल उठाकर आचार्य ने साहस का परिचय दिया है।

नंदकिशोर आचार्य अपनी मान्यताओं में अज्ञेय से कुछ ज्यादा ही प्रभावित लगते हैं। अज्ञेय की सार्थक एवं प्रमाणिक उपस्थिति 'साहित्य का स्वभाव के ढेर सारे लेखों में है। अपनी राय कायम करते हुए आचार्य जी अज्ञेय के अभिमत का सहारा अवश्य लेते हैं और पूरी सजगता के साथ। 'अज्ञेय की समकालीनता' में स्मृति विहीनता के दर्द को उभारा गया है। आचार्य जी अपने पूर्ववर्ती लेखकों की सार्थकता एक रचनात्मक प्रभाव की तरह जीवित रहने में मानते हैं। और उनके लिए उसी जीवंत परंपरा की महत्त्वपूर्ण कड़ी हैं अज्ञेय। ये ही आचार्य की वैचारिक ऊर्जा के स्रोत हैं। समकालीन हिंदी साहित्य के परिदृश्य में अज्ञेय की एह जीवंत और रचनात्मक उपस्थित को लेकर उनके मन में गहरे आश्वस्ति का भाव है। अज्ञेय की परवर्ती कविता पर अज्ञेय के काव्य प्रभाव का विश्लेषण करना ही उनका महत् उद्देश्य है। आचार्य जी ने आधुनिक हिंदी कविता को भीतर तक बदलने का श्रेय अज्ञेय को दिया है। "समकालीन कविता के लय विधान और स्थापत्य में अज्ञेय की मौजूदगी उसी तरह है जिस तरह स्वयं अज्ञेय की कविता में मैथिलीशरण गुप्त, पंत और निराला।" अज्ञेय के प्रभाव को रेखांकित करते हुए आचार्य कहते हैं—"अपनी वैचारिक भिन्नताओं के बावजूद आज की हिंदी कविता का अधिकांश अपनी जैविकी में अज्ञेय से जुड़ता है।" आचार्य नए कवियों की भी परख करते हैं। नए कवियों की रचनाओं में उन्हें काव्यात्मक धीरज आकर्षित करता है। प्रकृति और आत्मीय भावनाओं की स्मृति, बौद्धिक संवेग के साथ मानवीय वेदना की अभिरूचि आकृष्ट करती है। अज्ञेय की कवि दृष्टि उनके कथा साहित्य में सार्थक हस्तक्षेप करती है। अज्ञेय के निबंधों में एक अलग ही तरह की भाषा का विकास चिंतन और अनुभूति की एक बिंदु पर एकमेकता के कारण संभव हुआ माना है। दिनमान के माध्यम से हिंदी पत्रकारिता और उसकी भाषा को जो तराश और गरिमा अज्ञेय के माध्य से मिली उसे विस्मृति कर पाना आचार्य के लिए संभव नहीं हुआ। अज्ञेय के आयोजकीय व्यक्तित्व की चर्चा करना आचार्य नहीं भूलते हैं क्योंकि उन्हें पता है कि हिंदी में रचनात्मक उत्तेजन का वातावरण बनाए रखने में अज्ञेय की भूमिका महत्त्वपूर्ण रही है। अंत में यह भी स्मरण कर लेना जरूरी समझते हैं कि साहित्य और संस्कृति में नई प्रवृत्तियों के अंकुरण और विकास का जिक्र अज्ञेय के बिना अधूरा है।

जैनेंद्र और गांधीवाद के अंतस्संबंध को 'जैनेंद्र का स्मरण' में रेखांकित किया गया है। जैनेंद्र के बिना हिंदी गद्य के बारे आचार्य जी सोचना भी नहीं चाहते हैं। जैनेंद्र को अपने समाज के अंतर्द्वंद्वों की ठीक पहचान थी। उनके नारी पात्रों में गहरी मूल्य चेतना गहरे आध्यात्मिक स्तरों से प्रसूत हुई है। जिस प्रकार गांधी अपने तरीके से भारतीय समाज को समझ रहे थे उसी प्रकार जैनेंद्र एक कथाकार की दृष्टि से अपने समाज को समझने की कोशिश कर रहे थे। जैनेंद्र का रचना-संसार एक अहिंसा दृष्टि का कथात्मक प्रतिफलन है। उनके पात्रों का विद्रोह एक नैतिक बोध से प्रसूत है। आचार्य जी ने जैनेंद्र को हिंदी का अकेला ऐसा बुजुर्ग लेखक माना है जिनके होने में हिंदी के नए से नए लेखकों को यह लगता रहा है कि उनका कोई बुजुर्ग है जिसके रहते वे आश्वस्त रहे। जैनेंद्र हिंदी समाज को एक आत्मगौरव का अनुभव कराने वाले लेखक थे।

रघुवीर सहाय के अवदान का स्मरण करते हुए आचार्य 'रचना दृष्टि से निकसती जीवन दृष्टि' लेख में रघुवीर सहाय के साहित्य एवं चिंतन पर विचार करते हैं। आचार्य को रघुवीर सहाय के लेखन में सामाजिक यथार्थ की या एक नए समाज के सपने की बात महत्त्वपूर्ण प्रतीत होती है। रघुवीर सहाय की काव्य चिंता और नए जीवन की खोज से वे परिचित हैं। रघुवीर सहाय उनके लिए महत्त्वपूर्ण राजनैतिक कवि हैं। रचना को रघुवीर सहाय ने मूलतः एक नैतिक कर्म के रूप में जिया हैं आचार्य का विचार है "रघुवीर का रास्ता एक ऐसे वास्तविक रचनाकार का रास्ता है जिसमे लिए रचना ही उसकी जीवन दृष्टि, मूल्यबोध या नैतिकता का वास्तविक स्रोत है। आचार्य जी ने मृत्यु में जीवन के अर्थ की तलाश निर्मलवर्मा के उपन्यास 'अंतिम अरण्य' में कही है। निर्मल वर्मा के उपन्यास नियति की गाथा हैं। परिस्थितियाँ उनके

यहाँ नियमित के बृहत्तर संदर्भ में परिभाषित होती हैं। आचार्य को पूरे उपन्यास की संरचना में एक किस्म की उदासी बल्कि वीतरागता का राग निरंतर बजता रहता सुनाई पड़ता है। आचार्य को पूरे उपन्यास की संरचना में एक किस्म की उदासी बल्कि वीतरागता का राग निरंतर बजता रहता सुनाई पड़ता है। 'अंतिम अरण्य' उपन्यास की संरचना में स्मृत्ति और दिक् की भूमिका उल्लेखनीय है। ''एक ऐसी संरचना जहाँ प्रत्येक स्मृति अपने में स्वायत्त भी है और एक स्मृतिलोक का हिस्सा भी। यह प्राचीन भारतीय कथा शैली का एक नया रूपांतर है। भारतीय का काल बोध—सभी कालों और भुवनों की समक्षणिकता के बोध के पीछे की भाव दृष्टि यहाँ सक्रिय है।''

'साहित्यः सख्यभाव की साधना' में आचार्य ने साहित्य में सख्याभाव के सूत्र तलाशने का उपक्रम किया है। जैसे तो मध्यकाल में भक्त कवियों ने अपनी रचनाओं में सख्याभाव की प्रतिष्ठा की है। आचार्य नंदकिशोर ने 'महाभारत' का काव्यार्थ भी 'मानुष भाव की पहचान' माना है। कालिदास का काव्य मर्म भी सख्यभाव है। आचार्य ने आधुनिक साहित्य का केंद्रीय प्रयोजन भी सख्यभाव स्वीकारा है। भक्ति साहित्य के संदर्भ में आचार्य जी सख्य को एक पराएषण के रूप में देखते हैं। आचार्य का कहना है कि विद्या निवास मिश्र भविष्यत् के साहित्य का केंद्रीय प्रयोजन आत्मीय संस्पर्श की तलाश मानते हैं और इसके पीछे भी सख्याभाव की साधना निहित है। आचार्य मिश्र के लिए साहित्य का प्रयोजनसख्य की पहचान या अभ्यंतर संवाद हैं। आचार्य नंदकिशोर के लिए सख्यभाव का तात्पर्य केवल कवि और सहृदय के बीच की साझेदारी नहीं बल्कि सृष्टिमात्र के साथ सख्य का साझेदारी का बोध है जिसमें रचनाकार और गृहीता भी सम्मिलित है। साहित्य के संदर्भ में जिस सख्यभाव की बात विद्या निवास जी कर रहे हैं उसे आचार्य दार्शनिक स्तर पर अद्वैत भाव की साधना का प्रभाव बताते हैं। जो संपूर्ण दृष्टि के साथ अद्वेत का, अखंडता का बोध हैं। इसी अर्थ में साहित्य अखंड अपनापे की आवाज़ है।

'छायावाद की अवधारणा और पंत' लेख में प्रमुख छायावादी कवियों की छायावाद विषयक मान्यताओं को जाँचने का प्रयास है। आचार्य जी ने छायावाद को भक्तिकाल के बाद हिंदी का सर्वाधिक महत्त्वपूर्ण काव्यान्दोलन का मिथ्या नामकरण कहा है। उनकी दृष्टि में इसका कारण है—''छायावादी आंदोलन में हिंदी कविता के स्वरूप में जो परिवर्तन किए, उनका तनिक भी संकेत इस नामकरण में नहीं मिलता।'' आचार्य मानते हैं कि पंत और निराला में इस नई काव्य चेतना को किसी विशेष विषय वस्तु के आधार पर परिभाषित करने का आग्रह नहीं दिखाई देता। आचार्य ने सौंदर्यबोध को उस युग की सबसे मौलिक तथा प्रमुख देन मान लेने के कारण पंत का अपनी ही मूल प्रतिज्ञा से च्युत हो जाना हिंदी कविता के लिए एक दुर्घटना माना है। हिंदी कविता अपने लय विधान में पंत की आवधारणा के अत्यंत निकट दिखाई देती है।

अशोक वाजपेयी 'वैष्णव संवेदना की आधुनिकता' के कवि हैं। आचार्य के मतानुसार इसका असली कारण है ''अपनी सभी लौकिक व्याप्तियों के साथ जीवन के प्रति अनुराग पूर्ण स्वीकार और उनकी पवित्रता और रहस्य का गहरा बोध।'' इसे अशोक बाजपेयी एक तरह की ईश्वरहीन आध्यात्मिकता कहते हैं। ''कविता की पारदार्शिता और सहजता अर्थात् उनका शिल्प भी दरअसल उनकी संवेदना की वैष्णवता की ही शैल्पिक अभिव्यक्ति है।'' वाजपेयी की कविताओं की उत्सवधर्मी भंगिमा भी संवेदना की, जीवन के प्रतिलीला भाव की ही व्यंजना है। प्रेम और रतिराग अशोक के काव्य लोक में रंग भरते हैं। आचार्य जी दैहिकता की पवित्रता का बोध कराने वाली अशोक की कविताओं की पृष्ठभूमि में संत साधना की, दार्शनिकता जयदेव और विद्यापति जैसे रचनाकारों का काव्यलोक और खजुराहो जैसे मूर्तिकला की प्रेरणा मानते हैं। पुनर्जन्म को लेकर लिखी कविताओं को आचार्य अशोक की साहसिकता का प्रमाण कहते हैं। नंदकिशोर के लिए अशोक वाजपेयी की कविता 'ओट हो गई सुंदर की तलाश' है। उनकी दृष्टि में अशोक के लिए ''सुंदरता और पवित्रता दोनों तत्वतः एक ही है। वे सुंदरता को पवित्रता में देखते हैं। और पार्थिव को पवित्र मानते हैं। इससे उनकी संवेदना उस मध्यकालीन भक्त कवि की संवेदना का आधुनिक रूपांतर लगती है जो इस समूची सृष्टि और उससे कार्य व्यापार को भागवती-लीला और सब कुछ को कृष्णमय मानता है। और इसीलिए इस लीला में अपनी भूमिका के निर्वाह को ही धर्म स्वीकार करता है।'' दरअसल अशोक की कविताओं का मूल स्वभाव है बतियाना। यही सम्प्रेषणीयता का आधार है। अशोक स्मृतियों के कवि कहे जाते हैं। आचार्य ने उन्हें केवल जीवन की स्मृति का ही नहीं, साहित्यिक स्मृति का भी कवि माना है। अशोक का प्रगाढ़ ऐंद्रिक संवेदना के कवि कहलाना आचार्य को प्रीतिकर लगता है। मृत्यु भी अशोक के लिए जीवन का एक हिस्सा होने के कारण सुंदर की तलाश में सहायक है।

'निराला और चौथा सप्तक' लेख में चौथा सप्तक के कवियों पर निराला का प्रभाव रेखांकित किया गया है। आचार्य मानते हैं कि इन कवियों पर निराला का जादू सर चढ़कर बोलता है। मुक्त छंद, लिरिक, प्रगीतात्मक संरचना, प्रगीत में विरोधाभासी संवेदनाओं को गूँथने का प्रभाव आदि विशेषताएँ निराला की परंपरा का ही विस्तार है।

हिंदी के नए उपन्यासों में कृष्णबलदेव वैद का उपन्यास 'मायालोक' अपने स्थापत्य से आचार्य नंद किशोर को प्रभावित करने में सफल हुआ है। 'नए स्थापत्य का आविष्कार' शीर्षक लेख में आचार्य 'मायालोक' की औपन्यासिक संरचना के बारे में कहते हैं, "उपन्यास की संरचना किसी एक विषय पर केंद्रित काव्य श्रृखला की तरह है जिसमें सब कविताएँ अपने में अलग होते हुए भी एक अनुभव वृत्त में समाहित हो जाती हैं और हम चाहें तो उन कविताओं को कवि प्रदत्त क्रम में नहीं, बल्कि अपने चयन और क्रम में भी पढ़ सकते हैं।" उपन्यास में सम्प्रेषणीयता के अभाव का आरोप आचार्य को स्वीकार नहीं है। दरअसल आचार्य कला में सम्प्रेषणीयता का वास्तविक तात्पर्य एक वैज्ञानिक ग्रहण संवेदना का विकास मानते हैं। भवानीप्रसाद मिश्र गांधीवाद से प्रभावित कवि हैं। 'अहिंसा बोध का काव्यांतर' करने में वे सफल हुए हैं। भवानी भाई की कविता में लयात्मकता, बोलचाल के गद्यात्मक से लगते वाक्य विन्यास, सरल कथन भंगिमा, बातचीत का स्वभाव, छलपूर्ण सरलता आत्मीयता का स्पर्श, प्रकृति, व्यंग्य का क्षोभ आदि विशेषताएँ आचार्य का ध्यान आकृष्ट करती हैं। उनकी दृष्टि में "भवानीप्रसाद का काव्य-संसार साधारण भारतीय जन के ऐतिहासिक और मानसिक द्वंद्वों से प्रसूत आहिंसा बोध या संवेदन की आधुनिक प्रक्रिया का प्रतिफलन ही नहीं, है हाँ निश्चय ही काव्यात्मक प्रक्रिया का प्रतिफलन है।"

"संस्कृति का सार है स्वतंत्रता' में आचार्य जी किसी भी संस्कृति का केंद्रीय सर्जनात्मक तत्व उसका काल प्रत्यय मानते हैं। क्योंकि उसी में उस संस्कृति विशेष की विश्वदृष्टि, जीवन दर्शन तथा सामाजिक एवं वैव्यक्तिक जीवन के रूप निरसते और विकसित होते हैं।" भारतीय संस्कृति की श्रेष्ठता का आधार विशिष्ट काल बोध ही है। आचार्य ने भारतीय परंपरा में कवि की एक रेखिकता के स्थान पर कालों के समवर्ती या समकालिक होने की कल्पना को श्रेष्ठतम माना हैं। एतदर्थ वे अज्ञेय तथा अन्य साहित्यकारों के उद्धरण पेश करते हैं। उनका अभिमत ध्यान देने योग्य है, "एकरेखीय कालबोध का आवश्यक प्रतिफलन एक केंद्रीय दिग्बोध भी है जबकि चक्रावर्ती काव्य की परिकल्पना से निरसने वाला दिग्बोध अनिवार्यतः बहुकेंद्रीय होता है। इस बहुकेंद्रीयता का ही परिणाम है कि भारतीय जीवन दृष्टि इतिहास की दास नहीं हुई।" अज्ञेय के माध्यम से आचार्य स्पष्ट करते हैं कि "स्वतंत्रता और सृजनात्मकता बल्कि स्वतंत्रता और संस्कृति भी समानार्थी प्रत्यय हो जाते हैं।" अज्ञेय चक्रवर्ती कालबोध से जोड़कर स्वतंत्रता को आध्यात्मिक व्याप्ति देते हैं। आचार्य जी अज्ञेय की मानव केंद्रित आध्यात्मिकता का समर्थन करते हैं। जाहिर है आचार्य जी एक रेखीय काल बोध को अस्वीकार कर चक्रावर्ती काल बोध को महत्त्व देते हैं, क्योंकि वह इतिहास के बंधन से मुक्ति कराता है। चक्रयीकाल बोध बहु केंद्रियता के कारण मानवीय संभावनाओं को अनंत विस्तार की ओर प्रेरित करता है। चक्रावर्ती काल बोध से जोड़कर अज्ञेय इस स्वतंत्रता को आध्यात्मिक व्याप्ति देते हैं। बहुकेंद्रीय दिक्काल बोध बहुकेंद्रीय सत्ता और समाज से स्वतंत्रता और सत्ता के बीच तनाव की आशंका क्षीणतर हो जाती है। जाहिर है, आचार्य काल की एकरेखिकता के स्थान पर कालों के समवर्ती या समकालिक होने की कल्पना को श्रेयस्कर माना है।

आचार्य 'परंपरा के मर्म की पहचान' निर्मल वर्मा के साहित्य में करना जरूरी समझते हैं। निर्मल जी के लिए "परंपरा कोई अवधारणा नहीं है, एक अनुभूति, एक बोध है जिसके आधार पर हमें समय और इतिहास को समझना चाहिए। निर्मल वर्मा के लिए भारतीय परंपरा का अर्थ संलग्नता का सर्वव्यापी बोध है—अपने समग्र के एक अंश के रूप में अनुभव करना—समग्र जो देश में भी व्याप्त है और काल में भी, जो प्रकृति भी है और मनुष्य भी और जिसमें मनुष्य प्रकृति से उसी तरह जुड़ा है जैसे भूगोल, पेड़-पौधे या पशु-पक्षी। संलग्नता का यह सर्वव्यापी बोध भारतीय चित्त का मुख्य कारक है जिसे निर्मल संस्कृति का स्वप्न कहते हैं।" निर्मल वर्मा आधुनिक चित्त और आधुनिक भारतीय चित्त के वस्तु अनुभव और उसके स्वप्न अनुभव के बीच दरार का मुख्य कारण प्रकृति और परिवेश के प्रति हमारे रिश्ते का स्वरूप मानते हैं। उन्होंने भारतीय चित्त के संलग्नता के बोध में दरार आने का मुख्य कारण दो सौ वर्षों का औपनिवेशिक शासन को माना है। "इस औपनिवेशिक शासन ने ऐसे वर्ग को जन्म दिया जो अपनी आत्म चेतना की प्रेरणा को अपने गौरवमय अतीत से लेता है, किंतु अपना सामाजिक राजनीतिक ढाँचा यूरोपीय नमूने के आधार पर बनाना चाहता था।" आचार्य निर्मल वर्मा के बहाने

यह विश्वास जगाने का प्रयास करते हैं कि "हम इतिहास के उपनिवेश नहीं, वह मुक्त चेतना हैं जो संपूर्ण का–ऋत का–अंश होने के बोध में ही अपनी मुक्ति की अनुभूति करती है।"

'कवि दृष्टि का कथान्तरण' में अज्ञेय की कथा-दृष्टि का मूल्यांकन है। आचार्य ने कालजयी कहानी के लिए कवि दृष्टि को अनिवार्य माना है। उनका अनुभव है कि "कवि दृष्टि से देखा गया यथार्थ अधिक गहरे अर्थ में प्रत्यक्ष होता है।" कवि दृष्टि का आशय स्पष्ट कतरे हुए आचार्य कहते हैं–"क्षण में झलकती सनातनता को पहचानने और एकोन्मुख वृत्तांत को बहुस्तरीय और संश्लिष्ट अनुभूति की तरह रचने से है–और यह रचाव वृत्तांत की अपनी मर्यादा में होता है, उसे कविता बनाकर नहीं।" आचार्य ने मेटानिमिक संरचना में ही रूपात्मक प्रभाव देना अज्ञेय की कहानीं-संरचना की विशेषता बतलाया है। अज्ञेय पर समकालीन जीवन से कटे होने का आरोप आचार्य ख़ारिज करते हैं और हमारा ध्यान उनकी क्रांतियुद्ध और देश विभाजन की त्रासदी से संबंधित कहानियों पर आकृष्ट करते हैं। अज्ञेय की कहानियों की जटिल एवं बहुस्तरीय सत्य का संधान करने की विशेषता को आचार्य मानवीय अर्थात् सार्वकालिक मानव की अचूक पहचान के रूप में देखते हैं। आचार्य अज्ञेय की इस चिंता का जिक्र करना जरूरी समझते हैं कि सम्प्रेषण ही कला का धर्म है। अज्ञेय की कहानियों की पठनीयता का आधार वे कहानियों की संवेदनात्मकता, बौद्धिकता या आत्मसजगता मानते हैं जिसे कलात्मक संयम कहा जाता है।

'भाषा का गद्य विन्यास' रामस्वरूप चतुर्वेदी की कृति 'गद्य : विन्यास और विकास' पर केंद्रित लेख है। आचार्य इस समीक्षा कृति के गद्य को सर्जनात्मक गद्य मानते हैं और किताब की इस खामी की ओर संकेत करते हैं कि लेखक उसे अप-टू-डेट नहीं कर पाया है। प्रसगतः भाषा पर कुछेक चिंतनपूर्ण टिप्पणियाँ उल्लेखनीय हैं : "रूपात्मक भाषा और संशक्तिमूलक भाषा के बीच का यह तनाव ही आधुनिक गद्य का तनाव है। आधुनिक हिंदी गद्य की बहुत सारी प्रयोगधर्मिता की पृष्ठभूमि यही तनाव है।" विचार की प्रक्रिया और माध्यम पर विचार की बातें कम महत्त्वपूर्ण नहीं है।

'भारतीय आधुनिकता की तलाश' में तीन महत्त्वपूर्ण समकालीन रचनाकारों की कृतियों पर विमर्श है। रमेशचंद्र शाह की आलोचना कृति 'भूलने के विरुद्ध' की समीक्षाएँ उनकी भारतीय आधुनिकता की तलाश से ही प्रेरित लगती हैं। शाह की विश्लेषण क्षमता और तार्किक पैनी दृष्टि रेखांकनयी है। केदारनाथ सिंह की रचना 'मेरे समय के शब्द' की भी मूल चिंता भारतीय आधुनिकता की तलाश है। आचार्य का कहना है कि केदारनाथ सिंह के लेखों, टिप्पणियों में शाह जैसी दार्शनिक बौद्धिकता नहीं, बल्कि एक कवि की दृष्टि ही अधिक मुखरित है। डॉ. रमेशचंद्र सिंह की किताब 'राजनीति और साहित्य' भारतीय आधुनिकता को गांधी और लोहिया के विचार चिंतन के संदर्भ में व्याख्यायित करती है। आलोच्य किताब का अंतिम लेख 'मैं हूँ किसी भी नदी में अनखप' रूसी कवि मरीना त्स्वेतायेवा की कविताओं के वरयामसिंह कृत अनुवादों के संकलन 'आएँगे दिन कविता में' पर संक्षिप्त टिप्पणी है।

समग्रतः 'साहित्य का स्वभाव' हिंदी आलोचना की नई भंगिमा है। नया पाठ है। साहित्य और जीवन के विस्तीर्ण धरातल पर लेखक की चेतना का गहरा रंग उभरा है। यह अध्यात्मवादी सौंदर्यशास्त्र की प्रस्थापना है। वैचारिक उत्तेजन का सबब भी है। यहाँ साहित्य की समझ एवं नई भावभूमियाँ विकसित हुई हैं। अपनी वैचारिक स्थापनाओं में नंदकिशोर आचार्य दृढ़ एवं सजग हैं। अस्तु, हम कह सकते हैं कि 'साहित्य का स्वभाव' सांस्कृतिक विमर्श की व्यापकता और आलोचना का नया उन्मेष है।

पुस्तक : साहित्य का स्वभाव (आलोचना)

लेखक : नंदकिशोर आचार्य

प्रकाशक : वाग्देवी प्रकाशन, बीकानेर

मूल्य : 180/- रु.

देर से इंतज़ार है अपना

(मदन सोनी की पुस्तक 'कथा-पुरुष' पर)

गिरिराज किराडू

मदन सोनी की इस पुस्तक कथापुरुष पर लिखते हुए मुझे उस सामग्री के विषय में कुछ नहीं कहना है जिसे यह अपना विषय बनाती है यानि निर्मल वर्मा का कथा का लेखन। यह मेरी एक मात्र प्रतिज्ञा है।

लेखन और लेखक की कथा

यह पुस्तक रचे जाने की प्रक्रिया में अपने लेखक को उत्पादित करती है पर जितना वह इस लेखक को रचती गढ़ती उत्पादित करती है उतनी ही वह स्वयं इस लेखक द्वारा रची गढ़ी उत्पादित की जाती है। यह 'तथ्य' और 'गल्प' की ऐसी अन्योन्याश्रितता नहीं है जिसमें वे तत्क्षण एक दूसरे के पिता और संतति हैं–ऐसी दृग्विषयात्मकता जिसमें उत्पादक और उत्पादित, सर्जक और सृजन के बीच का संबंध अस्थिर और विचलित होकर उन्हें अनन्य बना देता है बल्कि सहवास, साहित्यता की ऐसी अवस्था जिसमें अनन्यता स्वयं अन्यता का ही एक प्रकार है।

लेकिन 'तथ्य' और 'गल्प' का यह निकाय-पुस्तक और लेखक–अपनी अस्ति के लिए एक तीसरे-एक अन्य लेखक की उपस्थिति पर निर्भर है।

यह पुस्तक इस तीसरे-अन्य लेखन-का एक उपोत्पाद है। वह अन्य लेखन जिससे आविष्ट और उत्प्रेषित होकर उसका जन्म हुआ है। 'साहित्यिक प्रजनन से उत्पन्न एक लेखन'। एक ऐसे लेखक द्वारा लिखा जाता हुआ जो स्वयं इस प्रजनन की एक संतति है।

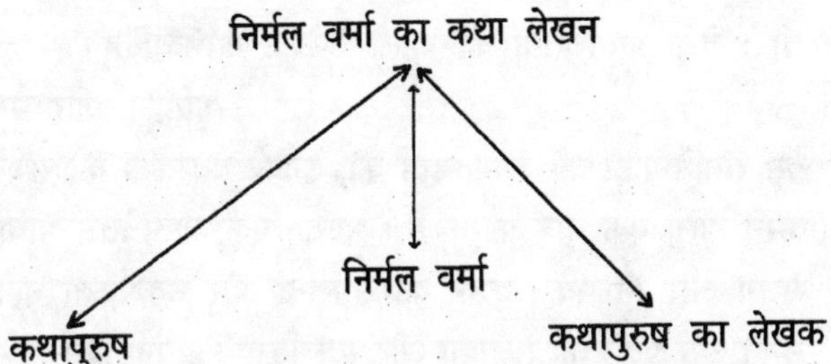

यह वंश-वृक्ष इस अन्य लेखन को एक पितृ-पाठ की तरह अवस्थित करता है। यह पुस्तक और इसका लेखक ऐसे संतति-पाठ हैं जो इस निकाय के पितृ-पक्ष से मुक्त होने पर, या ऐसा होने की कोशिश में एक दूसरे के भी पिता और संतति है। यह अगम्यगमन की एक विशिष्ट व्यवस्था है। एक दूसरे में गमन करती हुई संततियाँ, अपने पिता में गमन करती हुई संततियाँ और स्वयं को पिता और संतति के एक संकर में परिवर्तित करती हुई संततियाँ। लेकिन इनकी पृथकता, व्यक्तिमत्ता यह है कि तत्क्षण पिता और संतति होते हुए भी वे एक दूसरे की और पितृ-संरचना की अनुकृतियाँ नहीं। जैसे एक संतति अपने गुणसूत्रों, बाह्य आकारिकी और अपनी लय में पिता का एक प्रतिदर्श होते हुए भी स्वतंत्र व्यक्ति होती है वैसे ही ये संतति-पाठ अपने उत्तरोतर व्यस्क होने में स्वतंत्र होते हैं और यद्यपि ये अपने पितृ-पाठ से पूरी तरह स्वतंत्र कभी नहीं हो पाते लेकिन अपनी व्यस्कता के चरम क्षणों में, अपनी व्यक्तिमतता के उपलब्ध या अर्जित उच्चतम सोपान पर (अपनी 'स्वयतंत्रता की शराब के कुल्हड़' को हाथों में थामें) ये अपने इस पिता का वध करते हैं और इस पिता की 'राख समेटते हैं', 'गंगा में बहा देते हैं' और 'इस तरह अपनी

मुक्ति के अंतिम अनुष्ठान को स्वयं ही सम्पन्न करते हैं'।

यह इनका अंतिम परिग्रह है।

यह लेखन (और इसकी व्यस्कता) पितृ-सत्ता की इस क्षति का उपोत्पादन है।

यह अगम्यगमन और इडीपस हिंसा (और करुणा) का शिकार लेखन है।

भाषा और प्रति-शोध की कथा

यह निर्मल वर्मा का उपन्यास एक चिथड़ा सुख था जिसे पढ़ते हुए मैंने अपने भीतर पहली बार उस भाषा की आहट सुनी जो अपनी समूची अनगढ़ता और स्वयं इस उपन्यास की भाषा में बुरी तरह लिथड़ी होने की बावजूद 'मेरी' संभावना से चिह्नित थी : मेरी आत्मचेतना की पहली अस्फुट अभिव्यक्ति।

—भूमिका, जोर मेरा

इस संतति-पाठों की व्यक्तिमत्ता को, उनकी वयस्कता को संभव करने वाला एक मात्र कारक है : भाषा। एक आत्मचेतस भाषाः सजग और सकर्मक। कहने की सगजता और सकर्मकता नहीं, सुनने और पढ़नें की सजगता और सकर्मकता। अपनी पितृ-भाषा के साथ अपनी 'ब्लसफेमस' रति में यह भाषा अपनी अभिव्यक्ति को, अपने लिखे जाने को, अपनी आवाज पाने को स्थगित करती है। वह अपनी रति के आलंबन को सुनने-पढ़ने, उससे उपरत होने के लिए उसमें प्रवेश करती है। उस पितृ-भाषा की सजगता और सकर्मकता के क्षेत्र में। उसके वाक्-क्षेत्र में। इस वाक्-क्षेत्र में, इस पितृ-देह में वह मौन भेदिए की तरह है—उसके संवेदन और संवाद को, आवेग और मौन को 'देखती' हुई (इसी तरह यह 'दर्शन' होने की सार्थकता दृश्य होने में खोजती है), उसे इतना पहचानती हुई कि उससे पूर्णतः पृथक् 'हो' नहीं सके, (स्वयं को) कर सके। उसे अपने लिए पहचाने हुए अजनबी में और स्वयं को उसके लिए पहचाने हुए अजनबी में परिवर्तित करती हुई। अगम्यगमन इसी सीमा पर शुरू हो सकता है। इस भाषा की सकर्मकता इस तरह अपनी व्यक्तिमत्ता को निर्मित करने, अपने को अनुकृति होने से बचाने के 'कर्म' में चरितार्थ होती हुई सकर्मकता है। यह अपनी पितृ-भाषा का 'परजीवी'—उसका पाठक-होने का अभिनय करती हुई सकर्मकता है। पर इससे भी अपनी पितृ-भाषा को भेदती हुई, उसका उच्छेदन करती हुई, उसके वाक्-क्षेत्र को श्रव्य, गम्य और इस तरह क्षीण करती हुई भाषा है। यह अभिनय उसकी आत्मचेतना की चरम उपलब्धि है। एक ऐसा अभिनय जिसमें स्वयं के अभिनेता होने के 'ज्ञान' की सकर्मकता निवेशित है।

आवेष्टन और उत्प्रेक्षा इस रति, और इस अभिनय की, मुख्य विधियाँ हैं लेकिन यह आविष्ट और उत्प्रेक्षित होने की ऐसी अवस्था है जिसमें आविष्ट और उत्प्रेक्षित होने की चेतना बनी हुई है क्योंकि यह पाठक-परजीवी-जितना इस पितृ-पाठ पर अपनी अस्ति के लिए निर्भर है, उतना ही वह अपनी उत्तोत्तर अर्जित होती वयस्कता-आत्मचेतना/अभिनय की पराकाष्ठा-में इस पितृ-पाठ को अपनी सजगता और सकर्मकता से आविष्ट और उत्प्रेक्षित करता है। अपने पितृ-वाक्-क्षेत्र में उसका मौन, अपनी आवाज प्रतीक्षा करता हुआ मौन है। वह उसे उसके आंतरिक दृश्य में खोजता है (शोध करता है) कि अपने वाक्-क्षेत्र में, अपने आंतरिक दृश्य में उसका प्रति-शोध कर सके। यही उसकी स्वतंत्रता, उसकी व्यक्तिमत्ता के उपलब्ध होने की विधि है। यह भाषा इस पितृ-भाषा पर पीछे से वार करती है।

यह पाठक-परजीवी-की हिंसा से उत्पन्न भाषा है।

यह एक काफिर की धार्मिक हिंसा से उत्पन्न भाषा है।

पितृ-भाषा की क्षति और ऐन क्षति-वध-के क्षण उस पितृ-भाषा पर स्थापित आधिपत्य वह मुआवजा है जो इसकी सजगता और सकर्मकता इस क्षति के ऐवज में उसे दे सकती है।

उसकी व्यक्तिमत्ता इस क्षति का मुआवजा है।

प्रतिआलोचना और प्रतिपाठक की कथा : एक विषयांतर

यह प्रतिपठन है जो ज्ञान को एक अभेद्य मिथक में बदलता है।

× × × ×

प्रतिपाठक वह है जो किसी भी भिन्न व्याख्या के प्रति अंधा है

× × × ×

पुस्तक का हत्यारा मनुष्य नहीं हो सकता क्योंकि एक मनुष्य जब तक पाठक के रूप में जन्म नहीं ले लेता...

—विषयांतर, मदन सोनी

वाणी प्रकाशन, 1995, पृ. 242, 243

प्रतिपाठक को यदि मनुष्य से अलगाया जा सकता है, बतर्ज पाठक, तो उसे एकवचनीय मानना भी अनिवार्य नहीं। एक साहित्यिक पर्यावरण के आलोचना-संजाल में प्रतिपाठक और पाठक जैसे भेद

को स्पष्ट लक्ष्य कर पाना मुश्किल होता है क्योंकि अपनी सक्रियता में यह संजाल एक रणक्षेत्र जैसा अभिनय करता है। वह किसी पाठ पर आधिपत्य के लिए 'व्याख्या, विश्लेषण, पूछताछ और परख' जैसी विधियों को अपने इस अभिनय के निमित्त प्रयोग में लाता है। यह अनिवार्यतः द्वंद्वात्मक या बहुविध नजर आने वाला संघर्ष उस पाठ के स्थायी और एकाश्म पठन और निरूपण के इरादे से पाठकों के नहीं प्रतिपाठकों के संघर्ष में बदलता जाता है। प्रतिपाठक इसी तरह बहुवचनीय पद बनता है। हिंदी साहित्य में जैसा आलोचना-संजाल सक्रिय है उसमें प्रतिपाठक एक संस्थात्मक हैसियत में है। निर्मल वर्मा के उपलब्ध पठन पर 'चढ़ाई' करने का इस आलोचना का इरादा कोई छुपा हुआ ऐजेंडा नहीं है। यह स्वयं इसे अपनी रणनीति के आरंभिक निरूपण के तौर पर स्पष्ट कर देती है। यह रणक्षेत्र (एक आभासी रणक्षेत्र) में प्रत्याख्यान के अनिवार्य पौरुष के साथ प्रवेश करता है।

लेकिन इस आभासी रणक्षेत्र में यह संघर्ष भी आभासी होने के खतरे से सुरक्षित नहीं। यह उद्यम इस पर पूरी नजर रखता है कि यह एक असली रणक्षेत्र नजर आए। वह इस पाठ विशेष के संदर्भ में इस संघर्ष के अन्य तमाम पक्षों, उपलब्ध विविध पठनों को उनकी संस्थात्मक हैसियत से च्युत करते हुए अपने विरुद्ध सक्रिय एकल प्रतिपक्ष की तरह संकल्पित करता है। यह चेतना इस उद्यम की अंतःप्रेरणा है कि पाठक का अभिनय करती हुई शक्तियाँ मूलतः प्रतिपाठक हैं। इस अर्थ में यह सारा उद्यम विलक्षण है कि वह हिंदी के आलोचना-संजाल के रोजमर्राना और संस्थात्मक रूप से निरूपित पक्ष और प्रतिपक्ष को अपने लिए स्वीकार नहीं करता वरन् एक ऐसे प्रतिपक्ष की संकल्पना करता है जिसे वह स्वयं अपने द्वारा परिकल्पित एक संस्थात्मक हैसियत में अवस्थित कर सके। यह इसके पौरुष के प्रमाण के लिए अनिवार्य निर्माण है (कुछ-कुछ राणा कुंभा से संबंधित उस प्रसंग की तरह जिसमें राणा द्वारा की गई असंभव प्रायः प्रतिज्ञा को पूरा करने के लिए एक नकली, आभासी दुर्ग निर्मित किया जाता है)। इस युक्ति से यह उद्यम प्रतिपाठक को बहुवचनीय स्थापित कर हिंदी के संदर्भ में एक जानी-पहचानी स्थिति का विसंयोजन सर्वथा नए ढंग से कर पाता है।

चूँकि यह संस्थात्मक सीमाओं से बाहर इस उद्यम के द्वारा परिकल्पित एक विशिष्ट प्रतिपक्ष से, विशिष्ट रणक्षेत्र में किया जा रहा संघर्ष हो जाता है, इसकी विजय या शहादत का निर्णय स्वयं इसी के पौरुष और परिभाषा तहत ही किया जा सकता है। यह भी 'एक नए खेल की शुरुआत' है पर इस फर्क के साथ कि इसे खेलता भले ही 'एक व्यक्ति (पठन) हो', 'एकाकी', पर इसमें कई 'वास्तविक या कल्पित व्यक्तियों की मदद' शामिल है। अपने एकाकी आवेग में वह ऐसा यत्न करता है कि उनकी पहचान के इस संदर्भ-'कल्पित या वास्तविक'—होने को उन्मूलित कर सके और उन्हें निरंतर इस संदर्भ के दो प्रतिकूलों में विस्थापित भी। यह व्याख्या, विश्लेषण पूछताछ परख' जैसी रणनीतियों के बरक्स एक नई नीति को उद्‌घाटन करता है। यह नई नीति है : आहार। यह एक विश्लेषक, व्याख्याकार, जासूस आदि के बरक्स एक 'परजीवी' का अभिनय चुनता है। 'परजीवी' जो मनुष्य नहीं हो सकता, सिर्फ पाठक/प्रतिपाठक ही हो सकता है। मनुष्य और पाठक/प्रतिपाठक को अलगाने की यह रणनीति पाठांतर संस्थात्मकता (सत्ता विमर्श) को अलगाने का काम करती है। लेकिन ज्यूँ ही यह उद्यम इस आभासी रणक्षेत्र में विजयी होता है/शहीद होता है, यह स्वयं एक सत्ता विमर्शात्मक और संस्थात्मक हैसियत अर्जित कर लेता है। इडीपस पिता का वध करके पितृत्व नहीं शासन अर्जित करता है। यह महत्त्वपूर्ण नहीं है कि वह उसे अंगीकार करता है कि नहीं।

मैं जानता हूँ यह (प्रति) निबंध भी अगम्यगमन और इडीपस हिंसा (और करुणा) का शिकार है।

पुस्तक : कथा पुरुष (निर्मल वर्मा पर चार निबंध)

लेखक : मदन सोनी

प्रकाशक : वाग्देवी प्रकाशन, बीकानेर

मूल्य : 120 रुपये

रचनाकार परिचय

कृष्णा सोबती

कथा-लेखिका, उपन्यासकार। प्रकाशित पुस्तकों में 'ज़िंदगीनामा', 'मित्रो मरजानी', 'डार से बिछुड़ी', 'सूरजमुखी अँधेरे के', 'यारों के यार तिन पहाड़', 'हम हशमत भाग 1 एवं 2', 'दिलो दानिश', 'ऐ लड़की', 'समय सरगम' आदि शामिल। साहित्य अकादेमी पुरस्कार, साहित्य अकादेमी की महत्तर सदस्यता, साहित्य कला परिषद् से पुरस्कार तथा कथा-चूड़ामणि सम्मान।

संपर्क : 505 बी, पूर्वाशा, मयूर विहार, फेज़-1, दिल्ली 91।

प्रयाग शुक्ल

कवि, कथाकार, कला-समीक्षक। प्रकाशित कृतियों में 'कविता संभव', 'यह एक दिन है', 'अधूरी चीज़ें तमाम', 'यहाँ कहाँ थी छाया', 'यह जो हरा है' (कविता-संग्रह), 'वह अंतर्देशीय', 'छायाएँ तथा अन्य कहानियाँ' (कहानी-संग्रह) तथा 'गठरी' (उपन्यास) विशेष चर्चित। राष्ट्रीय नाट्य विद्यालय, दिल्ली की पत्रिका 'रंग-प्रसंग' के संपादक।

संपर्क : 37 बी, डी. डी. ए. फ्लैट्स, फेज़ 1, मस्जिद मोठ, नई दिल्ली-48।

यशदेव शल्य

साहित्यप्रेमी दार्शनिक पंजाब, विश्वविद्यालय, भारतीय दार्शनिक अनुसंधान परिषद्, भारतीय सामाजिक विज्ञान अनुसंधान परिषद् के वरिष्ठ फेलो रहे। भगवानदास पुरस्कार, स्वामी प्रणवानंद पुरस्कार और शंकर-सम्मान से सम्मानित। 'मूल्यतत्त्वमीमांसा', 'साहित्य-चिंतन', 'युग-चिंतन', 'ज्ञान और सत्', 'मनस्तत्त्व', 'विषय और आत्म', पंत का काव्य और युग' आदि पुस्तकों के लेखक। हिंदी के एकमात्र दार्शनिक त्रैमासिक 'उन्मीलन' के संपादक।

संपर्क : पी-51, मधुबन पश्चिम, टोंक रोड, जयपुर, राजस्थान।

विनोद कुमार शुक्ल

कवि, कथाकार। प्रमुख पुस्तकों में 'वह आदमी नया गरम कोट पहिनकर चला गया विचार की तरह', 'सब कुछ होना बचा रहेगा', 'अतिरिक्त नहीं' (कविता संग्रह), 'नौकर की कमीज़', 'दीवार में एक खिड़की रहती थी', 'खिलेगा तो देखेंगे' (उपन्यास) तथा 'पेड़ पर कमरा' (कहानी संग्रह) विशेष चर्चित। म. प्र. शासन की मुक्तिबोध फैलोशिप, म. प्र. कला परिषद् का रज़ा पुरस्कार, मैथिलीशरण गुप्त सम्मान, रघुवीर सहाय सम्मान, शिखर सम्मान, भवानीप्रसाद मिश्र पुरस्कार तथा साहित्य अकादेमी पुरस्कार से सम्मानित। इंदिरा गांधी कृषि विश्वविद्यालय से कृषि के अध्यापक पद से सेवानिवृत्त। आजकल रायपुर में रहकर स्वतंत्र लेखन।

संपर्क : सी-217, शैलेंद्र नगर, रायपुर (मध्य प्रदेश)।

लीलाधर जगूड़ी

कवि। प्रकाशित कृतियों में 'भय भी शक्ति देता है', 'घबराए हुए शब्द', 'बची हुई पृथ्वी', 'अनुभव के आकाश में चाँद' तथा 'महाकाव्य के बिना' आदि शामिल। कविताओं के जर्मन, जापानी, पोलिश, रूसी अनुवाद प्रकाशित। 1984 में 'पाँच बेटे' नाटक पर नाट्यालेख प्रतियोगिता का प्रथम पुरस्कार। साहित्य अकादेमी

पुरस्कार से सम्मानित। कुछ दिन 'उत्तर प्रदेश' मासिक पत्रिका का संपादन। आजकल देहरादून में रहकर स्वतंत्र लेखन।

संपर्क : बद्रीपुर (जोगीवाला), देहरादून, उत्तराँचल।

गगन गिल

कवयित्री, समीक्षक, अनुवादक। लगभग 11 साल तक टाइम्स ऑफ इंडिया की पत्रिका 'वामा' तथा 'सण्डे ऑब्ज़र्वर' में साहित्य संपादन। अब तक तीन कविता-संग्रह 'यह आकांक्षा समय नहीं', 'अँधेरे में बुद्ध', 'एक दिन लौटेगी लड़की' तथा एक गद्य पुस्तक 'दिल्ली में उनींदे' प्रकाशित। 1990 में आयोवा इण्टरनेशनल राइटिंग प्रोग्राम में सम्मिलित। 1992-93 में हारवर्ड युनिवर्सिटी की नीमेन पत्रकार फ़ैलो। अंग्रेजी पत्रिका 'यात्रा' का विशेषांक, 'जंगल में झील जागती' पंजाबी कवि हरभजन सिंह की कविताओं का संचयन-अनुवाद तथा 'ए जर्नी विदइन' प्रमुख भारतीय चित्रकार रामकुमार पर केंद्रित पुस्तक का संपादन। भारतभूषण अग्रवाल पुरस्कार, संस्कृति पुरस्कार तथा केदार सम्मान से सम्मानित।

संपर्क-वाई-ए-1, सहविकास, 68 पटपड़गंज, इंद्रप्रस्थ एक्सटेंशन, नई दिल्ली।

बद्री नारायण

युवा कवि एवं सामाजिक विज्ञान अध्येता। अबतक एक कविता-संग्रह 'सच सुने कई दिन हुए' प्रकाशित, तथा साथ ही 'लोकसंस्कृति में राष्ट्रवाद', 'संस्कृति का गद्य' एवं 'साहित्य एवं सामाजिक परिवर्तन' पुस्तकें संपादित कीं। भारतीय उच अध्ययन संस्थान, शिमला में फेलो रहे। पेरिस के 'मैसोन दा साइंसेज़ रेला होम' में विज़िटिंग फेलो रहे। कविता के लिए भारतभूषण अग्रवाल स्मृति पुरस्कार से सम्मानित।

संपर्क : गोविंद वल्लभ पंत समाजविज्ञान संस्थान, झूँसी, इलाहाबाद।

राकेश श्रीमाल

युवा कवि। विभिन्न कलाओं पर लेख विविध पत्र-पत्रिकाओं में प्रकाशित। आजकल महात्मा गांधी अंतर्राष्ट्रीय हिंदी विश्वविद्यालय की समीक्षा पत्रिका 'पुस्तक वार्त्ता' के संपादक।

संपर्क : महात्मा गांधी अंतर्राष्ट्रीय हिंदी विश्वविद्यालय, द्वितीय तल, 16 सिरीफोर्ट रोड, नई दिल्ली-49।

संगीता गुंदेचा

युवा कवयित्री, समीक्षक एवं अनुवादक। प्रमुख पत्र-पत्रिकाओं में कविताएँ तथा चिंतनपरक लेख प्रकाशित। कलाओं के अध्ययन में गंभीर रूचि। आजकल महाकवि भास के नाटकों पर शोधरत।

संपर्क : 15, प्रोफेसर्स कॉलोनी, भोपाल (मध्य प्रदेश)।

मंगलेश डबराल

कवि, आलोचक, अनुवादक। 1983 से दैनिक 'जनसत्ता' से संबद्ध। अब तब चार कविता संग्रह 'पहाड़ पर लालटेन', 'घर का रास्ता', 'हम जो देखते हैं' 'आवाज़ भी एक जगह है', एक यात्रा डायरी 'एक बार आयोवा', और एक गद्य-संग्रह 'लेखक की रोटी' प्रकाशित विश्व कविता से ब्रेष्ट, ऐंत्सेंसबर्गर, ज्बग्नीयेव हेर्बेत, तदेऊष रूज़ेविज, पाब्लो नेरूदा, डोरा गाबे, स्तांका पेंचेवा आदि की रचनाओं के अनुवाद चर्चित। जर्मन उपन्यासकार हरमन हेस के उपन्यास 'सिद्धार्थ' तथा बांग्ला कवि नवारुण भट्टाचार्य के संग्रह 'यह मृत्यु उपत्यका नहीं है मेरा देश' के सह-अनुवादक। कविताओं के अंग्रेजी अनुवाद पेरीप्लस, सरवाइवल, जेस्चर्स आदि पुस्तकों में संकलित। ओमप्रकाश स्मृति सम्मान, श्रीकांत वर्मा स्मृति पुरस्कार, शमशेर सम्मान और पहल सम्मान से सम्मानित। अमेरिका के आयोवा विश्वविद्यालय में इण्टरनेशनल राइटिंग प्रोग्राम में सम्मिलित। साहित्य, सिनेमा, संचार माध्यम और संस्कृति के सवालों पर नियमित लेखन।

संपर्क : 337, निर्माण अपार्टमेंट्स, मयूर विहार फेज़-1, दिल्ली-92।

डॉ. गगन

मूलनाम-गौतम चटर्जी। युवा कवि, रंग-समीक्षक एवं सिनेमा के गहरे अध्येता। बनारस में रहकर एक सांस्कृतिक द्वैमासिक 'सांस्कृति उपहार' का संपादन-संचालन। राष्ट्रीय सहारा, बनारस में कार्यरत।

संपर्क : बी-6/76, पीतांबरपुरा, सोनारपुरा, वाराणसी।

ममता कालिया

कथालेखिका, उपन्यासकार। अबतक प्रकाशित कृतियों में 'बेघर', 'नरक दर नरक', 'प्रेम कहानी', 'एक पत्नी के नोट्स', 'दौड़' (उपन्यास), 'बोलने वाली औरत', 'सीट न. 6', 'छुटकारा', 'जाँच अभी जारी है' तथा 'प्रतिदिन' (कहानी संग्रह) विशेष उल्लेखनीय।

अंग्रेज़ी में प्रकाशित दो कविता संग्रह 'ए ट्रिब्यूट टू पापा एंड अदर पोयम्स', 'पोयम्स 78' चर्चित। उत्तर प्रदेश हिंदी संस्थान के यशपाल कहानी पुरस्कार, महादेवी वर्मा स्मृति पुरस्कार, कलकत्ता के अभिनव भारती का रचना सम्मान तथा हिंदी साहित्य परिषद्, पंजाब द्वारा समग्र रचनाओं के लिए सम्मानित। सन् 2001 में महिला सेवा सदन डिग्री कॉलेज, इलाहाबाद से सेवानिवृत्त।

संपर्क-बी-233 मेंहदौरी कॉलोनी, कैवेलरी लाइंस, इलाहाबाद 211004।

उदयन वाजपेयी

कवि, कहानीकार, निबंधकार। 'सदेशना' (कहानी-संग्रह), 'कुछ वाक्य' (कविता-संग्रह), 'अभेद आकाश' (फिल्मकार मणि कौल से संवाद), 'चरखे पर बढ़त' (निबंध संग्रह) आदि पुस्तकें प्रकाशित। विभिन्न पत्र-पत्रिकाओं में आलोचनात्मक लेख प्रकाशित। कुमार साहनी की रवींद्रनाथ टैगोर के प्रसिद्ध उपन्यास पर आधारित फ़िल्म 'चार अध्याय' में संवाद लेखन। गांधी चिकित्सा महाविद्यालय मं फिजियोलॉजी के प्राध्यापक।

संपर्क : 90/45, तुलसी नगर, भोपाल-462003 (म. प्र.)।

सारा राय

प्रख्यात कहानीकार। 'अबाबील की उड़ान' (कहानी संग्रह) विशेष चर्चित। अनुवाद के लिए कथा पुरस्कार से सम्मानित। इलाहाबाद में रहकर स्वतंत्र लेखन।

संपर्क : 12/6 डूमण्ड रोड, इलाहाबाद।

जयशंकर

कथाकार। तीन कहानी संग्रह 'शोकगीत' (पूर्वग्रह सीरीज़) 'लाल दीवारों का मकान' एवं 'मरुस्थल तथा अन्य कहानियाँ' प्रकाशित। भारतीय स्टेट बैंक, आमला में कार्यरत। कुछ कहानियों के पोलिश अनुवाद प्रकाशित।

संपर्क : भारतीय स्टेट बैंक, ग्रामीण विकास शाखा, आमला, जिला बैतूल-460551, मध्य प्रदेश।

नासिरा शर्मा

कथालेखिका, उपन्यासकार। प्रकाशित कृतियों में 'शाल्मली', ठीकरे की मंगनी', सात नदियाँ एक समंदर', 'इब्ने मरियम्', 'खुदा की वापसी', 'ज़िंदा मुहावरे', 'सबीना के चालीस चोर', 'अफगानिस्तान-बुज़कशी का मैदान' आदि शामिल। फिरदौसी के 'शाहनामा' का हिंदी अनुवाद चर्चित। लगभग 8 टेलीफिल्मों के लिए पटकथा लेखन। महादेवी वर्मा पुरस्कार, गजानन माधव मुक्तिबोध स्मृति पुरस्कार, अर्पण सम्मान तथा हिंदी अकादेमी, दिल्ली के कृति सम्मान से सम्मानित।

संपर्क : डी-37/697, छतरपुर पहाड़ी, नई दिल्ली-34।

रमेशचंद्र शाह

कवि कथाकार, आलोचक। 'हरिश्चंद्र आओ', 'नदी भागती आई', 'प्यारे मुचकुंद को', 'शब्द भी देखते हैं अपना समय' (कविता-संग्रह), 'छायावाद की प्रासंगिकता', 'वागर्थ', (आलोचना), 'गोबर गणेश', 'किस्सा गुलाम', 'पुनर्वास', 'पूर्वापर' (उपन्यास), 'थियटर' (कहानी संग्रह), 'सबद निरंतर' (निबंध संग्रह) आदि पुस्तकें प्रकाशित। भोपाल स्थित निराला सृजनपीठ के निदेशक। मध्य प्रदेश शासन के शिखर सम्मान, भारतीय भाषा परिषद् तथा भवानी प्रसाद मिश्र पुरस्कार, द्विजदेवी सम्मान तथा व्यास-सम्मान से सम्मानित।

संपर्क : एम. आई. जी. 10, निरालानगर, भदभदा रोड, भोपाल, म. प्र.।

ध्रुव शुक्ल

कवि कथाकार। 'खोजो तो बेटी पापा कहाँ हैं', 'एक था राजा एक थी रानी' (कविता संग्रह), 'उसी शहर में', 'अमर टॉकीज' (उपन्यास), 'हिचकी' (कहानी संग्रह) तथा 'चाँद मिटता नहीं मिटाने से' (शाइरी) प्रकाशित। म. प्र. शासन के जनसंपर्क विभाग में कार्यरत।

संपर्क : एफ-93/27, तुलसीनगर, भोपाल, म. प्र.।

सुशील सिद्धार्थ

आलोचक, स्वतंत्र पत्रकार। विभिन्न पत्र-पत्रिकाओं में अद्यतन साहित्य पर नियमित लेखन। 'तद्‌भव' पत्रिका के सह-संपादक।

संपर्क-41 कालाकाँकर कालोनी, ओल्ड हैदराबाद, लखनऊ-226007।

ओम निश्चल

कवि, आलोचक एवं भाषाकर्मी। अबतक प्रकाशित पुस्तकों में 'शब्द सक्रिय हैं', (कविता संग्रह) तथा 'द्वारिका प्रसाद माहेश्वरी सृजन और मूल्यांकन' (आलोचना) विशेष उल्लेखनीय। 'साठोत्तरी कविता में विचार तत्त्व' पर शोध। कुछ दिनों तक 'उत्तर प्रदेश' पत्रिका का सह-संपादन किया। आजकल इलाहाबाद बैंक में वरिष्ठ प्रबंधक, राजभाषा।

संपर्क : फ्लैट नं. 405, इलाहाबाद बैंक ऑफिसर्स रेजीडेंस, 1 फकीरपाड़ा रोड, बेहाला, कोलकाता-700034।

रामकुमार तिवारी

युवाकवि, कहानीकार। 'रेलगाड़ी के आगमन से' कहानी पर सन् 2000 का कथा-पुरस्कार। एक कथा संग्रह 'जाने से पहले मैं जाऊँगा' प्रकाशित व चर्चित।

संपर्क : 7 गीतांजलि विहार (नेहरू नगर), अमेरी रोड, बिलासपुर (छत्तीसगढ़)।

आनंद प्रकाश त्रिपाठी

युवा आलोचक। प्रमुख पत्र-पत्रिकाओं में आलोचना कर्म प्रकाशित। डॉ. हरीसिंह गौर विश्वविद्यालय, सागर में हिंदी विभाग में अध्यापन।

संपर्क : रीडर, हिंदी विभाग, डॉ. हरीसिंह गौर विश्वविद्यालय, सागर (मध्य प्रदेश)।

गिरिराज किराडू

कवि, निबंधकार, अनुवादक। विभिन्न पत्र-पत्रिकाओं में कविताएँ, निबंध, अनुवाद, समीक्षाएँ आदि प्रकाशित। कुछ दिनों राजस्थान साहित्य अकादेमी की पत्रिका 'मधुमती' का सह-संपादन। भारतभूषण अग्रवाल पुरस्कार से पुरस्कृत।

संपर्क : 2 जवाहर नगर, एम. एम. ग्राउण्ड के पीछे, बीकानेर (राजस्थान)